KV-000-532

NAŚLADOWCA

W lipcu 2013 ukażą się:

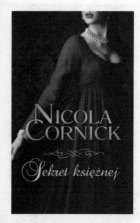

NICOLA CORNICK
Sekret księżnej

SHERRYL WOODS
Skrawek nieba

ERICA SPINDLER
Naśladowca

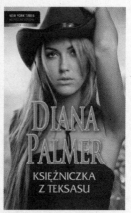

DIANA PALMER
Księżniczka z Teksasu

ANNE GRACIE
Dynastia Tudorów
Król, królowa
i królewska faworyta

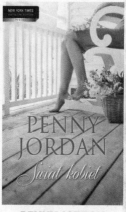

PENNY JORDAN
Świat kobiet

MIRA® wydawana przez
HARLEQUIN®
™ www.Harlequin.pl

Sklep internetowy na stronie **www.harlequin.pl**
**Pełna oferta, atrakcyjne promocje
oraz niespodzianki dla Klientów!**

ERICA SPINDLER

NAŚLADOWCA

Tłumaczenie:
Krzysztof Puławski

Tytuł oryginału:
Copycat

Pierwsze wydanie:
MIRA Books 2006

Opracowanie graficzne okładki:
Robert Dąbrowski

Redaktor prowadzący:
Grażyna Ordęga

Korekta:
Mira Weber

© 2006 by Erica Spindler
© for the Polish edition by Harlequin Polska sp. z o.o.,
Warszawa 2007, 2013

Wszystkie prawa zastrzeżone, łącznie z prawem reprodukcji
części lub całości dzieła w jakiejkolwiek formie.

Wydanie niniejsze zostało opublikowane
w porozumieniu z Harlequin Enterprises II B.V.

Wszystkie postacie w tej książce są fikcyjne.
Jakiekolwiek podobieństwo do osób rzeczywistych
– żywych lub umarłych – jest całkowicie przypadkowe.

Harlequin Polska sp. z o.o.
02-516 Warszawa, ul. Starościńska 1B lokal 24-25

Skład i łamanie: COMPTEXT®, Warszawa

Druk: ABEDIK

ISBN 978-83-238-9075-1

CZĘŚĆ PIERWSZA

ROZDZIAŁ PIERWSZY

Rockford, Illinois
Wtorek, 5. marca 2001
godz. 1.00

Włosy dziewczynki połyskiwały jedwabiście. Chciał ich dotknąć i przeklinał w duchu to, że musi nosić gumowe rękawiczki. Kosmyki miały kolor żółtego, soczystego jedwabiu, co było niezwykłe u dziesięcioletniego dziecka. Zwykle wraz z upływem lat barwa ta szarzała, aż nabierała mysiego odcienia, któremu dawny blask można było przywrócić jedynie za pomocą farby.

Przekrzywił głowę, zadowolony z tego, że wybrał tę dziewczynkę. Była nawet piękniejsza i doskonalsza od poprzedniej.

Pochylił się i pogłaskał ją po głowie. Patrzyła na niego pozbawionymi życia, niebieskimi oczami. Wciągnął głęboko w nozdrza jej miły, dziecięcy zapach.

Tylko ostrożnie...

Nie może po sobie zostawić żadnych śladów.

Ten Drugi wymagał od niego perfekcjonizmu. Wciąż chciał od niego więcej i więcej.

Ciągle go obserwował. Wystarczyło, że spojrzał przez ramię, a Ten Drugi już tam był.

Na czole mężczyzny pojawiły się zmarszczki i natychmiast zaczął myśleć o czymś innym, żeby nie było widać, co czuje.

Moja śliczna. Najcudowniejsza.

Śpiący Aniołek.

Śledcza Kitt Lundgren użyła kiedyś określenia Morderca Śpiących Aniołków, które media natychmiast podchwyciły.

To określenie bardzo mu się spodobało.

Jednak Ten Drugi kręcił na nie nosem. Wyglądało na to, że nic mu nie odpowiada.

Szybko skończył układanie ciała. Jej włosy... Koszulka nocna z różowymi kokardkami, którą wybrał specjalnie dla niej... Wszystko powinno być takie, jak sobie zaplanował.

Idealne.

A teraz finał. Wyjął z kieszeni różową pomadkę i delikatnie umalował dziewczynce usta. Starał się nie przesadzić z kolorem.

Gdy skończył, uśmiechnął się na widok swojego dzieła.

Dobranoc, mój mały aniołku. Śpij dobrze.

ROZDZIAŁ DRUGI

Wtorek, 5. marca 2001
godz. 8.25

Śledcza z wydziału do spraw zabójstw stanęła w drzwiach dziecięcej sypialni i poczuła ucisk w żołądku. Zginęła kolejna dziewczynka, a jej rodzice spokojnie spali przez całą noc na dole i nic nie słyszeli.

Najgorszy z możliwych koszmarów. Jednak dla tej rodziny stał się on brutalną rzeczywistością.

Ekipa techniczna przystąpiła do pracy, obfotografowując miejsce zbrodni. Jeden z policjantów rozmawiał przez komórkę.

Po prostu dobrze znane, a przez to banalne dźwięki. Kitt przyzwyczaiła się do nich już dawno temu i zwykle nie zwracała na nie uwagi.

Ale to była już druga dziewczynka w ciągu sześciu ostatnich tygodni. A poza tym też miała dziesięć lat.

Tak samo jak jej Sadie.

Na myśl o córce poczuła ukłucie w sercu. Kitt starała się odpędzić od siebie te myśli, próbowała skupić się na czekającym ją zadaniu. Musiała przecież złapać potwora, który to zrobił.

Niestety nie zostawił praktycznie żadnych śladów przy pierwszej ofierze. Może przynajmniej teraz coś spieprzył.

Kitt weszła do środka i rozejrzała się po sypialni. Ściany były pomalowane na pastelowy różowy kolor. W pokoju stały białe, rustykalne mebelki i łóżko z baldachimem. Koronkowe białe zasłonki pasowały do całości. Na półce siedziały lalki. Poznała Felicity, ponieważ Sadie miała taką samą.

Prawdę mówiąc, pokój bardzo przypominał sypialnię jej córki. Wystarczyło tylko przesunąć łóżko z prawej strony na lewą, postawić w kącie biurko i zmienić kolor ścian z różowego na brzoskwiniowy, a poczułaby się jak u siebie.

Skup się, Kitt. Tu nie chodzi o Sadie. Zajmij się pracą.

Spojrzała w bok. Jej partner, Brian Spillare, był tu już od jakiegoś czasu i właśnie rozmawiał z porucznikiem Scottem Snowe'em z wydziału gromadzenia danych. W wydziale pracowało dziewięciu śledczych, którzy w przeciwieństwie do swoich kolegów z wielkich miast mieli wszechstronne specjalistyczne przygotowanie i zajmowali się danymi wszelkiego rodzaju: odciskami palców, próbkami krwi, analizą śladów i opracowywaniem informacji balistycznych. Policjanci zbierali też owady i larwy, które zagnieździły się w ciałach ofiar, bo dzięki temu można było dokładniej określić czas zgonu. Poza tym fotografowali miejsce zbrodni i brali udział w sekcji zwłok, którą również dokumentowali fotograficznie.

I zawsze mieli pełne ręce roboty.

Po zabezpieczeniu śladów, policjanci z tego wydziału przesyłali materiał dowodowy do stanowego laboratorium kryminalnego, które znajdowało się niedaleko budynku Urzędu Bezpieczeństwa Publicznego, czyli UBP, w którym mieścił się nie tylko wydział policji w Rockford, ale także biuro szeryfa, urząd koronera i miejskie więzienie.

Zastępca szeryfa przysłał tu wszystkich pracowników wydziału gromadzenia danych, co wcale jej nie zdziwiło. Dwoje zabitych dzieci w ciągu sześciu tygodni to był prawdziwy wstrząs dla tego przemysłowego miasta, gdzie tak bardzo ceniono wartości rodzinne. W ciągu roku ginęło tu zwykle około piętnastu osób; między nimi nie było dotąd dziesięcioletnich ślicznych blondynek, które tuż przed śmiercią zasypiały słodko w swoich wychuchanych sypialniach.

Kitt zauważyła, że partner na nią patrzy. Wskazała łóżeczko, ale dał jej znak, żeby zaczekała. Po chwili zakończył rozmowę z porucznikiem Snowe'em i podszedł do niej.

– Ten facet zaczyna mnie wkurzać – powiedział.

Brian był misiowaty, a w dodatku miał rude włosy i piegi. Jednak pod maską dobroduszności krył się naprawdę wybuchowy temperament. Wielu gorzko żałowało, że weszło mu w drogę lub nadepnęło na odcisk.

Kitt nie miałaby nic przeciwko temu, żeby Brian dostał tego sukinsyna w swoje ręce.

– Długo tu jesteś? – spytała.

– Jakieś piętnaście minut. – Zerknął w stronę ofiary. – Myślisz, że spróbuje zabić trzecią?

– Mam nadzieję, że nie – mruknęła. – Jednak jeśli chcemy zyskać pewność, musimy go złapać.

Skinął głową, a następnie pochylił się i dotknął lekko jej ramienia.

– Jak tam Sadie?

Umiera. Jej jedyne dziecko, radość jej życia! Kitt poczuła ucisk w klatce piersiowej. Pięć lat temu rozpoznano u jej córki ostrą białaczkę limfatyczną. Przeszła przez chemio- i radioterapię, a także przeszczep szpiku i teraz, po kolejnym niepowodzeniu, traciła siły do dalszej walki.

Nie mogła wydusić słowa, tylko bezradnie potrząsnęła głową. Brian ścisnął ze współczuciem jej ramię.

– Trzymasz się jeszcze?

Ale resztką sił.

– Tak – odparła, czując, że napięcie słabnie. – Próbuję.

Brian nie naciskał. Wiedział lepiej niż ktokolwiek, pomijając Joego, jej męża, co Kitt przeżywa. Raz jeszcze ścisnął z westchnieniem jej ramię i podeszli do łóżeczka. Kitt starała się nie wyobrażać sobie, co zobaczy. Wszystko wskazywało na to, że był to ten sam morderca co poprzednio, ale chciała spojrzeć na sprawę świeżym okiem, obiektywnie. Lepiej niczego z góry nie zakładać, nie dopasowywać śladów do żadnej teorii. Dobry śledczy koncentruje się przede wszystkim na badaniu zebranych dowodów, bo to one mogą doprowadzić go do celu. Kto o tym zapomni, traci wiarygodność.

Jednak ledwie spojrzała na martwe dziecko, natychmiast poczuła, że trudno jej będzie zachować profesjonalny chłód i dystans.

Podobnie jak poprzednia ofiara, dziewczynka była ładną, niebieskooką blondynką. Gdyby nie ślady morderstwa: zsinienie, wybroczyny, powstałe na skutek pęknięcia naczyń krwionośnych w gałkach ocznych i ustach oraz postępujące stężenie pośmiertne, można by pomyśleć, że śpi.

Śpiący aniołek.

Tak jak w przypadku poprzedniego dziecka.

Ułożone na poduszce jasne włosy dziewczynki przypominały aureolę. Morderca musiał włożyć wysiłek w to, żeby tak właśnie wyglądały. Kitt pochyliła się w stronę ofiary. Morderca umalował jej usta delikatną, różową szminką.

– Wygląda na to, że ją udusił – powiedział Brian.

– Tak jak poprzednią.

Wskazywały na to wybroczyny i brak innych obrażeń. Kitt skinęła głową.

– To znaczy, że umalował ją po dokonaniu morderstwa. – Spojrzała na partnera. – A co z koszulą nocną?

– Taka sama jak poprzednio. Matka twierdzi, że to nie jej.

Kitt zmarszczyła brwi. Ozdobiona falbankami i różowymi kokardkami koszula nocna była naprawdę ładna.

– A ojciec coś mówił?

– Nic szczególnego. Żadne nie dotykało ciała. Matka przyszła obudzić ją do szkoły. Zaczęła krzyczeć, gdy tylko ją zobaczyła. To ojciec zadzwonił pod 911.

Wydało jej się dziwne, że nie dotykali ciała, ale prasa tyle pisała o poprzednim morderstwie, że

13

pewnie od razu wiedzieli, co się stało. Nawet nie musieli sprawdzać, czy ich córka jeszcze żyje.

– Musimy ich prześwietlić – dodał Brian.

Kitt skinęła głową. Statystyki wskazywały, że bardzo niewiele dzieci padało ofiarami osób spoza rodziny. Była to smutna prawda, którą jako policjanci musieli brać pod uwagę.

Jednak oboje z Brianem wiedzieli, że istniało niewielkie prawdopodobieństwo, że to dziecko było kolejną ofiarą przemocy w rodzinie. Tym razem mieli do czynienia z seryjnym mordercą małych dziewczynek.

– Wygląda na to, że tak jak poprzednio, dostał się tu przez okno – rzucił Brian.

– Było otwarte? – spytała zdziwiona.

– Pewnie tak, bo szyba jest nienaruszona, a na framudze nie ma żadnych śladów. Snowe chce wziąć całe okno do badania.

– Jakieś ślady na dole? – spytała z nadzieją, chociaż od dawna nie padało i ziemia była twarda i ubita.

– Nie. Tylko przecięta siatka przeciw owadom w oknie.

Kitt zaczęła masować zdrętwiały kark.

– Cholera, Brian, co to wszystko znaczy? Co on chce nam w ten sposób powiedzieć?

– Że jest psycholem, który zasługuje na to, by go obedrzeć żywcem ze skóry!

– I co jeszcze? Skąd ta szminka? Te nocne koszule? Dlaczego morduje małe dziewczynki?

Z pokoju obok dobiegł głuchy jęk. Wydał się Kitt tak znajomy, że aż zadrżała.

A jak ona poradzi sobie bez Sadie?

Twarz Briana wykrzywił gniew.

– Sam mam dwie córki. Nie chciałbym znaleźć ich rano... – Zacisnął dłonie. – Musimy go dopaść za wszelką cenę!

– Złapiemy go! – rzuciła gniewnie Kitt. – Choćbym miała wyjść z siebie!

CZĘŚĆ DRUGA

ROZDZIAŁ TRZECI

Rockford, Illinois
Wtorek, 7. marca 2006

Przenikliwy sygnał telefonu obudził Kitt z głębokiego snu, w który zapadła dopiero po zażyciu leków. Przez moment szukała słuchawki, a potem dwa razy omal jej nie upuściła, w końcu jednak podniosła ją do ucha i wymamrotała:

– Aa...lo?

– Kitt, tu Brian. Musisz wstać.

Otworzyła oczy i zamrugała powiekami, porażona światłem słonecznym, które wdzierało się przez szpary w zasłonach. Spojrzała na zegarek i natychmiast usiadła na łóżku.

Chyba nie włączyła budzika.

Spojrzała na drugą stronę łóżka, należącą do męża, zdziwiona, że jej nie obudził, a potem poczuła dojmującą frustrację. Nawet po tych trzech latach wciąż jeszcze spodziewała się go tam zastać.

Nie miała ani dziecka, ani męża.

Była sama.

Zakaszlała i przetarła oczy, próbując przegonić resztki snu.

– Skoro dzwonisz tak wcześnie, to sprawa musi być bardzo poważna – próbowała żartować.

– Ten skurwiel wrócił. Wystarczy?

Nie musiała pytać, o kogo chodzi. Doskonale wiedziała, że o Mordercę Śpiących Aniołków. Ta sprawa stała się jej obsesją i omal nie zniszczyła jej życia i kariery.

– Kto...?

– Mała dziewczynka. Jestem właśnie na miejscu zbrodni.

Najgorszy koszmar.

Morderca uderzył po pięciu latach przerwy.

– Kto się tym zajmuje?

– Riggio i White.

– Gdzie to się stało?

Podał jej adres w niezbyt dobrej, robotniczej dzielnicy Rockford.

– Kitt?

Wstała już i przygotowywała ubrania.

– Tak?

– Uważaj, Riggio jest...

– Zaborcza?

– Powiedzmy, że niezbyt skora do współpracy. Nie lubi, gdy ktoś próbuje jej pomóc.

– Dobra, będę pamiętać. Dzięki.

ROZDZIAŁ CZWARTY

Wtorek, 7. marca 2006
godz. 8.25

Śledcza Mary Catherine Riggio, na którą wszyscy poza matką mówili M.C., skinęła głową porucznikowi Spillaremu, który pojawił się na miejscu zbrodni. Żaden z kolegów, widząc to chłodne pozdrowienie, nie domyśliłby się, że mieli romans w czasach, kiedy Spillare był w separacji z żoną.

Jednak to się skończyło. Spillare wrócił do żony, a ona odzyskała zdrowy rozsądek. Wystarczająco długo była zapatrzona w starszego kolegę, który był powszechnie znany w policji w Rockford. Opowieści o jego osiągnięciach podziałały na nią jak afrodyzjak. Inne kobiety wolały słuchać słodkich głupstw szeptanych im do ucha, ale ją podniecały opowieści o strzelaninach i złapanych bandytach.

Nikt nigdy nie powiedział o niej, że jest typowa.

Po skończonym romansie doszła jednak szybko do siebie, a nawet wyciągnęła wielce pouczający wniosek – nigdy nie należy wchodzić w osobiste układy ze zwierzchnikami. Obiecała sobie, że już nie popełni tego błędu.

M.C. podeszła do porucznika, zaraz też dołączył do niej jej partner, Tom White. Miał trzydzieści parę lat, był czarny i bardzo przystojny. Właśnie urodziło mu się trzecie dziecko i wyglądał na niedospanego. Jednak był świetnym policjantem i chociaż od niedawna pracował z M.C., szło im nadspodziewanie dobrze. Może dlatego, że darzył ją szacunkiem, ufał jej instynktowi i nie zgrywał się na silniejszego i ważniejszego.

Podczas lat spędzonych w wydziale zabójstw współpracowała z różnymi ludźmi. Zawsze traktowała pracę niezwykle poważnie i nie próbowała tego ukrywać. Była też twarda i wymagająca w stosunku do siebie i swoich partnerów. Wiedziała, że gdyby trochę złagodniała, koledzy bardziej by ją lubili, jednak nie zamierzała się zmieniać. Robiła, co uważała za słuszne, nie zważając na opinie innych, nawet Briana Spillarego.

Jeśli brakuje im czułości, to niech sobie kupią misia, powtarzała w duchu.

– Wygląda znajomo, co?

– Aż za bardzo. – Porucznik skinął głową.

Pięć lat temu trzy podobne morderstwa wstrząsnęły tutejszą społecznością. Rockford nie było duże, leżało w bezpiecznej odległości stu pięćdziesięciu kilometrów na zachód od Chicago, a dalej rozciągały się pola uprawne. Wydawało się więc, że jest tu bezpiecznie. Toteż te morderstwa wywołały prawdziwą panikę. M.C. zajmowała się wówczas patrolowaniem miasta i pamiętała, że co rusz wzywano wtedy policję w zupełnie błahych sprawach.

Trzecie morderstwo było ostatnim z serii. Życie powoli wróciło do normalności.

Czyżby tylko na parę lat?

Przyjrzała się uważniej Brianowi, który nie pracował już w wydziale zabójstw. Awansował na szefa jednej z komórek w Centralnym Biurze Śledczym, które nadzorowało pracę policji w Rockford i zajmowało się kontrolowaniem prowadzonych przez nią dochodzeń.

Rozumiała jednak jego obecne zainteresowanie. Był przecież jednym ze śledczych prowadzących tę sprawę. Drugim była Kitt Lundgren.

M.C. próbowała wydobyć z zakamarków pamięci wszystkie szczegóły związane ze sprawą, a zwłaszcza te dotyczące porucznik Lundgren. Śledztwo potraktowano priorytetowo, a Kitt była za nie osobiście odpowiedzialna. Stało się ono jednak jej obsesją do tego stopnia, że przestała się zajmować innymi sprawami, a nawet słuchać poleceń zwierzchników. W wydziale krążyły plotki o jej problemach z alkoholem. Ten i ów przebąkiwał, że to z powodu jej zaniedbań morderca wymknął im się z rąk. W końcu Kitt została wysłana na przymusowy urlop, połączony podobno z psychoterapią, z którego wróciła całkiem niedawno.

M.C. zmarszczyła brwi.

– Porucznik Lundgren już tu jedzie, prawda?

Brian skinął głową.

– Należy jej się po tym wszystkim, co przeszła. Powinnaś jej pozwolić... – zawiesił głos.

– Przyjechał już anatomopatolog – wtrącił Tom White.

Urząd koronera zatrudniał dwóch sądowych anatomopatologów. Pojawiali się przy każdym zgonie, oficjalnie uznawali kogoś za zmarłego, badali i fotografowali ciało, a następnie przewozili je do kostnicy na sekcję.

Tym razem przyjechał Frances Roselli, starszy od Briana, niski, schludnie ubrany mężczyzna, który był z pochodzenia Włochem.

– Dawno cię nie widziałem, Frances – powiedział Brian, podchodząc do niego.

– Moim zdaniem im rzadziej mnie widujesz, tym lepiej – odparł Roselli. – Tylko nie bierz tego do siebie.

– Masz rację – zaśmiał się Brian. – Znasz poruczników Riggio i White'a?

– Tak, jasne. – Skinął im głową. – Witam. No i co tu mamy?

– Dziesięcioletnie dziecko – odparła M.C. – Wygląda na to, że je uduszono.

Roselli spojrzał na Briana, jakby oczekiwał potwierdzenia.

– Tak właśnie działał Morderca Śpiących Aniołków – zauważył.

– Niestety, wiele wskazuje na to, że powrócił.

Anatomopatolog westchnął głęboko.

– Miałem nadzieję, że to się już skończyło!

– Mnie to mówisz?! – jęknął Brian. – Dziennikarze znowu na nas wsiądą!

M.C. spojrzała na Toma.

– Możesz zorganizować mały obchód, żeby sprawdzić, czy sąsiedzi czegoś nie zauważyli?

Porucznik White skinął głową.

– Dobrze, natychmiast wyznaczę do tego kilku mundurowych.

– Ten dom jest na sprzedaż. Chcę znać agencje, w których go zgłoszono i nazwiska osób zainteresowanych kupnem i oględzinami.

– Poza tym wygląda tak, jakby niedawno go malowano – zauważył Tom. – Sprawdzę też malarzy i ich pomocników.

– Świetnie – rzuciła M.C., a następnie zwróciła się do anatomopatologa: – Kiedy dostanę raport z wynikami sekcji?

– Najwcześniej dziś wieczorem.

– Dobrze, zadzwonię o szóstej.

ROZDZIAŁ PIĄTY

Wtorek, 7. marca 2006
godz. 8.40

Kitt zatrzymała forda taurusa przed niewielkim domkiem, zastawiając przy tym jakiś samochód. Żeby powstrzymać gapiów i zostawić trochę miejsca do parkowania, policjanci odgrodzili część ulicy taśmą. Za nią zauważyła furgonetkę z urzędu koronera, kilka wozów patrolowych, a także kilka nieoznakowanych.

Przeniosła wzrok na dom, który przypominał małe, niebieskie pudełeczko. Pewnie nie miał nawet dziewięćdziesięciu metrów kwadratowych. Zastój w gospodarce nie oszczędził również Rockford. Wyniosły się stąd duże firmy, takie jak Rockwell International czy U.S. Filter, które kiedyś dawały zatrudnienie wielu mieszkańcom. Inne, mniejsze, jeszcze utrzymywały się na powierzchni, jednak kosztem zwolnień i cięcia kosztów. Prognozy ekonomiczne nie wyglądały różowo. Według oficjalnych danych w ciągu ostatnich lat zlikwidowano tu trzydzieści tysięcy miejsc pracy. I wystarczyło przejechać przez miasto, żeby zauważyć, że te liczby wcale nie są przesadzone. W Rockford straszyło coraz więcej zamkniętych zakładów pracy.

Kitt mieszkała tu od czterdziestu ośmiu lat i nigdy, nawet po śmierci Sadie i rozstaniu z mężem, nie przyszło jej do głowy, że mogłaby się gdzieś przeprowadzić. Lubiła to zamieszkane przez potomków włoskich i szwedzkich emigrantów miasto. Unikano tu sporów i kłótni, w co drugim lokalu serwowano świetną pizzę, a kiedy miała ochotę na trochę światowego życia, droga do Chicago zajmowała niewiele ponad godzinę.

Prawdę mówiąc, rzadko tam jeździła. Czuła się lepiej w swojskiej atmosferze średniego miasta.

Wysiadła z wozu i poczuła na skórze chłodne, wilgotne powietrze. Zadrżała i otuliła się szczelniej kurtką. W północnej części Illinois zima była ciężka, wiosna chłodna, a lato zbyt krótkie, ale mieszkali tu naprawdę wspaniali ludzie. Warto było trochę pocierpieć, żeby mieć takie towarzystwo.

Przeszła pod taśmą i podeszła do mundurowego policjanta. Wpisała się do jego notatnika, nie zwracając uwagi na ciekawe spojrzenia kolegów. Nie miała do nich pretensji. Wróciła z urlopu dopiero dwa miesiące temu i jak do tej pory zajmowała się jedynie drobnymi napadami, które także, jako potencjalnie zagrażające życiu, trafiały do wydziału zabójstw.

Nie czuła się jeszcze bardzo pewnie, ale do dzisiaj niezbyt się tym przejmowała. Była wdzięczna, że zastępca szefa, Sal Minelli, pozwolił jej wrócić. Przecież zawaliła sprawę, a w dodatku na koniec zupełnie się załamała. Jej nieudolne działania mogły zagrozić bezpieczeństwu kolegów.

Sal pomagał jej w równym stopniu, co Brian. Do końca życia pozostanie ich dłużniczką. Co by zrobiła, gdyby straciła pracę? Przecież nic innego nie umiała robić!

Nie, poprawiła się w myślach. Kiedyś byłam też żoną i matką.

Potrząsnęła głową, żeby wypędzić z niej myśli, które przysparzały jej bólu i osłabiały psychikę, i weszła do środka. Rodzice dziecka siedzieli objęci na dole, w niewielkim salonie. Kitt nie miała tyle siły, by nawiązać z nimi kontakt wzrokowy. Rozejrzała się tylko po wnętrzu, dostrzegając bardzo schludne, ale tanie meble, stary wytarty dywan i ładnie pomalowane szarozielone ściany.

Z jakiegoś pomieszczenia na górze dobiegały odgłosy rozmów, więc od razu tam poszła. Za dużo osób na małej przestrzeni, pomyślała odruchowo. Porucznik Riggio powinna zwrócić większą uwagę na ślady.

Brian też tu był, chociaż nie pracował już w wydziale zabójstw. Mary Catherine Riggio jakby wyczuła jej obecność, bo obróciła się w stronę drzwi. W czasie tego półtora roku wiele się zmieniło w wydziale zabójstw. Kilka osób awansowało do stopnia porucznika, między innymi Mary, która dostała też stanowisko śledczej. Kitt słyszała, że jest bystra, ambitna i nie idzie na żadne kompromisy. Może być ciężko, pomyślała.

Spojrzała jej w oczy, skinęła głową i ruszyła w stronę łóżeczka.

Wystarczyło jedno spojrzenie, by zrozumieć, że Brian miał rację. To musiał być ten sam człowiek!

Kitt z trudem przełknęła ślinę, próbując zdławić poczucie winy, które nieustannie jej towarzyszyło. Przecież mogła go złapać pięć lat temu! Dlaczego poniosła klęskę?

Chciała oderwać wzrok od ofiary, ale nie była w stanie. Poczuła ból. Nagle przed oczami zamajaczyła jej twarz Sadie. W piersi narastał szloch, ale zdołała go powstrzymać. Te morderstwa łączyły się nierozerwalnie w jej myślach ze śmiercią córki.

Kitt wiedziała, dlaczego tak się stało. Omawiała to wielokrotnie ze swoim psychoterapeutą. Pierwsze morderstwo miało miejsce, gdy córka zaczęła się poddawać. Dlatego walka o życie Sadie splotła się z walką o to, by uchronić inne dziewczynki przed śmiercią.

Niestety Kitt zawiodła na całej linii.

Nagle dotarło do niej, że dziewczynka ma inaczej ułożone ręce. Pięć lat temu morderca krzyżował je wszystkim ofiarom na piersi, starannie prostując ich dłonie i palce. Teraz jedna ręka, z powykręcanymi palcami, wskazywała pierś, druga była niedbale odrzucona i nie przylegała do ciała.

To mogło nie mieć znaczenia. Mała zmiana w rytuale mordercy? W końcu minęło już pięć lat... A jednak Kitt przeczuwała, że jest to ważne. Morderca, którego tropiła wcześniej, był perfekcjonistą. Niczego nie zmieniał, ofiary zawsze wyglądały tak samo, a poza tym nigdy nie pozostawiał po sobie żadnych śladów.

Podekscytowana odkryciem zawołała Briana. Oczywiście Riggio i White pospieszyli za nim.

– Miło mi panią poznać, pani porucznik – odezwała się Riggio, nie pozwalając jej dojść do słowa.

– Mnie również...

– Cieszę się, że zechciała pani podzielić się z nami swoimi doświadczeniami – dodała tamta z ponurą, zaciętą miną.

Kitt tylko wzruszyła ramionami i spojrzała na Briana.

– Zwróciłeś uwagę na ręce?

Namyślał się przez chwilę, a potem z podziwem pokręcił głową.

– Nie, nie pomyślałem o tym. – Zerknął na M.C. – W przypadku poprzednich morderstw ręce zawsze były ułożone tak samo, na piersi, tuż przy sercu.

Roselli spojrzał na nich przez ramię.

– Właśnie. To bardzo interesujące.

M.C. zmarszczyła brwi.

– Dlaczego?

– W obu przypadkach ułożenie jest nienaturalne, co znaczy, że morderca zrobił to po śmierci ofiary.

– No jasne, ale co w tym...

– Interesującego? – wpadł jej w słowo. – To, jak długo musiał czekać.

– Nie rozumiem – powiedziała Kitt. – Musiał chyba działać szybko, zanim zaczęło się stężenie pośmiertne.

Anatomopatolog pokręcił głową.

– Nic podobnego. Musiał zaczekać, aż zacznie się stężenie pośmiertne.

Wszyscy milczeli, próbując zrozumieć, co to oznacza. M.C. pierwsza przerwała ciszę.

– Ile to mogło zająć czasu?

– Ponieważ w pokoju jest ciepło, trwało to zapewne od trzech do czterech godzin.

Kitt nie mogła w to uwierzyć.

– Chcesz powiedzieć, że siedział tu i czekał, aż ciało zacznie sztywnieć?!

– Właśnie. Jego cierpliwość została wynagrodzona, bo ciała odkryto, zanim zakończyło się stężenie pośmiertne, od dziesięciu do dwunastu godzin po śmierci. Zapewne właśnie o to mu chodziło.

Brian gwizdnął przeciągle i spojrzał na Kitt.

– Ułożenie rąk ofiary musi być dla niego bardzo ważne.

– Tak, chce nam coś przez to powiedzieć. Trzeba przyznać, że jest odważny.

– Większość morderców ucieka z miejsca zbrodni najszybciej, jak się da.

– Przynajmniej tych sprytnych – poprawiła go Kitt. – A ten, który mordował dziewczynki, był piekielnie inteligentny.

– Więc co może znaczyć takie ułożenie rąk?
– Brian wskazał ofiarę.

– Ja i ty – rzucił White.

– Albo my i oni, tu i tam – dodała Kitt.

– Albo nic – wtrąciła poirytowana M.C.

– To mało prawdopodobne, zważywszy, ile ryzykował. – Brian spojrzał na Kitt. – Zauważyłaś jeszcze jakieś różnice?

Pokręciła głową.

– Nie. Przynajmniej na razie – dodała i spojrzała na porucznik Riggio. – Czy z pokoju coś zniknęło?

– Słucham?

– Morderca Śpiących Aniołków nie brał niczego z miejsca zbrodni, co zresztą nie jest typowe dla seryjnego mordercy – wyjaśniła. – Czy tym razem też wszystko jest na swoim miejscu?

M.C. i White wymienili spojrzenia.

– Będziemy musieli poprosić rodziców tej małej, żeby przejrzeli jej rzeczy – powiedziała z westchnieniem M.C.

White zapisał to w swoim notatniku.

– Czy mogę się tu jeszcze rozejrzeć? – Kitt skierowała to pytanie do porucznik Riggio, chcąc wykazać dobrą wolę, chociaż wiedziała, że gdyby spytała Briana, na pewno by się zgodził. A ponieważ był wśród nich najstarszy rangą, nikt nie śmiałby się mu sprzeciwiać.

Jednak sprawę powierzono właśnie porucznik Riggio, a Kitt widziała, że koleżanka aż się pali do tej pracy. Znała ten typ twardych i bezwzględnych kobiet. W policji wciąż pracowali głównie mężczyźni, wśród których kobiety musiały albo walczyć łokciami, albo dać się zepchnąć na pozycję pracowników pośledniej kategorii. Riggio wybrała oczywiście to pierwsze i nikogo nie powinno to dziwić. Jednak istniało niebezpieczeństwo, że z czasem sama zacznie zachowywać się jak facet, a może nawet jeszcze gorzej. Nikt nie wiedział tego lepiej niż Kitt.

Ciężkie doświadczenia ostatnich lat dały jej dużo do myślenia. Nareszcie zrozumiała, że wartość kobiety, która pracuje w policji, polega na tym, że nie jest mężczyzną. Inny sposób myślenia i reagowania może się przyczyniać do rozwiązania sprawy. Natomiast kobieta, która udaje mężczyznę, staje się tylko karykaturą siebie samej.

– Tak, proszę – odparła Riggio. – I niech mi pani powie, gdyby tu coś jeszcze nie pasowało do poprzednich zbrodni.

Poza ułożeniem rąk wszystko było jednak takie jak pięć lat temu. Kitt kręciła się po pokoju, jak długo mogła, ale w końcu musiała jechać. Czuła się głupio, wychodząc stąd bez przesłuchania rodziców czy rozmowy z policjantami, którzy przepytywali sąsiadów.

Cholera, to powinno być jej śledztwo! Przecież poświęciła tyle czasu i energii na rozpracowanie tego mordercy! Pamiętała każdy szczegół związany z poszczególnymi zbrodniami!

Niestety, zawaliła sprawę. Co gorsza, nigdy się z tym nie pogodziła.

– Lundgren!

Obróciła się w stronę, z której dobiegał głos. Zobaczyła Mary Catherine Riggio, która zatrzymała się przed nią z zaciętą miną.

– Chciałam z panią chwilę porozmawiać.

Kitt spodziewała się tego. Założyła ręce na piersi.

– Tak?

– Niech pani posłucha, znam pani historię i wiem, jak ważne było dla pani to śledztwo. Rozumiem, co pani czuje teraz, kiedy jest pani z niego wyłączona...

– Wyłączona? Naprawdę?

– Niech pani nie zgrywa naiwnej. To moja sprawa! I żądam, żeby się pani do niej nie wtrącała.

– Inaczej mówiąc, mam wziąć tyłek w troki i już się tutaj nie pokazywać?

– Tak.

Kitt zaskoczyła taka arogancja.

– Pragnę pani przypomnieć, że jeśli to rzeczywiście jest Morderca Śpiących Aniołków, to wiem o nim więcej niż ktokolwiek inny. Na pewno przyda się pani ta wiedza...

33

Porucznik Riggio wzruszyła ramionami.

– Mam wgląd we wszystkie papiery.

– Ale mój instynkt...

– Niewiele pani pomógł – wtrąciła natychmiast M.C.

Było to bolesne przypomnienie i Kitt powstrzymała naturalną chęć obrony. Nie miała zamiaru się tłumaczyć. Przynajmniej przed tą nowicjuszką.

– Znam tego faceta – powiedziała. – Jest inteligentny i bardzo ostrożny. Myśli o wszystkich szczegółach, niczego nie pozostawia przypadkowi. Jest dumny z tego, że potrafi zapanować nad emocjami i nie zostawia żadnych śladów. Potrafi bardzo długo śledzić dzieci, by dowiedzieć się o nich wszystkiego, a potem wybiera te najsłabsze...

– Czyli jakie?

– To zależy, choćby od sytuacji materialnej rodziców, ale również od ich przyzwyczajeń...

– Skąd ta pewność?

– Bo od pięciu lat myślę niemal wyłącznie o tym skurwielu! Pojawia się nawet w moich snach. Jedyne, czego chcę, to dorwać go!

– Więc czemu to się pani nie udało?

Kitt nie umiała odpowiedzieć na tak postawione pytanie. Już niemal deptała zabójcy po piętach, a jednak zawaliła sprawę.

Riggio pochyliła się w jej stronę.

– Posłuchaj, Lundgren, nie mam nic przeciwko pani, to nic osobistego. Pracuję w policji na tyle długo, by wiedzieć, jaka to parszywa robota i jak daje nam popalić. Ale proszę pamiętać, że to moja sprawa, więc niech pani trzyma się od niej z daleka. Sama zajmę się wszystkim.

– Ja też byłam kiedyś taka zarozumiała.

Riggio wzruszyła ramionami.

– Możliwe...

Kitt chwyciła ją za rękę.

– Współpraca mogłaby pomóc w rozwiązaniu tej sprawy. Jeśli pani porozmawia z Salem...

– Nic z tego. – Riggio przecząco pokręciła głową. – Przykro mi.

Kitt nie sądziła, by Riggio rzeczywiście odczuwała żal. Puściła ją i cofnęła się o krok.

– Powinna pani pamiętać, że nie chodzi o panią, tylko o to, żeby złapać mordercę – rzuciła.

Tamta wbiła w nią jadowity wzrok.

– Doskonale wiem, o co tu chodzi...

– Sama pójdę do zastępcy szefa!

– Proszę bardzo. Przecież obie wiemy, co powie.

Kitt patrzyła za nią jeszcze przez chwilę, a następnie ruszyła do swego wozu. Oczywiście domyślała się, co powie jej Sal, ale mimo to chciała z nim pogadać.

ROZDZIAŁ SZÓSTY

Wtorek, 7. marca 2006
południe

Zastępca komendanta policji w Rockford, Salvador Minelli, wysłuchał uważnie wszystkich argumentów Kitt. Był bardzo przystojnym mężczyzną, z włosami przyprószonymi siwizną i gładką, jak na pięćdziesięciojednolatka, twarzą. Ubierał się elegancko i chodził sprężystym krokiem. Sal, jak nazywali go wszyscy w policji, bardziej przypominał polityka niż policjanta. Było tajemnicą poliszynela, że za parę lat, po przejściu obecnego szefa policji na emeryturę, będzie głównym kandydatem na to stanowisko.

Sal zawsze traktował ją jak oddany przyjaciel. Pięć lat temu był jej bezpośrednim zwierzchnikiem i starał się ją osłaniać przed różnymi atakami, również tymi z góry.

Może dlatego, że sam miał pięcioro dzieci i rozumiał, jak ciężka i bolesna była dla niej strata Sadie? A może po prostu cenił ją jako pracownika? Przecież był jej bezpośrednim szefem i doskonale wiedział, na co ją stać.

– Znam tego faceta – powtórzyła to, co wcześniej powiedziała młodszej koleżance. – Doskonale wiesz, że znam tę sprawę lepiej niż ktokolwiek inny. Niech Riggio ją prowadzi, ale ja powinnam jej pomagać!

Milczał przez chwilę, a następnie złożył dłonie.

– Dlaczego, Kitt?

– Bo chcę dopaść tego drania! Nareszcie wsadzić go za kratki! Bo mogę się przydać w śledztwie!

– Obawiam się, że porucznik Riggio jest innego zdania.

– Jest młoda i zbyt pewna siebie. Potrzebuje pomocy.

– Miałaś już szansę go złapać, Kitt.

– Tym razem mi się uda!

Sal patrzył na nią tak, jakby w ogóle nie usłyszał ostatniej uwagi.

– Chyba wiesz, jak ważne jest świeże spojrzenie na sprawę?

– Tak, ale...

Wyciągnął dłoń, żeby ją uciszyć.

– Porucznik Riggio jest dobra. Naprawdę dobra.

Kiedyś mówił to samo o niej, ale to było dawno.

– Jest uparta i chorobliwie ambitna – przekonywała.

Sal uśmiechnął się lekko.

– Dlatego przydzieliłem jej White'a.

– Jak mam cię przekonać, że sobie poradzę?

– Przykro mi, Kitt, ale już podjąłem decyzję. Jesteś za słaba psychicznie na tę sprawę.

– Czy to nie ja powinnam o tym decydować? – spytała wyczerpana.

– Nie – odparł po prostu, a następnie pochylił się w jej stronę. – Nie obawiasz się, że znowu zaczęłabyś pić?

– Wykluczone. – Spojrzała mu prosto w oczy. – Od roku nie miałam w ustach nawet kropli alkoholu i tak już zostanie.

– Nie zdołam cię po raz kolejny obronić, Kitt – powiedział przyciszonym głosem. – Wiesz, o czym mówię, prawda?

Pozwoliła wymknąć się mordercy.

A Sal ją wtedy osłaniał, stał za nią murem. Może dlatego, że sam czuł się częściowo odpowiedzialny.

Jak również z powodu Sadie.

– Poproszę Riggio i White'a, żeby cię o wszystkim informowali. To jedyne, co mogę zrobić.

Wstała, zdziwiona tym, że drżą jej ręce. Z przerażeniem stwierdziła, że chętnie by się czegoś napiła, by uspokoić nerwy.

Wiedziała jednak, że nie może tego zrobić. Nigdy więcej.

– Dziękuję – rzuciła i podeszła do drzwi.

Spojrzał na nią i Kitt zastygła z ręką na klamce.

– Jak tam Joe?

Jej były mąż i do niedawna najlepszy przyjaciel. Chodzili ze sobą od średniej szkoły.

– Prawie ze sobą nie rozmawiamy.

– Wiesz, co o tym myślę.

Cholera! Myślała dokładnie to samo!

– Pozdrów go ode mnie, jeśli go spotkasz.

Skinęła głową i wyszła, wciąż myśląc o byłym mężu.

ROZDZIAŁ SIÓDMY

Wtorek, 7. marca 2006
godz. 17.30

– Cześć, Joe.

Były mąż uniósł wzrok znad planów, które miał na biurku. Jego jasne włosy posiwiały w ciągu ostatnich lat, ale oczy wciąż były intensywnie niebieskie. Patrzył jednak na nią nieufnie.

Doskonale go rozumiała. Przecież od dawna nie wpadała do niego ot tak sobie, żeby po prostu pogawędzić.

– Cześć. Trochę mnie zaskoczyłaś.

– Flo wyszła – chodziło o sekretarkę i asystentkę Joego – więc pomyślałam, że już nie pracujesz. Jak tam interesy?

– Trochę lepiej. Na szczęście zaczyna się już wiosna.

Joe prowadził własną firmę budowlaną, która siłą rzeczy zimą nie dostawała prawie żadnych zleceń. Dobrze, jeśli udało się załatwić jakieś prace remontowe, bo z czegoś trzeba było płacić pracownikom.

– Wyglądasz na zmęczonego – zauważyła.

39

– Bo jestem. – Przeciągnął ręką po twarzy. – A ty chyba wróciłaś do pracy.

Spojrzał znacząco w stronę wybrzuszenia widocznego pod kurtką. Nigdy tak naprawdę nie przyzwyczaił się do tego, że nosi broń.

– Sal prosił, żeby cię pozdrowić.

Znowu spojrzał jej w oczy.

– A jak z piciem?

– Ani kropli. Od jedenastu miesięcy i dwóch tygodni. I to się już nie zmieni.

– Bardzo się cieszę.

Wiedziała, że mówi szczerze. Przecież widział, jak alkohol powoli ją niszczył. I chociaż się rozwiedli, wciąż w jakiś sposób mu na niej zależało. Tak jak jej na nim.

Kitt chrząknęła.

– Pewnie jeszcze nie słyszałeś, ale... Morderca Śpiących Aniołków znowu uderzył.

Milczał i nawet się nie poruszył. Dostrzegła jednak zmarszczki, które pojawiły się na jego czole.

– Ofiara nazywa się Julie Entzel. Znaleziono ją dziś rano.

– Bardzo mi przykro. Czy Sal przydzielił ci to śledztwo?

– Nie. Uważa, że jestem w to za bardzo zaangażowana emocjonalnie. I... zbyt słaba, by do tego wracać.

Joe pokiwał głową.

– A ty się z nim nie zgadzasz?

Powiedział to z przekąsem. Kitt aż zesztywniała, gotowa się bronić.

– Widzę, że ty tak.

Westchnął głośno i zacisnął dłonie.

– Ta sprawa była dla ciebie ważniejsza niż nasze małżeństwo. Niż ja. Jak myślisz, co powinienem ci powiedzieć?

– Nie zaczynaj, Joe.

Wstał wolno, wciąż zaciskając pięści.

– Zajmowałaś się nią nawet po tym, jak sprawa ucichła. Po tym, jak Sal ją zamknął.

Miał rację. To właśnie dlatego zaczęła pić. Dlatego odważyła się zlekceważyć rozkazy. Jednak ta sprawa nie była dla niej ważniejsza od Joego. Mówiła mu o tym wielokrotnie, ale nie wiedziała, jak go przekonać.

Zaśmiał się gorzko.

– Tylko o tym myślałaś! W ogóle nie poświęcałaś czasu rodzinie.

– Jakiej rodzinie?

Kitt natychmiast pożałowała swoich słów. Od razu zauważyła, jak bardzo go zabolały.

– Przepraszam, Joe. Nie chciałam...

Potrząsnął tylko głową.

– Po co tu przyszłaś?

– Wydawało mi się, że powinnam ci powiedzieć o tej dziewczynce.

– Dlaczego?

– Nie rozumiem – rzuciła, marszcząc brwi.

– Julie Entzel nie była naszą córką. W życiu nie widziałem żadnej z tych dziewczynek. Nigdy nie potrafiłaś tego zrozumieć.

– Ależ rozumiem. I to aż nazbyt dobrze. Ale ty zrozum, że czuję się za nie odpowiedzialna... Że chcę pomóc...

– Posłuchaj, mnie też serce boli, kiedy myślę o tych dzieciach i ich rodzicach. Doskonale wiem, co znaczy stracić córkę! Aż mi się niedobrze robi, kiedy myślę o tym, co zrobił ten potwór! – Wziął głęboki oddech. – Ale to nie były nasze dzieci. Powinnaś o tym pamiętać i wrócić do normalnego życia.

– Tak jak ty?

– Widzisz w tym coś złego? – Zrobił długą przerwę. – Chcę się ponownie ożenić, Kitt.

Patrzyła na niego z otwartymi ustami, pewna, że się przesłyszała. Musiała źle usłyszeć! Jej Joe chce się ożenić?!

– Nie znasz jej – dodał, zanim zdążyła zadać oczywiste pytanie. – Ma na imię Valerie.

Poczuła, że zaschło jej w ustach. Zaczęło jej się kręcić w głowie. Czyżby podświadomie spodziewała się, że ze względu na nią do końca życia będzie samotny?

Właśnie tak!

Kitt starała się nie okazywać swoich uczuć.

– Nie wiedziałam, że się z kimś spotykasz. I to tak poważnie.

– A ja nie widziałem powodów, żeby cię o tym informować.

Żadnych powodów? A wszystko, co razem przeżyli?

– Jak długo z nią chodzisz?

– Cztery miesiące.

– Cztery miesiące? To niezbyt długo... Jesteś pewny, że...?

– Tak.

– Kiedy ślub? – spytała ze ściśniętym gardłem.

– Jeszcze nie ustaliliśmy konkretnej daty, ale pewnie zrobimy to wkrótce. Przyjęcie nie będzie duże. Zaprosimy jedynie najbliższą rodzinę i paru przyjaciół.

– Jasne.

Spojrzał na nią smutno.

– Tylko tyle masz mi do powiedzenia?

– Nie. – Zamrugała oczami i spojrzała w bok, by nie domyślił się, co czuje. – Mam nadzieję, że będziecie szczęśliwi.

ROZDZIAŁ ÓSMY

Środa, 8. marca 2006
godz. 12.10

Kitt siedziała przy biurku, na którym znajdowała się nietknięta torba z lunchem i akta sprawy Mordercy Śpiących Aniołków. Mogła znaleźć te same informacje w służbowym komputerze, ale wolała papiery.

Wyjęła z teczki zdjęcia pierwszej ofiary, Mary Polaski. Zawiodła ją i jej rodzinę. Czuła dojmujący ból, ilekroć o tym myślała.

Spróbowała się trochę odprężyć i zaczęła bardzo uważnie przyglądać się fotografiom, próbując porównać je z tym, co widziała w sypialni Julie Entzel. Dlaczego morderca tak właśnie ułożył jej ręce? Dlaczego ryzykował, siedząc tak długo w pokoju? Dlaczego było to dla niego aż takie ważne?

Zadzwonił telefon. Kitt sięgnęła po słuchawkę, wciąż wpatrując się w zdjęcia.

– Porucznik Lundgren, wydział zabójstw.

– Ta sama, która prowadziła sprawę Śpiących Aniołków pięć lat temu? – upewnił się jej rozmówca.

– Tak. W czym mogę pomóc?

– To raczej ja mogę pomóc pani.

Ten telefon wcale jej nie zdziwił. Dzisiejsza prasa rozpisywała się na temat powrotu Mordercy Śpiących Aniołków. Zastanawiające było to, że dopiero teraz ktoś zadzwonił w tej sprawie.

– Będziemy panu bardzo wdzięczni. Czy mogę prosić o nazwisko?

– Jestem kimś, kogo chciała pani poznać już dawno temu – rzucił.

Zirytowało ją rozbawienie, które wyczuła w jego głosie. Nie miała czasu na żarty, o czym nie omieszkała poinformować irytującego rozmówcy.

– To ja jestem Mordercą Śpiących Aniołków – odparł.

Serce zamarło jej w piersi. Czy to mogło być aż takie proste?

Nie, niemożliwe.

– Jest pan Mordercą Śpiących Aniołków? – upewniła się. – I chce mi pan pomóc?

– Nie zabiłem tej dziewczynki. Tej, o której dzisiaj pisali.

– Julie Entzel?

– Właśnie. – Usłyszała przeciągłe syknięcie, jakby mężczyzna zaciągnął się papierosem. Pomyślała, że musi to zapamiętać. – Ktoś to zmałpował!

– Zmałpował?

– No, zrobił tak jak ja. I wcale mi się to nie podoba.

Kitt rozejrzała się po pokoju. Nikogo w tej chwili tu nie było. Wszyscy mieli jakieś zadania albo po prostu wyszli na lunch. Wstała i pomachała ręką, licząc na to, że zwróci na siebie uwagę kolegów,

45

którzy będą akurat przechodzić korytarzem. Nie mogła stracić tego śladu.

– Chcę, żebyście złapali tę wstrętną małpę.

– Bardzo chętnie panu pomogę, ale mam właśnie następną rozmowę. – Musiała za wszelką cenę podążać tym tropem.

– I kto sobie tutaj stroi żarty! – Usłyszała jego śmiech. – Oto zasady współpracy. Nie będę się kontaktować z nikim poza tobą, Kitt. Mogę ci mówić Kitt?

– Jasne. A jak ja mam się do ciebie zwracać?

Nawet nie skomentował tego pytania.

– Ładne imię. Kitt, Kitty, prawie jak Kicia. Bardzo kobiece i seksowne, chociaż nie pasuje do gliny. – Znowu zrobił przerwę, żeby zaciągnąć się papierosem. – Oczywiście wszyscy mówią do ciebie „pani porucznik", co?

– Oczywiście – odparła. – Problem polega na tym, że nie zajmuję się sprawą Julie Entzel. Zaraz połączę cię z właściwym zespołem.

Znowu zignorował jej słowa.

– Druga zasada: nie myśl, że dam ci coś za darmo i że będzie ci łatwo. Sam ustalę cenę.

Miał głęboki, stosunkowo młody głos, nieco zmieniony przez papierosy. Mógł mieć od dwudziestu pięciu do trzydziestu pięciu lat.

– Czy jest jeszcze trzecia zasada? – spytała.

– Możliwe. Muszę pomyśleć.

– A jeśli nie zastosuję się do tych zasad?

Znowu się zaśmiał.

– Na pewno się zastosujesz albo... zginą kolejne dziewczynki.

Cholera! Gdzie się wszyscy podziali?

– Dobrze, udowodnij, że to ty zrobiłeś. Tak, żebym mogła pójść z tym do szefa...

– Na razie, Kiciu.

Rozłączył się. Natychmiast zadzwoniła do Centralnego Biura Śledczego. Ponieważ każda rozmowa wydziału policji w Rockford przechodziła przez centralkę, nie można było odszukać dzwoniącego numeru automatycznie. Oczywiście wszystkie telefony były rejestrowane.

– Tu porucznik Lundgren z wydziału zabójstw. Ktoś do mnie przed chwilą dzwonił, chcę mieć jak najszybciej jego numer.

Odłożyła słuchawkę i czekała dwie minuty na telefon z Centralnego Biura Śledczego. Zadzwonił sam Brian.

– To był numer komórki. Co się dzieje, Kitt?

Telefon komórkowy. Namierzenie stacjonarnego zajmowało dziesięć sekund, ale w przypadku komórki trzeba było rozmawiać co najmniej przez pięć minut. Jeśli ten facet jest sprytny, na pewno wie, że nowe aparaty mają wmontowane chipy z GPS-em, co pozwala odnaleźć rozmówcę w ciągu dziesięciu minut. W przypadku starszych modeli zajmuje to parę godzin.

Spojrzała na zegarek. Rozmowa trwała najwyżej trzy minuty, co znaczyło, że mężczyźnie nie są obce zawiłości współczesnej techniki.

– Miałam telefon od faceta, który twierdzi, że to on jest Mordercą Śpiących Aniołków. Prawdziwym mordercą. Ten wczorajszy to podobno tylko naśladowca – wyjaśniła.

Brian aż gwizdnął.

– Oczywiście chcesz, żebyśmy ustalili nazwisko i adres właściciela komórki?

– I to jak najprędzej. – Spojrzała w stronę pokoju sierżanta i stwierdziła, że wciąż go nie ma. – Zadzwoń na moją komórkę.

Rozłączyła się, zebrała dokumenty i pospieszyła w stronę pokoju. Zatrzymała się na widok Riggio i White'a, którzy właśnie weszli do środka, i wskazała gabinet szefa.

– Chodźcie, to powinno was zainteresować.

Pierwsza dotarła do otwartych drzwi i zapukała we framugę. Sal popatrzył na nich i dał gestem znak, żeby weszli. Kitt zaczęła prosto z mostu:

– Przed chwilą rozmawiałam z kimś, kto podaje się za Mordercę Śpiących Aniołków. – Rozejrzała się dookoła, a widząc, że wszyscy zamienili się w słuch, dodała: – Twierdzi też, że to nie on zabił Julie Entzel.

– Dlaczego dzwonił właśnie do ciebie? – spytała Riggio, która nagle zapomniała o oficjalnych formach. Wszyscy w wydziale mówili do siebie po imieniu, co Kitt w pełni aprobowała.

Teraz spojrzała koleżance prosto w oczy.

– Ponieważ chce, żebym złapała naśladowcę.

– Ty?

– Tak.

– Dlaczego?

– Nie wiem.

Sal zmarszczył brwi.

– Co jeszcze ci powiedział?

– Może zacznę od tego, co zauważyłam. Prawie na pewno pali i sądząc po głosie, ma od dwudziestu pięciu do trzydziestu pięciu lat. Powiedział – zerknęła na swoje notatki – że ktoś to po nim... zmałpował i że wcale mu się to nie podoba. I że chce, żebym złapała tę wstrętną małpę.

– Małpę? – zdziwiła się M.C.

– To od małpowania. Dzieci tak mówią – wyjaśniła Kitt, przypominając sobie z bólem córkę.

Sal skinął głową.

– Czy ktoś zaczął go namierzać?

– Wszyscy poszli na lunch albo akurat robili co innego – odparła. – Kiedy chciałam, żeby chwilę zaczekał, powiedział, żebym nie żartowała.

– Zgłosiłaś to w Centralnym Biurze Śledczym?

– Właśnie sprawdzają ten numer. Dzwonił z komórki, więc trochę to potrwa. Obiecali ustalić jego nazwisko i adres.

– Czy powiedział coś jeszcze?

– Podał dwie zasady. Jeśli się do nich nie zastosujemy, zginą kolejne dziewczynki.

W tym momencie włączył się White, który do tej pory tylko śledził rozmowę.

– Jeśli nawet twierdzi, że nie zabił Julie Entzel, to skąd wie, że zginą kolejne dziewczynki?

– Tego mi nie powiedział, a wolałabym nie snuć domysłów.

– Może zna tego naśladowcę? – dodał White.

– Możliwe – rzuciła Riggio. – Oczywiście zakładając, że w ogóle mu wierzymy...

Kitt czuła, że koleżanka coraz bardziej ją irytuje. Posłała jej niechętne spojrzenie.

– Chcecie wiedzieć, co jeszcze powiedział, czy nie?

M.C. skinęła niechętnie głową.

– Pierwsza zasada – chce rozmawiać tylko ze mną.

– No proszę. – Natychmiast zareagowała zgryźliwą uwagą Riggio.

– A druga? – spytał Sal.

– Niczego nie dostaniemy za darmo i nie przyjdzie nam to łatwo. On sam ustali cenę.

– Chodzi mu o pieniądze? – spytał White.

Kitt spojrzała w jego stronę.

– Nie wydaje mi się, ale niczego jeszcze nie zażądał.

– Właśnie że tak. – Sal spojrzał na podwładnych. – Chce, żebyś zajęła się tą sprawą. – Wziął słuchawkę i połączył się z Nan Baker, sekretarką wydziału zabójstw. – Nan, czy sierżant Haas wrócił już z lunchu? – Przerwa. – Dobrze, powiedz, żeby do mnie przyszedł.

Każdy wydział miał policjanta odpowiedzialnego za sprawy wewnętrzne, a sierżant Jonathan Haas pełnił tę funkcję w wydziale zabójstw. Przed awansem pracował jako partner Briana i wszyscy wiedzieli, że można na nim polegać.

Kiedy wszedł, wysoki i jasnowłosy, po pokoju rozniósł się zapach hamburgera i frytek. Jonathan często nosił różnobarwne krawaty, by w ten sposób maskować powstające podczas lunchu plamy. Mimo że tak bardzo różnił się od Sala, współpraca układała im się nadzwyczaj dobrze. Ostatecznie kiedyś pracowali jako partnerzy.

Sal zaczął mu wyjaśniać sytuację i właśnie wtedy zadzwoniła komórka Kitt.

– Tak, słucham?

– Cześć, Kitt. Tu Brian. Niestety, to była komórka na kartę. Mam nazwę sklepu, w którym ją sprzedano.

No tak, jest sprytniejszy niż przeciętny przestępca.

– Trudno, trzeba będzie tam pojechać. Może nam się poszczęści.

Pożegnali się i Kitt wyłączyła komórkę. Następnie poinformowała zebranych o nikłych wynikach poszukiwań.

Sierżant Haas słuchał w skupieniu, a potem skinął głową.

– Dobra, spróbujemy namierzyć każdego, kto zadzwoni do ciebie do pracy lub do domu. Wszystko też będziemy nagrywać. – Haas zwrócił się do Riggio. – Czy są już wyniki sekcji zwłok?

– Tak, odebrałam je wczoraj wieczorem. Niestety nie ma w nich nic nowego. Uduszono ją, tak samo jak trzy poprzednie ofiary. Nie miała nic za paznokciami. Żadnych śladów gwałtu. Żadnych ran, poza krwiakiem na czole.

– Skąd się wziął? – spyta Sal.

– Anatomopatolog twierdzi, że to odcisk kciuka.

– Ten facet jest jak cień – mruknął White. – Nie zostawia żadnych śladów. Przeczesaliśmy całe sąsiedztwo, ale niczego nie znaleźliśmy. Nikt też nie widział nic podejrzanego.

– Agencja nieruchomości obiecała przygotować na dzisiaj listę osób, które oglądały ten dom – powiedziała Riggio.

– Jakieś odciski palców?

– Chłopcy z laboratorium jeszcze je sprawdzają. Jak do tej pory wszystko wygląda tak samo jak przy trzech poprzednich morderstwach.

– Pomijając ręce – zauważyła Kitt. – A to bardzo duża różnica.

Wszyscy w pokoju zamilkli. Porucznik Riggio odezwała się pierwsza.

– Skąd pewność, że facet, który do ciebie dzwonił, to nie jakiś psychol? Dzisiejsza „Register Star'' opisuje całą historię na pierwszej stronie. Nie zdziwiłabym się, gdybyśmy mieli więcej takich telefonów.

– Możliwe. Czy chcesz przez to powiedzieć, że powinniśmy zignorować ten ślad?

Riggio zawahała się.

– Jasne, że nie.

– Kitt?

– Tak, szefie?

– Informuj mnie, kiedy znów się do ciebie odezwie. I pamiętaj, masz go trzymać jak najdłużej przy telefonie.

– Dobrze, a o czym powinnam z nim rozmawiać?

– Wszystko jedno, byle tylko nie przerwał połączenia.

Zwołane naprędce zebranie szybko się skończyło. Po chwili wyszli z pokoju Sala. Porucznik Riggio pochyliła się w stronę Kitt.

– Dopięłaś swego – syknęła. – Znowu masz tę sprawę.

– Przeszkadza ci to?

– Nie, jeśli tylko będziesz pamiętać, że to ja za wszystko odpowiadam.

– Nawet gdybym chciała o tym zapomnieć, na pewno mi nie pozwolisz. – Kitt uśmiechnęła się cierpko.

Riggio spojrzała na nią tak, jakby szykowała się do konfrontacji. Kitt nie chciała do tego dopuścić.

– Przepraszam, ale mam teraz ważne sprawy – powiedziała i odeszła.

ROZDZIAŁ DZIEWIĄTY

Środa, 8. marca 2006
godz. 18.40

M.C. nie przepadała za środowymi wieczorami, a konkretnie czasem między godziną szóstą trzydzieści a ósmą trzydzieści. Nazywała te dwie godziny „rodzinnym pieczeniem" i nie chodziło tylko o to, że wraz z piątką rodzeństwa zbierali się wówczas w rodzinnym domu, żeby zjeść sutą kolację. Jednak wspólny posiłek był jedynie pretekstem do „przypiekania" innego rodzaju. Właśnie wtedy matka wyciągała z nich wszystkie szczegóły ich prywatnego życia.

M.C. już czuła podmuch płomieni na twarzy, gdyż zwykle stanowiła ulubioną przystawkę matki. Wydawało się, że matka raczej nigdy jej nie zaakceptuje, zupełnie jakby nie umiała dostrzec w niej nic dobrego i wartościowego. Kiedyś M.C. bardzo to martwiło, jednak z czasem stało się obojętne. Zrozumiała, że woli być sobą, niż udawać kogoś innego, byle tylko zadowolić matkę.

Nie odważyła się jednak wystąpić otwarcie przeciw rodzinnemu rytuałowi i tylko była coraz bardziej wkurzona na bandytów za to, że właśnie w środę robią sobie wolne. Gdyby tak jeden z drugim wziął się do roboty, miałaby dobrą wymówkę. Zatrzymała się przed domem, w którym się wychowała. Był to duży, jednopiętrowy budynek, który okazał się wystarczający nawet dla tak licznej rodziny. Zasępiła się jeszcze bardziej, kiedy pomyślała o Kitt Lundgren i jej anonimowym rozmówcy.

Czy to możliwe, że Kitt wymyśliła wszystko, żeby ponownie włączono ją do śledztwa? Czy posunęłaby się do takiej mistyfikacji?

Jeśli plotki na temat jej obsesji związanej z tą sprawą były prawdziwe, to mogła zrobić praktycznie wszystko.

M.C. zawstydziła się trochę swoich podejrzeń. Westchnęła i spojrzała na werandę. Stali tam Michael i Neil, pogrążeni w rozmowie. Uśmiechnęła się do siebie. Jakiś czas temu nadała rodzeństwu przydomki: Pracuś, Nieudacznik i Trzech Lizusów. Najstarszy, Michael, czyli Pracuś, został w końcu kręgarzem. Co prawda matka wolałaby, żeby był księdzem, ale skoro jak pozostali bracia nie stronił od seksu i uroków życia, musiała zadowolić się tym, że ma syna „doktora", jak chwaliła się sąsiadkom.

Neil był Nieudacznikiem i uczył matematyki w katolickiej szkole średniej, do której wcześniej wszyscy chodzili, a także zajmował się trenowaniem szkolnej drużyny zapaśniczej. Trudno byłoby chyba o bardziej normalnego człowieka. Neil zdecydował się też poświęcić dla dobra rodzeństwa i ożenił się jako pierwszy. Dał też matce pierwszego, i jak do tej pory jedynego, wnuka.

Trzej najmłodsi chłopcy, Tony, Max i Frank, czyli Lizusy, postanowili wspólnie zainwestować, a także wykorzystać przepisy „kochanej mamusi" i otworzyli włoską restaurację o nazwie (a jakże!) „Mama Riggio". W tej chwili mieli już dwa lokale w Rockford i planowali otwarcie trzeciego na przedmieściach Chicago.

M.C. bardzo kochała swoich braci. Nawet tego, który wpadł na pomysł udekorowania restauracji starymi rodzinnymi fotografiami, w tym jedną, na której miała aparat na zębach i krosty na całej twarzy. Pokazywał ją nawet niektórym zaprzyjaźnionym klientom.

– To nasza siostra, Mary Catherine. Wiesz, ciągle jest panną...

Gdy o tym myślała, aż zaciskała pięści ze złości...

M.C. odpędziła niewesołe myśli i wyskoczyła z terenówki.

– Cześć, chłopaki.

– Cześć, stara! Fajnie wyglądasz! – krzyknął w jej stronę Neil.

M.C. zatrzasnęła drzwi wozu.

– Dzięki. Specjalnie tak się ubrałam, żeby wystraszyć mamę.

Włożyła same czarne rzeczy, a włosy związała w koński ogon.

– Masz broń?

– Jak zawsze. Więc lepiej uważaj!

Ze wszystkich braci najbardziej lubiła Michaela. Pewnie dlatego, że miał do niej najmniej pretensji, kiedy w dzieciństwie dreptała za nim jak porzucony szczeniak. Poza tym łączyły ich wspólne poglądy na wiele istotnych spraw.

M.C. uściskała go i ucałowała na powitanie.

Następnie przywitała się z Neilem. Kiedy go puściła, brat uśmiechnął się do niej.

– Może zostaw pistolet przed wejściem. Mama jest dzisiaj w kiepskim nastroju. Będzie cię kusiło, żeby z niego skorzystać.

– To nic. Każdy sąd mnie uniewinni. Mieliby mnie karać za zbrodnię w afekcie?

W tym momencie na werandę wpadł trzyletni syn Neila Benjamin, a zaraz za nim jego matka Melody. Prawdę mówiąc, małżeństwo Neila z wiotką, niebieskooką protestantką wywołało prawdziwą burzę w rodzinie. Matka nigdy nie pogodziła się z tym, że syn jej nie posłuchał. Natychmiast zaczęła się skarżyć na bóle w piersi i duszności, których Michael nie podjął się leczyć.

Dzięki temu M.C. miała pół roku spokoju, ale potem Melody zepsuła wszystko, bo najpierw nawróciła się na katolicyzm, a potem oznajmiła, że jest w ciąży. Gdyby mogła, to pewnie jeszcze zostałaby Włoszką!

Tak, M.C. była otoczona samymi lizusami.

Benjamin, który właśnie ją zauważył, wydał radosny okrzyk i pobiegł w jej stronę. M.C. przykucnęła i wyciągnęła ramiona. Bratanek rzucił się jej na szyję, a potem czekał cierpliwie na prezent. Wiedział nawet, w której jest kieszeni. Dziś były to ciasteczka w kształcie zwierzątek.

– Psujesz go – stwierdziła bratowa.

M.C. wyprostowała się z uśmiechem.

– A komu mam dawać słodycze? Tym dryblasom? – wskazała braci.

– Jak tam pogoda? – Neil machnął ręką w stronę wnętrza domu.

– Pochmurno. I zanosi się na burzę. Wiecie, jaka jest mama – odparła z westchnieniem Melody.

O tak, wszyscy doskonale wiedzieli. Popatrzyli na siebie w milczeniu, jakby się zastanawiali, na kim dzisiaj matka dokona egzekucji.

Michael spojrzał na zegarek.

– Nasi restauratorzy już się spóźniają – zauważył niechętnie.

– Może postanowili zjeść kolację w swojej knajpie? – zaryzykowała śmiałe przypuszczenie M.C.

– Nie odważyliby się – mruknął Neil.

Miał rację. Wkrótce dostrzegli ich trzy samochody. M.C. odnotowała, że bracia cały czas rozmawiają przez komórki. Po chwili zatrzymali się i wysiedli. I dopiero wtedy zrozumiała, że kłócą się ze sobą przez telefony komórkowe!

Wyłączyli aparaty, dopiero kiedy znaleźli się na werandzie. Zaraz też przywitali się ze wszystkimi. Na dworze zrobił się taki hałas, że sąsiedzi mieli prawo zadzwonić na policję. Ale przecież to ona była z policji...

Spojrzała na braci. Naprawdę uwielbiała tych przystojniaków.

Melody starała się przekrzyczeć hałas.

– Może wejdziemy do środka. Zanim mama... – szukała odpowiedniego słowa.

– Naprawdę się wkurzy – skończył za nią Neil.

– Racja, chodźmy do domu.

Weszli do środka, pokrzykując i śmiejąc się. Matka z ponurą miną przywitała ich w drzwiach kuchni.

– Wszyscy, poza Michaelem i Neilem jesteście spóźnieni – stwierdziła, a następnie wbiła zły wzrok w M.C. – Mam jedną córkę i żadnej pomocy. Więc jednak wypadło na nią. Cóż za niespodzianka!

M.C. ucałowała ją w oba policzki.

– Przepraszam, mamo, ale byłam w pracy.

Matka tylko pokręciła głową.

– Tak, w pracy! Doskonale wiesz, co na ten temat sądzę!

– To znaczy?

– Praca w policji nie jest odpowiednia dla kobiet. Powinnaś z tego zrezygnować. I to jak najszybciej.

M.C. już otworzyła usta, żeby zaprotestować, ale matka zaprosiła ich do stołu. Zaczęli siadać każdy na swoim miejscu, a w tym czasie Melody pochyliła się w jej stronę.

– Zajmujesz się morderstwem tej dziewczynki?

Skinęła głową i spojrzała na Benjamina. Wyglądało na to, że interesuje go jedynie ciasteczkowe zoo, które zaczął właśnie rozkładać na stole, ale M.C. wiedziała, że dzieci uważnie przysłuchują się rozmowom dorosłych.

– Tak, to ja prowadzę tę sprawę – odparła półgłosem.

Usłyszał to Michael, który siedział po jej drugiej stronie i właśnie zaczął podawać wszystkim spaghetti.

– Moje gratulacje.

– Czy ten wariat znowu zaczął mordować? – spytała Melody z wypiekami na twarzy. – Ten od Śpiących Aniołków?

– Na to wygląda, chociaż są pewne różnice.

Brat podał jej teraz parmezan, a potem sałatę i groszek.

– Jakie różnice? – zainteresował się.

M.C. uśmiechnęła się do Michaela.

– Doskonale wiesz, że nie wolno mi o tym opowiadać.

– Więc to może być naśladowca – włączył się Max.

Wszyscy przy stole ucichli i spojrzeli na nią. M.C. pomyślała o dzisiejszej rozmowie Kitt Lundgren i poczuła się dziwnie.

– Na tym etapie śledztwa trzeba brać pod uwagę wszystkie hipotezy – stwierdziła ogólnikowo.

– Tak się cieszę, że mam syna – westchnęła Melody. – Inaczej strasznie bym się bała.

– Dość już tego! – Matka postanowiła włączyć się do rozmowy. – Jak wam nie wstyd gadać o tym przy stole! W dodatku dziecko słucha!

– Przepraszamy, mamo – powiedzieli zgodnym chórem, jak im się to już wielokrotnie zdarzało.

Zajęli się jedzeniem, które było naprawdę doskonałe. Matka bywała niemiła i opryskliwa, ale gotowała znakomicie. Gdyby M.C. nie miała takiej dobrej przemiany materii, pewnie już wyglądałaby jak zapaśnik sumo.

– Ach, Mary Catherine, nie uwierzysz, kogo dziś spotkałam w sklepie – odezwała się znowu. – Ni mniej, ni więcej tylko matkę Josepha Relliniego.

Najlepiej udawać, że nie rozumie, o co chodzi.

– Kogo?

– Josepha Relliniego. Skończył szkołę rok przed tobą. Pamiętasz? Grał w zespole.

Przypomniała sobie jak przez mgłę ciemnowłosego, lekko przygarbionego chłopaka. Był chyba dosyć miły, ale M.C. wiedziała, do czego prowadzi ta rozmowa. Nie zamierzała ułatwiać matce zadania. To byłoby wyjątkowo głupie posunięcie.

– Został księgowym. – Matka pochyliła się w jej stronę. – Dałam jej twój numer i powiedziałam, żeby kazała mu zadzwonić.

– Ależ mamo!

– A czemu nie? *Per amor del cielo.* Muszę wziąć sprawy w swoje ręce, skoro z ciebie taka fajtłapa!

Bracia dusili się ze śmiechu. Melody spojrzała na nią ze współczuciem, a M.C. aż poczerwieniała ze złości.

– Wcale nie potrzebuję faceta, mamo! Jest mi dobrze samej!

Mama Riggio pokręciła głową.

– Codziennie chodzę do kościoła i modlę się, żebyś w końcu się opamiętała, rzuciła tę okropną pracę i poznała jakiegoś miłego młodego człowieka. No, nie musi być nawet taki młody...

– Przepraszam, mamo, ale to...

Michael poczuł, że powinien się wtrącić.

– Ona ma glocka. To tak, jakby była z facetem.

Tony machnął ręką.

– Daj jej spokój, mamo. Przecież ona jest lesbijką.

M.C. rzuciła w brata serwetką.

– Wypchaj się, Tony.

– Matko Boska! – Starsza pani wzniosła ręce do nieba. – Kiedy to się stało?!

– Tony tylko się wygłupia. Nie jestem lesbijką.

Max dolał sobie wina.

– Tony zawsze się wygłupia – stwierdził. – Ale ja też nie zamierzam szybko się żenić. Jest przecież tyle pięknych kobiet...

– Ty jesteś jeszcze młody – powiedziała pobłażliwie mama Riggio. – Ale twojej siostrze wcale nie ubywa latek!

Na szczęście do rozmowy włączyła się jak zwykle Melody, starając się załagodzić sytuację.

– M.C. nie powinna się spieszyć. Życie jest zbyt krótkie, żeby angażować się w byle jakie, przelotne związki.

– Mówisz z doświadczenia? – spytał Tony i posłał jej promienny uśmiech.

Melody nie dała się sprowokować.

– Jasne, bo wyszłam za najwspanialszego faceta na świecie.

Zgromadzeni mężczyźni wydali pełen aprobaty pomruk i zaczęli trącać Neila łokciami. Matka zajęła się czymś innym, a M.C. zaczęła pospiesznie połykać kolejne kęsy posiłku.

– Było mi bardzo miło, ale muszę już lecieć – powiedziała, wstając.

– Ale przecież nie zjedliśmy jeszcze deseru! Mam cannoli od Cepellego.

Cannoli od Cepellego to była zupełnie wyjątkowa sprawa. Prawdziwa uczta dla smakoszy.

Jednak teraz, kiedy po raz kolejny wdała się w utarczkę z matką, M.C. nie mogła zostać dłużej. Nie zniosłaby kolejnych uwag na swój temat. Ucałowała więc matkę, braci i Melody.

Kiedy wyszła na werandę, dogonił ją zaniepokojony Michael.

– Coś się stało? – spytał.

– Niby dlaczego?

– Przecież nie zjadłaś deseru – zauważył. – Nikt z rodziny nigdy tego nie robi.

– Mam już dosyć – rzuciła.

Domyślił się, że nie chodzi jej o jedzenie.

– Przecież wiesz, że mama naprawdę cię kocha.

– Nie powinna wtrącać się w moje sprawy! Jestem już dorosła, jak sama raczyła zauważyć.

– Zgoda – przyznał – ale...

Urwał gwałtownie, a ona zmarszczyła brwi.

– No co?

– Chyba mnie nie pobijesz, prawda?

– Jasne, że nie. Po prostu cię zastrzelę, jeśli nie skończysz tego, co zacząłeś...

– No dobra, wiesz przecież, że do kłótni trzeba dwojga...

– To znaczy?

– Musisz pogodzić się z tym, że mama już taka jest...

– Ale ona nawet nie stara się mnie zrozumieć!

– A ty próbujesz?

Mary Catherine, jak cała jej rodzina, była obdarzona ognistym temperamentem. Na szczęście nauczyła się nad nim panować.

Czasami jednak miała z tym trudności. Na przykład teraz poczuła, że krew znów nabiegła jej do policzków. Szerokim gestem wskazała wnętrze domu.

– Przecież przyjeżdżam tu w te cholerne środy! Co jeszcze mam robić?! Przywozić ze sobą tłumy wielbicieli?!

Nie odpowiedział, a ona spojrzała na niego groźnie.

– Łatwo wam gadać – ciągnęła. – Tobie i tym cholernym typom. Jesteście przecież jej ukochanymi synkami. Jesteście tacy, jak sobie wymarzyła!

– A ty zawsze byłaś rodzinną bidulką – mruknął Michael.

– Dobra, możesz zapomnieć o całej rozmowie. Myślałam, że przynajmniej ty mnie rozumiesz.

Przeszła do samochodu, wskoczyła do środka i z hukiem zatrzasnęła drzwi. Odjeżdżając, obejrzała się jeszcze za siebie i stwierdziła, że brat wciąż stoi na werandzie.

Pomachał jej i uśmiechnął się.

Zmełła w ustach przekleństwo i przystanęła. Opuściła szybę i spojrzała w jego stronę.

– W porządku, spróbuję! – krzyknęła. – Ale gdybyś był dobrym bratem, to przyniósłbyś mi szybko trochę cannoli.

ROZDZIAŁ DZIESIĄTY

Środa, 8. marca 2006
godz. 21.10

Bar Bustera znajdował się w miejscu nazywanym Five Points, gdyż krzyżowało się tu pięć najważniejszych dużych ulic Rockford. Ten obszar na przemian kwitł i podupadał, w zależności od tego, czy przedsiębiorcy decydowali się otwierać nowe bary, restauracje i kluby.

Jednak bar Bustera przetrwał wszelkie przeciwności. Wybór dań nie był duży, ale serwowano tu solidne i smaczne posiłki oraz alkohol. Poza tym w niektóre dni tygodnia można było wieczorami posłuchać muzyki na żywo lub obejrzeć inne występy.

M.C. była zbyt poruszona, żeby jechać od razu do domu, dlatego postanowiła wstąpić do Bustera. Trochę zaniedbany bar nie cieszył się popularnością wśród policjantów, ale często można tu było spotkać przynajmniej kilku. W tej chwili potrzebowała drinka i rozmowy o pracy, żeby się trochę uspokoić.

Weszła do budynku, wciągając w nozdrza zapach papierosów, hamburgerów i piwa. Przy barze siedział Brian wraz z dwoma kumplami – śledczymi Scottem Snowe'em i Nickiem Sorensteinem. Rozmawiali z jakimś mężczyzną, którego nie znała.

Podeszła do kontuaru. Snowe zauważył ją pierwszy i od razu pomachał ręką.

– Bardzo mi miło, że cię widzę – rzuciła.

– Naprawdę? – Snowe wypił łyk piwa.

Skinęła głową i zamówiła wino.

– Tak, chciałam się dowiedzieć, co nowego w sprawie Entzel.

– Ee, myślałem, że chodzi ci o mnie...

– To później – powiedziała ze śmiechem.

– No dobra, zwłaszcza że mam niewiele do opowiedzenia. Na oknie były tylko odciski palców rodziców i tej małej. Morderca z całą pewnością nosił rękawiczki.

– Jakieś skrawki materiału albo włosy?

– To nie moja działka. Spytaj o zdjęcia.

– No dobra, co ze zdjęciami?

– Zostawiłem je na twoim biurku, kiedy wychodziłem z pracy. Gdzie byłaś? W toalecie?

M.C. zignorowała to pytanie.

– I jak wyszły?

– Prawdziwe dzieła sztuki. Czego się spodziewałaś po mistrzu?

Mary Catherine przewróciła oczami.

– Gratuluję dobrego samopoczucia – mruknęła.

– Hej, Riggio – wtrącił Sorenstein. – Nie boisz się tej speluny?

– Odwal się, stary.

Nick Sorenstein był policyjnym entomologiem. Z prawdziwą pasją grzebał w trupach i wyłuskiwał z nich przeróżne larwy i owady. Wymagało to przygotowania i olbrzymiej wiedzy, a jednocześnie narażało na zaczepki i żarty kolegów.

Snowe znowu napił się piwa.

– M.C. pytała właśnie, czy znaleźliśmy coś w pokoju Entzel.

– A owszem, bardzo ciekawe czarne nitki – ożywił się Sorenstein. – Były na oknie i w łóżku małej. Morderca pewnie nosi się na czarno.

– To nic nowego.

– Dużo kociej sierści – ciągnął Sorenstein, nie zwracając uwagi na jej ironiczną uwagę. – Mają długowłosego kota, który nazywa się Whiskers. Wziąłem próbki jego sierści do laboratorium. Trzeba będzie poczekać na wyniki badań. To wymaga czasu.

– Którego mamy mało...

Dopiero teraz zwrócił na nią uwagę Brian, dotychczas zajęty rozmową z facetem, którego nie znała.

– Cześć, M.C., to jest nasz nowy znajomy, Lance Ca... Castrolliani, czy jakoś tak. – Sposób, w jaki wypowiedział nazwisko nieznajomego, wskazywał, że siedział tu już od dłuższego czasu.

– Castrogiovanni – poprawił go mężczyzna i wyciągnął dłoń w jej stronę.

– Mary Catherine Riggio – przywitała się z nim.

– Bardzo mi miło, ale muszę już lecieć. Zaraz mnie poproszą na scenę.

Dopiero po chwili zrozumiała, co miał na myśli. W środy u Bustera występowali komicy, a Lance Castrogiovanni miał na sobie nawet odpowiedni kostium.

Popatrzyła za nim z nadzieją. Chętnie by się dzisiaj z czegoś pośmiała.

– Jest taki chudy, że mógłbym go podnieść jedną ręką – rzucił Snowe. – Ale nie sądzę, żeby mu się to spodobało.

Koledzy wybuchnęli śmiechem. No tak, te męskie żarty. Jednak Snowe wiedział, co mówi. Chociaż nie był zbyt wysoki, to jednak dobrze zbudowany i miał mięśnie jak stal. Widziała go parę razy na siłowni.

Zaś Castrogiovanni, który zaczął właśnie monolog o nieszczęśliwym dzieciństwie, był co prawda wysoki, ale przy tym chudy jak szczapa. Jego rude włosy przyciągały wzrok.

– Zacznę od tego, że pochodzę z dużej włoskiej rodziny – mówił Castrogiovanni.

M.C. spojrzała z zainteresowaniem w stronę sceny.

– Nie jest mi łatwo, bo spróbujcie sobie wyobrazić, że ciągle wpadacie na kogoś z rodziny. Tylko czy ja wyglądam na Włocha?

Nie wyglądał. W oczy rzucały się nie tylko rude włosy, ale też jasna, piegowata cera.

– No właśnie. Adoptowano mnie – ciągnął. – Sami możecie się domyślić, jak to było. Jak musieli nałgać moim rodzicom: tak, oczywiście, to urodzony Włoch. Będzie z niego dobry mafioso. – Dotknął swoich włosów. – Pewnie powiedzieli im, że z czasem ściemnieją. Ale tak się nie stało, a ja nie zostałem mafioso. Jak myślicie, czy ktoś czułby respekt przed facetem, który ma włosy w kolorze marchewki?

M.C. zaśmiała się. Wiedziała, że Castrogiovanni ma sporo racji.

– Albo to, widzieliście ten gest? – Wykonał gest, który znała od swoich braci, więc wybuchnęła głośnym śmiechem. – Normalnie budzi szacunek i posłuch, ale jeśli o mnie idzie, to chłopcy tylko pukali się w głowę. Albo pukali mnie w głowę. – Zrobił żałosną minę.

– Naprawdę starałem się być prawdziwym Włochem, wiecie, mafioso – ciągnął. – Chodzić jak prawdziwy Włoch. To takie męskie...

Zademonstrował wolny, kołyszący się chód, który był znakiem firmowym również jej braci. Robił to naprawdę dobrze, ale owszem, w jego wykonaniu wyglądało w równym stopniu śmiesznie, co żałośnie.

M.C. nie mogła powstrzymać śmiechu. Mężczyzna spojrzał w jej stronę.

– Jasne, śmiejcie się z mojego bólu. Ale ja przecież chciałem tylko, żeby przyjęli mnie do rodziny...

Sorenstein szturchnął ją, więc spojrzała w bok.

– Podobno Kitt miała telefon od kogoś, kto podaje się za Mordercę Śpiących Aniołków.

– Tak? Skąd to wiesz?

– Od kogoś z Centralnego Biura Śledczego.

Doskonale wiedziała, od kogo. Mrużąc oczy, spojrzała na Briana, który wygłupiał się, flirtując z młodziutką barmanką.

– Fałszywy alarm. Niektórzy po prostu nie wiedzą, co zrobić z czasem.

– Jesteś pewna? – spytał Snowe.

– Myślisz, że prawdziwi mordercy nie mają nic lepszego do roboty, tylko wydzwaniać na policję? Daj spokój.

– Różnie to bywa.

Poirytowana M.C. zaczęła żałować, że jednak nie pojechała do domu.

– Dajcie spokojnie pooglądać – mruknęła i znowu obróciła się do sceny.

– Co? Nadepnęliśmy ci na odcisk? – zaczął się z nią drażnić Sorenstein.

– Czyżby nie układało ci się z Kitt? – dołączył do niego Snowe.

– Po prostu chcę posłuchać – odparła.

Nie zwróciła uwagi na ich śmiechy. Spokojnie wysłuchała całego monologu, popijając wino, a kiedy się skończył, zaczęła głośno klaskać. Co jakiś czas zerkała ukradkiem na kolegów.

Kiedy Castrogiovanni skończył, znowu do nich podszedł.

– Dziękuję – rzuciła. – Właśnie tego potrzebowałam.

Barmanka postawiła przed nim piwo, zapewne jako część honorarium. Wypił kilka łyków, a potem się uśmiechnął.

– Pochodzi pani z włoskiej rodziny?

Zabrzmiało to bardziej jak stwierdzenie niż pytanie. Zresztą wystarczyło na nią spojrzeć, miała przecież ciemne włosy i oliwkową cerę. Nie trzeba było nawet pytać o nazwisko.

– To było bardzo zabawne. I celne – dodała.

– Dzięki.

– Mów mi M.C., tak jak wszyscy.

– Lance. – Uścisnęli sobie dłonie.

– Jak to się stało, że rodzina pozwoliła ci zostać komikiem? – zaciekawiła się, myśląc o swojej matce, która z pewnością by tego nie przeżyła.

– Wynajęli wujka Tony'ego, żeby mnie ścigał.

– Miał cię przekonać do wyboru innego zawodu?

– Gorzej. Groził, że jeśli nie zmienię zdania, to skieruje sprawę do sądu. Trzeba go było widzieć, istny Al Capone!

– Mówisz poważnie?

– Oczywiście. Powiedziałem, że czekam na jego prawników. – Upił kolejny łyk piwa. – A ty? Co z twoją rodziną?

– Jestem najmłodsza z sześciorga rodzeństwa. Mam pięciu braci.

– A, więc jesteś małą księżniczką. Pozazdrościć.

– Tak, tylko że pracuję w policji. Wyobrażasz sobie księżniczkę z pistoletem?

Uniósł kufel i mrugnął do niej wesoło.

– Witam w klubie odszczepieńców i buntowników.

Odszczepieńców? Nigdy nie myślała o sobie w ten sposób, ale nagle zrozumiała, że to trafne określenie. Bardzo kochała swoją rodzinę, ale była inna. I to nie tylko dlatego, że nie stosowała się do wyznawanych przez nich zasad. Była też inna z powodu swego zawodu i stylu życia.

– Mogę się włączyć do rozmowy? – spytał Brian, który chyba już skutecznie przepłoszył barmankę. M.C. uznała jednak, że ma dosyć i wstała. – Jasne, ale ja znikam. Jestem potwornie zmęczona.

Wychodząc, zerknęła jeszcze na Lance'a Castrogiovanniego. Zauważył jej spojrzenie i uśmiechnął się. Odwzajemniła jego uśmiech, zastanawiając się, czy go jeszcze kiedyś spotka. Miała nadzieję, że tak.

ROZDZIAŁ JEDENASTY

Wtorek, 9. marca 2006
godz. 7.20

Kitt stała przy grobie, drżąc w porannym chłodzie. Na płycie widniał napis:
Sadie Marie Lundgren
10 września 1990 – 4 kwietnia 2001
Nasz ukochany Orzeszek
Przychodziła tu co najmniej raz w tygodniu. Przynosiła świeże kwiaty i wyrzucała stare. Dziś kupiła stokrotki.

Spojrzała na szare niebo i nagle zatęskniła za prawdziwą wiosną i słońcem.

– Stało się coś bardzo złego, kochanie. Ktoś znowu morduje małe dziewczynki, a ja...

Starała się wydobyć kolejne słowa ze ściśniętego gardła, ale z niezbyt dobrym skutkiem. Nawet po tylu latach od śmierci ukochanej córki wciąż czuła jej obecność.

– Boję się. Boję się, że zabije kolejne. I tego, że... że znowu zacznę pić. Że ten człowiek zniszczy do końca moje życie. W dodatku...

71

Urwała i potrząsnęła głową. Nie chciała o tym mówić. Nie chciała obarczać swojego dziecka tymi problemami.

– Mam nadzieję, że jesteś szczęśliwa – podjęła po chwili. – Że ci tam dobrze. Myślę o tobie codziennie. Kocham cię.

Pochyliła się, żeby poprawić kwiaty. Nie miała ochoty odchodzić. Może gdyby poczekała dostatecznie długo, Sadie w końcu by się obudziła...

Zadzwoniła jej komórka. Kitt zrobiła parę kroków w stronę alejki i odebrała telefon. Obejrzała się jeszcze na grób córki.

– Tak, słucham?

– Cześć, Kitt.

Poczuła, jak zjeżyły jej się włoski na karku. Morderca Śpiących Aniołków! Skąd ma numer jej komórki?

– Nie lubię takich sytuacji – rzuciła. – Ty wiesz, jak się nazywam, a ja nie znam twojego imienia.

– Ale wiesz, kim jestem.

– Wiem, kim mówisz, że jesteś – poprawiła go.

– Racja – przyznał. – Załatwiłaś to, o czym mówiłem?

– Rozmawiałam z szefem.

– I?

– Potraktował sprawę bardzo poważnie.

– Ale nie na tyle, żeby dać ci to śledztwo.

– Policja nie pracuje w ten sposób i...

– Dobrze, wobec tego zginie następna dziewczynka – powiedział beznamiętnym tonem. – Mogłabyś temu zapobiec.

– Jak? – spytała, czując, jak jej puls przyspiesza.

– Tylko ja popełniam przestępstwa doskonałe. Ten morderca to żałosny naśladowca. Działa zbyt szybko i pochopnie. Nie zna moich tajemnic.

– Jakich tajemnic? – Ścisnęła mocniej telefon. Próbowała się opanować, nie chciała zdradzać, jak bardzo jest podniecona. – Jeśli mi powiesz, to może zdołam go złapać.

– Znam też twoje tajemnice, Kitt.

Powiedział to cicho, a jednocześnie w jego słowach wyczuła dumę. Nie miała pojęcia, o co mu chodzi.

– Jakie tajemnice?

– Mogłaś mnie złapać, ale byłaś na to zbyt pijana. Popełniłem jeden głupi błąd, ale zapewniam, to już się nie powtórzy.

Kitt stała oniemiała. Przeszłość przygniotła ją niczym ogromny głaz, niestety nie umiała o tym zapomnieć. Jedna z matek zadzwoniła na policję, twierdząc, że morderca namierzył jej córkę. Że ją śledził.

W tym czasie mieli setki podobnych sygnałów. Starali się je sprawdzać, ale brakowało im ludzi, żeby obserwować wszystkie dziewięcio- i dziesięciolatki w Rockford.

Coś ją jednak tknęło, kiedy rozmawiała z tą kobietą. Poszła z tym do szefa, który odmówił wysłania ludzi. Powiedział jej też, że ze względu na swój stan powinna dać sobie z tym spokój.

Tydzień wcześniej odbył się pogrzeb Sadie.

Złamała wszystkie zasady i pojechała tam sama. Zastawiła pułapkę, o której nie poinformowała przełożonych.

Spędzała noce przed tym domem, nie żałując sobie alkoholu. Bez tego wspomagania zamarzłaby na śmierć.

Tak przynajmniej sobie wmawiała. Oczywiście było to kłamstwo, alkohol miał uśmierzyć ból po stracie córki.

Po tygodniu w końcu wypatrzyła podejrzanego mężczyznę. Zupełnie nie pasował do tej okolicy i zachowywał się dziwnie. Zamiast jednak zadzwonić po posiłki, zdecydowała się na samotny pościg.

Wydawało jej się, że ma dużo siły, ale potknęła się na pierwszej przeszkodzie. Była kompletnie pijana. Od razu straciła przytomność, a kiedy się ocknęła, mężczyzna zniknął.

Już nigdy tam nie wrócił i stał się jeszcze ostrożniejszy.

Szef wpadł we wściekłość. Morderca mógł ją przecież zabić albo zabrać jej broń.

Kitt potrząsnęła głową, powoli wracając do rzeczywistości. Musi skupić się na tej rozmowie i zadaniu, które ma do wykonania. Tylko dwie osoby w całej policji w Rockford wiedziały o tym, co się stało – Sal i Brian.

Morderca zabił jeszcze jedną dziewczynkę, a potem gdzieś się przyczaił. Aż do teraz.

– Dobra, punkt dla ciebie – powiedziała. – Wiesz, kto jest naśladowcą?

– Możliwe – rzekł z udawaną skromnością i zaśmiał się.

– Więc powiedz, a ja go złapię.

– Tak po prostu? Ja lubię się bawić.

Przed oczami stanęło jej ciało Julie Entzel, a potem jej zrozpaczeni rodzice. W uszach miała ich zduszony płacz.

– To żadna zabawa, ty skurwielu!

Zaśmiał się wyraźnie rozbawiony.

– Jak dla kogo. Na razie to ja rozdaję karty. Cóż,
czas się pożegnać.
– Czekaj! Jak mam do ciebie mówić?
– Możesz mnie nazywać Orzeszek – rzucił lekko.
I rozłączył się.

ROZDZIAŁ DWUNASTY

Czwartek, 9. marca, 2006
godz. 7.25

Kitt stała w alejce, wciąż przyciskając aparat do ucha. Z trudem wciągnęła powietrze do płuc. Orzeszek. Właśnie tak nazywali Sadie, bo była malutka, krucha i słaba z powodu białaczki.

Jak ten potwór śmiał użyć ich pieszczotliwego określenia?! W jego ustach zabrzmiało wręcz nieprzyzwoicie. Gdyby mogła, udusiłaby go własnymi rękami.

Przełknęła ślinę i włożyła telefon do futerału przy pasku. Ruszyła w stronę parkingu i po chwili wsiadła do samochodu. Nie zapaliła jednak silnika. Morderca najwyraźniej się z nią bawił. Zdobył skądś jej numer i dowiedział się, jak mówili na Sadie.

Ciekawe, co jeszcze o niej wie?

Wszystko. A przynajmniej tak musiała założyć. W dodatku traktował to jak zabawę albo grę w karty. Niestety, jak każdy dobry gracz znał wszystkie słabości przeciwnika.

Odetchnęła głęboko, starając się uspokoić i spojrzeć na całą sprawę z dystansu. Wyjęła komórkę i zadzwoniła do Sala.

– Cześć, Sal. Tu Kitt – rzuciła szybko. – Znowu miałam od niego telefon. Za chwilę będę w pracy.

Dojechała do biura chwilę po Salu. Szef czekał na nią przy windzie. Wsiedli do niej razem, a następnie Sal wcisnął dwójkę.

– Co nowego? – spytał.

– Sprawa wygląda bardzo poważnie. On wie o tej nocy, kiedy go śledziłam. I wie, dlaczego wtedy zawiodłam.

Rysy mu się wyostrzyły.

– Co jeszcze?

– Powiedział, że umrze następna dziewczynka.

Zatrzymali się na piętrze. Drzwi się otworzyły, ruszyli do wydziału zabójstw.

– Kiedy?

– Nie wie tego dokładnie, ale jego zdaniem naśladowca działa zbyt pochopnie, jest więc szansa, że popełni jakiś błąd.

Weszli do środka. Nan przywitała się z nimi wesoło i podała Salowi stos kartek z zanotowanymi wiadomościami, a on zaczął je przeglądać.

– Coś pilnego? – spytał sekretarkę.

– Szef chce przesunąć termin spotkania na później. O pół godziny. Aha, i porucznik Allen ma grypę. Dzwoniła jego żona.

Sal skinął głową.

– Dobra, możesz do mnie poprosić Riggio i White'a? Czy sierżant Haas jest już w pracy?

– Tak, w swoim pokoju.

– Więc powiedz mu, żeby też przyszedł.

– Oczywiście. – Nan spojrzała na Kitt. – Był do ciebie telefon. Od jakiegoś starego znajomego. Powiedział, że zadzwoni później.

Kitt zmarszczyła brwi. Nie spodziewała się żadnego telefonu.

– Przedstawił się?

– Nie, ale mówił o sobie Orzeszek. Już nie może się doczekać, kiedy zobaczy cię w telewizji.

Kitt nic nie powiedziała, ale aż zatrzęsła się z gniewu. Miała już dość tego psychola. Po chwili w gabinecie Sala pojawili się wezwani policjanci.

– Mężczyzna, który podaje się za Mordercę Śpiących Aniołków, znowu kontaktował się z Kitt – zaczął Sal. – Tym razem zadzwonił na jej komórkę. Może opowiesz wszystkim o tej rozmowie – dodał, zwracając na nią spojrzenie.

Zdała dokładną relację, pomijając jedynie szczegóły dotyczące nocy, kiedy go śledziła.

– Powiedział, że będzie się przedstawiał jako Orzeszek – zakończyła.

Sal spojrzał na nią ostro.

– Przecież tak mówiliście do córki!

Kitt z najwyższym trudem wzięła się w garść.

– Tak – potwierdziła. – Zresztą dziś rano dzwonił również do pracy. – Podała mu kartkę z informacją. – Dostałam to od Nan.

Sal zaklął, a ona spojrzała na pozostałych policjantów.

– Wie bardzo dużo o tamtym śledztwie. Nie mógłby znać tylu szczegółów, gdyby nie był mordercą.

– Poprzednio wspomniał też coś o przestępstwach doskonałych – mruknęła M.C. – To musi być dla niego ważne.

– Jest bardzo zarozumiały – dodała Kitt. – Wkurza go, że tamten go naśladuje.

– Tak, zarozumiały i sprytny – zauważył White.

– Przynajmniej we własnym mniemaniu – powiedziała M.C.

Kitt milczała przez chwilę.

– Spytałam, czy wie, kim jest jego naśladowca.

– Rozejrzała się dookoła. – Powiedział, że bardzo możliwe.

Sal ułożył palce w piramidkę.

– Jak myślisz, czy on naprawdę wie, czy tylko się domyśla?

– Trudno powiedzieć, ale chyba wie.

– Traktuje to jak zabawę – zauważyła Riggio.

– Sam to zresztą powiedział.

– Tak, dla niego to rodzaj gry.

– Jeśli naśladowca popełni błąd, jak twierdzi Orzeszek, to łatwiej będzie go złapać.

Kitt skrzywiła się, słysząc przydomek córki z ust Riggio, ale dobrze rozumiała, że musi się do tego przyzwyczaić.

– Zginie kolejna dziewczynka – szepnął White.

– Tak właśnie powiedział. A potem może następna...

Kitt chrząknęła i raz jeszcze rozejrzała się dookoła.

– Zapominamy o jednej rzeczy. Jeśli przyjmiemy, że mówi prawdę, to mamy do czynienia z dwoma mordercami, a nie z jednym.

Zebrani siedzieli chwilę pogrążeni w milczeniu. Jakby potrzebowali czasu na zrozumienie sensu jej słów. W końcu sierżant Haas zwrócił się do zwierzchnika:

– Co robimy, Sal?

– Musimy grać według jego zasad.

Porucznik Riggio aż podskoczyła na krześle.

– Przepraszam, szefie, ale nie mogę się z tym zgodzić.

Sal spojrzał na nią twardo.

– Dzwonił dziś rano i powiedział, że aż drży z niecierpliwości, by wreszcie zobaczyć Kitt w telewizji.

– W telewizji? – zdziwił się White. – O co mu chodziło?

– O konferencję prasową – wyjaśnił Sal. – Chce potwierdzenia, że Kitt prowadzi to śledztwo.

Riggio znowu poruszyła się niespokojnie na swoim miejscu.

– Hm, zebrał o niej sporo informacji. Zadał sobie wiele trudu. – Spojrzała na Kitt. – Ciekawe dlaczego?

– Nie mam pojęcia. – Kitt wzruszyła ramionami.

– Może więc warto się dowiedzieć.

– Jasne – stwierdził Sal i spojrzał na podwładnych. – Tom, muszę cię czasowo wyłączyć z tej sprawy. Poprowadzi ją Kitt, a M.C. będzie jej pomagać.

– Pomagać? Ale przecież to moja sprawa – zaprotestowała Riggio. – Niech ona mi pomaga. Nie zamierzam...

– To moja ostateczna decyzja. Bardzo mi przykro, M.C. – Zwrócił się do Kitt: – Poradzisz sobie? Pamiętaj, że dopiero się zaczęło, a on już gra na twoich uczuciach, używa pieszczotliwego przydomka twojej córki.

– Tak, poradzę sobie.

Sal skinął głową, jakby spodziewał się takiej odpowiedzi.

– Dobrze, wobec tego do roboty. Zwołajcie konferencję prasową na popołudnie. Podajecie wyłącznie informacje na temat obecnie prowadzonego śledztwa.

Wyszli z biura. Kiedy znalazły się w bezpiecznej odległości, Kitt przytrzymała M.C. za łokieć.

– To jest naprawdę ciężka sprawa. Musimy współpracować – powiedziała.

– Po co mnie pouczasz? Wiem, co mam robić.

– Miło mi to słyszeć.

– A tak swoją drogą, czy naprawdę uważasz, że będziesz w stanie poprowadzić to śledztwo?

– Jest tak, jak powiedziałam Salowi.

M.C. pokręciła głową.

– Wiesz chyba, co to znaczy? Ten ciągły nacisk ze strony szefów, dziennikarze, którzy nie spoczną, dopóki nie wyduszą z ciebie jakiejś informacji. Pamiętaj, że chodzi o najpoważniejszą sprawę w historii Rockford!

Kitt nawet nie drgnęła, chociaż zrobiło jej się nieprzyjemnie na myśl o tym, co ją czeka.

– Poradzę sobie – powtórzyła z uporem.

Koleżanka pochyliła się w jej stronę.

– A skoro powiedziałaś o współpracy, pamiętaj, że potrzebuję kogoś, kto będzie mnie chronił. Kogoś niezawodnego.

– Nie zawiodę – zapewniła ją Kitt. – Możesz mi zaufać.

– Jakoś trudno mi w to uwierzyć.

– Zapewniam, będę cię ubezpieczać lepiej niż ktokolwiek inny.

Riggio pozostawiła te słowa bez komentarza. Skinęła tylko lekko głową i odeszła. Kitt nie winiła jej za brak zaufania. Czy ona zdałaby się na partnera, który przeszedł załamanie nerwowe i był zaleczonym alkoholikiem? Czy chciałaby pracować z kimś takim?

Do licha, nie!

Jednak to nie ona rozdawała karty, to morderca wciągnął ją do gry. Wybrał ją, a ona musiała przystać na jego warunki.

Mogła co prawda odmówić albo tylko udawać, że prowadzi śledztwo, nie czułaby się jednak z tym dobrze. Chciała zająć się tą sprawą od momentu, kiedy dowiedziała się o ostatnim morderstwie.

Czy podjęła słuszną decyzję? Czy może kierowała się jedynie względami osobistymi, co nie rokowałoby najlepiej dla śledztwa?

Musiała o tym z kimś pogadać. Natychmiast pomyślała o Brianie. Zawsze był przy niej, kiedy miała kłopoty. Nie opuścił jej, nawet kiedy znalazła się na samym dnie rozpaczy i praktycznie nie rozstawała się z butelką.

Wiedziała, że z nim będzie mogła szczerze porozmawiać.

Znalazła go w jego biurze, które również mieściło się na pierwszym piętrze, tyle że w innym skrzydle.

– Cześć, masz chwilę? – spytała, kiedy zaprosił ją do środka.

– Dla ciebie zawsze – odparł, zapraszająco machając dłonią. Następnie uśmiechnął się szeroko. – O co chodzi?

– Chciałabym coś z tobą obgadać – wyjaśniła.

Brian rozsiadł się wygodniej w fotelu. Zapewne domyślał się, że nie będzie to krótka pogawędka.

– Gadaj.

– Znowu do mnie dzwonił.

– Ten facet, który podaje się za mordercę?

– Mhm. Zadzwonił na komórkę. Powiedział, że mam do niego mówić Orzeszek.

Brian milczał przez chwilę, zastanawiając się nad tym, co usłyszał.

– I co ty na to?

– Byłam wściekła.

– Jasne. Co dalej?

Opowiedziała mu przebieg całej rozmowy, niczego nie ukrywając.

– Sal dał ci tę sprawę.

Nie było to pytanie, mimo to odpowiedziała:

– Tak.

– I Riggio nie jest z tego zadowolona – dodał.

– Delikatnie mówiąc. – Kitt zmarszczyła brwi. – Jeśli mam być szczera, sama mam wątpliwości. Właśnie dlatego do ciebie przyszłam. Jak sądzisz, czy dobrze zrobiłam?

– Przecież nie miałaś wyjścia.

– Sama nie wiem...

Wstała i podeszła do tablicy, do której Brian poprzypinał zdjęcia. Na jednym oboje odbierali nominacje z rąk burmistrza. To było całe lata świetlne temu. Na innym Brian i Scott Snowe z Wydziału Gromadzenia Danych brali udział w konferencji prasowej. Pamiętała, że to było rok temu. Miała wówczas urlop, ale śledziła, co działo się w pracy. Udało im się zidentyfikować zwłoki na podstawie odcisków palców. Musieli wtedy wyciąć fragment skóry z dłoni. Okazało się, że kobieta była żoną jednego z członków rady miejskiej, którego natychmiast aresztowano.

Gazety dokładnie opisywały całą sprawę.

To wtedy Brian dostał kolejny awans.

– Wiesz, Brian, nie ufam już zbytnio swojemu instynktowi. Boję się. Ostatnim razem...

– Pamiętaj, że ocaliłaś życie tej małej!

– Ale jednocześnie pozwoliłam mu się wymknąć. A potem zabił kolejną dziewczynkę.

– Może zginęłyby dwie. Nigdy nie wiadomo.

– Spieprzyłam całą sprawę!

– Wtedy tak, a dzisiaj?

– Nie rozumiem? – Popatrzyła na niego ze zdziwieniem.

– Czy dzisiaj zrobiłaś wszystko, co trzeba?

Zastanawiała się przez chwilę.

– Tak, chyba tak. – Przecież nawet nie dała się ponieść emocjom.

– Więc daj sobie spokój z przeszłością. Pracowałem z tobą latami i wiem, że jesteś świetną policjantką. Śmierć Sadie była traumą, ale musisz żyć dalej.

– Nie jestem już taka jak kiedyś. Nie wiem, czy jeszcze potrafię być dobrym detektywem...

Brian pochylił się w jej stronę.

– A nie przyszło ci do głowy, że wraz z upływającym czasem możesz być coraz lepsza?

– Nie, wcale.

– Spróbuj udowodnić, że jesteś coś warta: Riggio, Salowi, ale przede wszystkim sobie!

– To nie będzie łatwe.

– Nie masz wyjścia. – Zagryzł wargi i spojrzał jej prosto w oczy. – Tylko uważaj. Ufaj swojemu instynktowi, ale nie ślepo. I pamiętaj, zawsze możesz zwrócić się do mnie o pomoc.

Podziękowała mu serdecznie i wstała. Rozmowa z Brianem dodała jej sił, była jak oczyszczenie. Jeśli morderca chciał wciągnąć ją do gry, będzie miał godnego przeciwnika.

ROZDZIAŁ TRZYNASTY

Czwartek, 9. marca 2006
godz. 17.05

Usiadł przy barze. Postawił przed sobą zimne piwo, miseczkę z precelkami, wyjął z kieszeni paczkę papierosów. Przyjechał wcześniej, zanim jeszcze pojawi się kończący pracę tłum, i zajął najlepsze miejsce, naprzeciwko telewizora.

Stwierdził, że jest podniecony. I niespokojny.

Czy jego Kicia pojawi się dzisiaj w szklanym okienku?

Miał nadzieję, że tak. Bardzo by się gniewał, gdyby go znowu zlekceważyła.

Zapalił papierosa i zaciągnął się głęboko. Podziałało to na niego uspokajająco. Przypomniał sobie, jak widział ją ostatnio przy grobie córki. To było bardzo smutne. I dziwnie przyjemne... Chyba powinien się wstydzić, że ją szpieguje... I korzysta z informacji, które zebrał na jej temat...

Czuł się jednak bosko.

Po prostu taki już był.

Zaciągnął się raz jeszcze i spojrzał na zegarek. Miał świetny pomysł z tym Orzeszkiem. Wyczuł, że to nią wstrząsnęło. No i jeszcze numer z komórką. Kicia od razu zrozumiała, że ma do czynienia z dobrze poinformowanym i zdeterminowanym facetem, który zrobi wszystko, by dopiąć swego.

Cholera, niezły z niego spryciarz!

Zaczęły się wiadomości. Najważniejszą informacją oczywiście był powrót Mordercy Śpiących Aniołków. Najpierw pokazano Julie Entzel, a potem poprzednie ofiary, nie szczędząc widzom ckliwego komentarza. Nic nowego.

Następnie nadano relację z konferencji prasowej. Rozpromienił się, widząc swoją Kicię. Słuchał uważnie jej wypowiedzi. Badają ślady... Sprawdzają poszlaki... Nie mają żadnych dowodów, że to ten sam morderca...

Bzdury, bzdury...

Obok niej siedziała podporucznik Mary Catherine Riggio. Buzia w ciup. Czółko zmarszczone. Od razu widać, że nie jest zadowolona z drugoplanowej roli. Nic dziwnego, Kitt zabrała jej ważną sprawę, na której można wypłynąć. Chciało mu się śmiać.

Oczywiście ani słowa o naśladowcy. Żadnej wzmianki o tym, że policja odebrała telefon od kogoś, kto podaje się za prawdziwego Mordercę Śpiących Aniołków.

Kitt zakończyła krótką konferencję zapewnieniem, że policja zrobi wszystko, by schwytać potwora i że tak obrzydliwe morderstwa nie ujdą mu płazem.

Uśmiechnął się do siebie i wstał. Dobra dziewczynka, pomyślał. Tylko tak dalej, a naprawdę świetnie się zabawimy.

ROZDZIAŁ CZTERNASTY

Czwartek, 9. marca 2006
godz. 19.30

Kitt brała udział w spotkaniach Anonimowych Alkoholików od osiemnastu miesięcy. Policyjny psycholog oraz jej szef nalegali, by przeszła cały, złożony z dwunastu punktów program, zanim wróci do pracy.

Uważała to za absolutnie zbędne, co więcej potraktowała jako jeszcze jedną kłodę, którą rzucono jej pod nogi. Przecież nie piła, dopóki stan Sadie nie stał się beznadziejny, dlaczego zatem traktowano ją jak alkoholiczkę?

Długo trwało, zanim pogodziła się z przykrymi faktami.

Zrozumiała też, że potrzebuje wsparcia i pomocy innych alkoholików. Ludzie z grupy byli dla niej namiastką rodziny. Znali jej ukryte myśli i pragnienia, wiedzieli, co ją dręczy.

Kitt zaprzyjaźniła się szczególnie z trzema członkami swojej grupy: bezrobotnym mechanikiem Wallym, który z powodu pijaństwa stracił pracę i dwa palce, gospodynią domową Sandy, której ze względu na alkoholizm odebrano dzieci, i najmłodszym z nich Dannym, który zdał sobie sprawę ze swojej choroby, dopiero gdy spowodował wypadek, w którym zginął jego najlepszy przyjaciel.

Stali się sobie bliscy nie tylko z powodu alkoholizmu, po prostu doskonale się rozumieli i dogadywali.

– Cześć – przywitał się z nią Danny i uśmiechnął się od ucha do ucha.

Skinęła głową i też się uśmiechnęła.

– Jesteś dzisiaj jak skowronek – zauważyła.

– No, nie jest źle.

– Wygrałeś na loterii? – zaciekawił się Wally, który siedział nieco dalej, po drugiej stronie.

– Dziś w nocy minął równo rok, od kiedy przestałem pić.

Sandy uścisnęła ramię Danny'ego.

– Tak trzymać!

Rozmawiali półgłosem, czekając na początek spotkania. Wszyscy mieli dobre wieści. Prawnikowi Sandy udało się ustalić terminy odwiedzin dzieci, a Wally dostał nową pracę.

Kiedy terapeuta rozpoczął spotkanie, Danny pochylił się do ucha Kitt.

– Czy mogę cię później zaprosić na kawę?

– Jasne – odparła szeptem. – A o co chodzi?

– Widziałem cię w telewizji. Chciałem o tym pogadać.

Z jego tonu wywnioskowała, że bardzo przejmuje się całą sprawą. Trudno, będzie musiał poczekać.

Nie poruszali tego tematu do momentu, kiedy oboje usiedli w loży pobliskiej kawiarni o nazwie „Aunt Mary".

– Wiesz, trochę się o ciebie martwię – zaczął Danny. – Jesteś pewna, że sobie poradzisz?

– O Boże, mam tego dość! Wszyscy zadają mi to samo pytanie.

– Nie powinno cię to dziwić. – Pochylił się w jej stronę. – Doskonale wiesz, co cię popchnęło do picia, Kitt. Nie powinnaś znów narażać się na to.

Napięcie. Stres. Poczucie, że każdy jej krok jest śledzony. Ale także rozpacz i poczucie beznadziei.

– Właśnie zbliża się rocznica śmierci Sadie – powiedziała z westchnieniem.

– Tak, wiem. Właśnie dlatego powinnaś uważać. Ta sprawa jest jeszcze zbyt świeża.

Przez moment patrzyła na filiżankę, w której nawet nie umoczyła ust.

– Musiałam się tego podjąć, Danny. Nie mogę ci dokładnie wyjaśnić...

Wyciągnął rękę i położył na jej dłoni.

– Nie musisz. Doskonale rozumiem, o co ci chodzi.

Spojrzała niepewnie na jego rękę i po chwili cofnęła dłoń. Poczuła się nagle bardzo niezręcznie.

– Nie chodzi tylko o sprawy osobiste – rzekła ostrożnie. – Nie jestem w stanie teraz o tym mówić...

Przez chwilę milczał, a potem skinął głową.

– Dobrze, ale pamiętaj, że zawsze możesz liczyć na moją pomoc.

Kitt wiedziała, że to nie są jedynie czcze słowa. Zaczęli terapię mniej więcej w tym samym czasie i wiele razem przeszli. Uważała go za swojego przyjaciela.

Danny dawał do zrozumienia, że interesowałaby go bardziej zażyła znajomość, ale Kitt nie miała na to ochoty. Za bardzo go lubiła i ceniła jako przyjaciela, by wdawać się z nim w romans. Poza tym nie czułaby się dobrze w związku z mężczyzną o dwanaście lat młodszym od niej.

– Joe się żeni – powiedziała nagle.

Danny aż odłożył widelczyk, którym jadł ciasto.

– O kurczę!

– Strasznie mnie to dotknęło, chociaż powinnam się przecież cieszyć. On zasługuje na odrobinę szczęścia.

– Pieprz to! – Danny znowu pochylił się w jej stronę. Kitt uśmiechnęła się do niego.

– W takich sytuacjach najlepiej często powtarzać, że życie toczy się dalej. Że trzeba pogodzić się z faktami, bo nie ma innego wyjścia.

– Jasne. Poza tym ty też zasługujesz na trochę szczęścia.

– W ramionach młodszego mężczyzny? – zażartowała. Jednak wystarczyło jedno spojrzenie, by dostrzec, że Danny potraktował te słowa niezwykle poważnie.

– Doskonale wiesz, co czuję. Powinnaś dać mi szansę. – Chwycił jej dłoń. – Zapomnij o tym, co było, i pomyśl o przyszłości!

Poczuła, jak ścisnęło jej się gardło, a serce zaczęło bić mocniej. Do licha, przecież on ma rację! Więc co ją jeszcze powstrzymuje? Sadie zmarła pięć lat temu, a Joe niebawem poślubi inną kobietę!

– Zależy mi na tobie, Kitt. Poznałem cię dobrze i wiem, że nie jesteś taka silna, na jaką wyglądasz. Potrzebujesz wsparcia. Mamy podobne problemy i doskonale się rozumiemy. Byłoby nam dobrze razem!

– Jesteś dla mnie za młody.

Ścisnął mocniej jej dłoń.

– To dla mnie nic nie znaczy – zapewnił ją z żarem. Kiedy się zawahała, dodał: – A gdybym to ja był dwanaście lat starszy, nie widziałabyś w tym nic złego, prawda?

Miał rację, przesiąkła stereotypami. Może jednak powinna pomyśleć o przyszłości?

– Wolę, żebyś w dalszym ciągu był moim przyjacielem – powiedziała. – To dla mnie bardzo ważne.

– Byłbym nim, uwierz mi. Obiecaj, że przynajmniej zastanowisz się nad moją propozycją.

– Wiesz, najpierw chciałabym uporać się z tą cholerną sprawą – westchnęła. – Potem na pewno to sobie przemyślę.

Przypomniała sobie o tej obietnicy, kiedy stanęła przed umywalką w samych majtkach i koszulce. Czy mogłaby być z Dannym? Czy mogłaby kochać się z nim?

Ta myśl podnieciła ją. Nigdy nie miała żadnego mężczyzny poza Joem. Znali się jeszcze ze szkoły, pobrali, kiedy mieli po dwadzieścia lat, rozwiedli ćwierć wieku później.

Dzisiaj po raz pierwszy od rozwodu zaczęła myśleć o seksie. Przedtem nie miała na to ani nastroju, ani energii. Przez ostatnie lata walczyła głównie o to, żeby jakoś przetrwać. Codziennie zapisywała też wszystko, co robiła. Nie miała na to ochoty, ale terapeuta nalegał. Oczywiście, jak zwykle, miał rację. Pamiętnik stał się dla niej sposobem na rozładowanie złości i pogodzenie się z faktami, których nie mogła zmienić.

Czy mogłaby napisać: „Byłam na kolacji z Dannym, a potem zaprosiłam go do siebie..."?

Do licha!

Aż potrząsnęła głową, żeby uwolnić się od obrazu, który stanął jej przed oczami. Nie miała wątpliwości, że Joe i jego narzeczona byli... w bardzo bliskich stosunkach.

Ciekawe, czy Valerie jest młodsza od niego? Pewnie tak... Dziesięć lat? To nie było w jego stylu, ale przecież ludzie się zmieniają...

Przypomniała sobie kilka rozwódek z jej grupy, które niby to żartem wspominały czasami, że przydałby im się jakiś chłopak. Trzydziestoszcścioletni Danny pewnie by się nadawał...

Kitt spojrzała w lustro, wyobrażając sobie, że się dla niego rozbiera.

Ta myśl ją przeraziła. Przecież Danny był przy niej młodzieniaszkiem! Już niedługo stuknie jej pięćdziesiątka! Uniosła koszulkę i spojrzała na swoje starzejące się ciało. Nie była gruba, ale ostatnimi laty nie dbała o kondycję. Jej ciało stało się miękkie, pozbawione sprężystości. I co, na Boga, porobiło się z jej kolanami?!

Kitt opuściła koszulkę, starając się sobie przypomnieć, kiedy ostatnio ćwiczyła na siłowni. Nie wiedziała dokładnie, ale z całą pewnością przed śmiercią Sadie. To samo dotyczyło biegania.

Żałosne! Przecież pracuje w policji. Jak ma zamiar kogokolwiek dogonić? A jeśli będzie musiała walczyć z przestępcą?

„Mów mi Orzeszek."

Kitt zmrużyła oczy. Nie sądziła, żeby zabójca był mały i słaby jak jej córka. To była prowokacja.

93

Chciał zabawić się z nią na swój chory sposób, a ona nie była do tego przygotowana. Ani psychicznie, ani fizycznie...

Przeszła do pokoju i wyciągnęła z dna szafy buty do biegania. Następnie znalazła w komodzie swój strój do joggingu.

Zrozumiała, że jeśli chce podjąć tę grę, musi nad sobą popracować. Minął już czas ciągłego użalania się nad losem.

Przebrała się i przypięła do spodni od dresu gaz łzawiący, a do łydki kaburę z pistoletem. Nie zamierzała ryzykować. Wiedziała, że ten maniak może ją śledzić.

Trzy przecznice dalej miała w pobliżu szkoły tor do biegania. Był on dość dobrze oświetlony i zwykle spotykało się tam innych biegaczy. Zamknęła mieszkanie i ruszyła w tamtą stronę.

Już kilka pierwszych okrążeń bardzo ją wyczerpało. Miała wrażenie, że za chwilę serce wyskoczy jej z klatki piersiowej. Nie udało jej się dotrwać do momentu, kiedy dzięki zwiększonemu wydzielaniu endorfiny zapominało się o zmęczeniu. Miała obolałe nogi i lędźwiowy odcinek kręgosłupa, z trudem chwytała powietrze i była potwornie spocona.

Mogła sobie wyobrazić, co powiedziałaby Mary Catherine Riggio, i nie tylko ona, gdyby zobaczyła ją w takim stanie. Koledzy tygodniami opowiadaliby sobie żarty na jej temat.

Wstyd to przyznać, ale straciła formę.

Powlokła się do domu, zadowolona z zapadającego zmroku. Przynajmniej nikt nie zobaczy, jaka jest żałosna. Jutro pójdzie na siłownię. Poza tym mogłaby odwiedzić policyjną strzelnicę.

Kiedy podeszła do drzwi, zobaczyła, że coś jest do nich przyklejone. Jakaś kartka.

Zapominając o zmęczeniu, pokonała dwoma skokami kilka schodków i przyjrzała się z bliska notatce.

Widziałem cię w telewizji. Cieszę się, że jesteś grzeczna. Będziemy w kontakcie.

Pozdrowienia, Orzeszek

ROZDZIAŁ PIĘTNASTY

Piątek, 10. marca 2006
godz. 00.30

Aniołek już spał w aureoli złotych włosów. Przyjrzał się dziewczynce, a potem starannie wygładził fałdki na ozdobionej falbankami koszulce nocnej.

Owszem, spała, ale nie była piękna. Nie była doskonała. W jej niebieskich oczach malował się strach, a usta były złożone do krzyku.

To straszne! Obrzydliwe!

Zaczął ją malować, ale rozmazał szminkę. Próbował uporządkować bałagan, zapanować nad chaosem, ale ręce trzęsły mu się ze zdenerwowania. I chociaż chciało mu się płakać, wiedział, że mu nie wolno.

Nie może zostawić po sobie żadnych śladów.

Cofnął się aż pod ścianę i opadł bezwładnie na podłogę. Przyciągnął kolana do piersi. Czuł, jak pocą mu się dłonie w lateksowych rękawiczkach. Zaczęło mu się kręcić w głowie, zrobiło mu się niedobrze. Dziewczynka się obudziła. Przestraszyła się. Walczyła z nim, dlatego wyglądała tak nieładnie.

Ten Drugi na pewno będzie się gniewał. Wpadnie w furię.

Zawsze go obserwował i krytykował każde jego posunięcie.

Miał już tego dość. Poczuł ogromne zmęczenie. Najchętniej zamknąłby oczy i zasnął na zawsze.

A gdyby tak się stało? Gdyby po prostu zamknął oczy i nigdy ich nie otworzył? Tak jak te aniołki? A gdyby teraz uciekł i zniknął? Czy Tamten by mu wybaczył?

Z trudem starał się pozbierać rozgorączkowane, nieskładne myśli. Serce waliło mu w piersiach jak oszalałe. Czuł się, jakby był pijany. Oparł głowę na kolanach, próbując odzyskać panowanie nad własnym ciałem. Zaczął oddychać wolno i głęboko, wydobywając z pamięci wszystko, co Tamten mu mówił.

Zachowaj spokój. Najpierw pomyśl, a potem działaj. Pamiętaj, żeby nie zostawić po sobie żadnych śladów.

Nauczył się wszystkiego, co powinien wiedzieć. Uspokajał się powoli, przypominając sobie kolejne zasady. W końcu przestał się pocić. Jego serce zwolniło biegu.

Tarcza ściennego zegara w pokoju jarzyła się bladoróżową poświatą. Patrzył obojętnie, jak upływają kolejne minuty. Musiał jeszcze trochę zaczekać, żeby odpowiednio ułożyć ręce dziewczynki.

To był jego własny pomysł. Tylko jego. Prawdziwa niespodzianka. Dlatego uważał, że to takie ważne.

Tak, niewątpliwie udało mu się zaskoczyć Tego Drugiego. Wpadł we wściekłość, ale on to przetrzymał. Nie przejął się karą.

Po pierwszej burzy, Tamten wydawał się nawet zadowolony.

Kto wie, może dzisiejsza niespodzianka też przypadnie mu do gustu?

ROZDZIAŁ SZESNASTY

Piątek, 10. marca 2006
godz. 7.10

M.C. zatrzymała się przed dużym jednopiętrowym domem. Policjanci ogrodzili już taśmą teren wokół posesji. Jeden stał przed wejściem, pozostali zapewne znajdowali się w środku.

Odebrała telefon zaraz po tym, jak wyszła spod prysznica. Nie zdążyła nawet wysuszyć włosów. Bardzo potrzebowała kofeiny, ale musiała zadowolić się kawą rozpuszczalną, którą kupiła po drodze.

Wysiadła i zadrżała z zimna, czując powiew lodowatego wiatru na mokrych włosach. Otuliła się szczelniej kurtką, poirytowana zbyt długim i chłodnym przedwiośniem.

Tullocks Woods. To dziwne, że Morderca Śpiących Aniołków, czy też jego naśladowca, wybrał właśnie tę okolicę. To było coś nowego w porównaniu z poprzednimi miejscami. Dzielnica znajdowała się na zachodnich obrzeżach miasta, działki były tu duże i zadrzewione, w pobliżu nie było zakładów produkcyjnych ani wielu biur.

Nie przebiegała tędy żadna ważna droga i obcy pojazd na pewno rzucał się w oczy. Mieszkało tu paru jej znajomych ze szkoły. Zwykle urządzali przyjęcia w klubie „Powwow", mieszczącym się nieopodal. Jedna z jej koleżanek pisała nawet powieści sensacyjne.

Poczuła się tak, jakby morderca naruszył jej prywatny teren.

Trzasnęła drzwiami i ruszyła w stronę domu. Usłyszała warkot innych silników. Pewnie przyjechali chłopcy z ekipy technicznej, no i Lundgren.

M.C. poznała policjanta, który stał na warcie przed drzwiami. To był Jenkins, naprawdę fajny, młody chłopak.

Wpisała się do jego notesu.

– I co tu mamy? – spytała.

– Dziesięcioletnia dziewczynka, Marianne Vest. Wygląda na to, że ją uduszono.

– Rodzice?

– Rozwiedzeni. Znalazła ją matka, jest w fatalnym stanie. Wpuściłem tam sąsiadkę, zaraz przyjedzie pastor.

– Czy ktoś jeszcze jest w domu?

– Nie. Starsza siostra ofiary spędziła noc u koleżanki.

– Miała szczęście. Coś jeszcze?

– Nie, raczej nie – odparł z wahaniem.

M.C. zmrużyła oczy.

– Jesteś pewny?

– Tak, tylko... – policjant spojrzał gdzieś w bok – to naprawdę straszne!

Skinęła głową.

– Uważaj, żeby nie wpuszczać nikogo niepowołanego. A jeśli będziesz miał wątpliwości, kieruj ich do mnie albo do porucznik Lundgren.

Weszła do środka i poczuła zapach spalonych grzanek. Matka dziewczynki siedziała w kuchni, pochylona nad filiżanką kawy. Była śmiertelnie blada i sprawiała wrażenie, jakby nie zdawała sobie sprawy, co dzieje się wokół. Sąsiadka stała obok, obejmując ją jedną ręką. Starała się ją pocieszyć, ale było widać, że czuje się tu nieswojo.

M.C. wyszła stamtąd w milczeniu i ruszyła korytarzykiem dalej. Bez trudu odnalazła pokój dziecka. Stał przed nim kolejny policjant.

Przywitała się z nim i spytała:

– Czy był tam ktoś z naszych ludzi?

– Nie, pani porucznik.

– Dotykałeś czegoś?

– Tylko sprawdziłem jej tętno.

Zajrzała do środka. Od razu zauważyła, że ręce dziecka są znowu inaczej ułożone. Trzy środkowe palce prawej ręki były wyciągnięte, a lewa dłoń zaciśnięta w pięść.

Poczuła przypływ adrenaliny. Oto mieli kolejną zbrodnię, kolejną szansę, by złapać mordercę.

Może tym razem popełnił jakiś błąd.

– Cześć, M.C.

Odwróciła się i ujrzała Scotta Snowe'a. Przyjechał tu pierwszy, ale wiedziała, że zaraz pojawią się inni. Szef pewnie przyśle poszerzoną ekipę. Scott był wyposażony w kamerę wideo i aparat fotograficzny. Chciał zrobić zdjęcia, zanim pojawią się tu inni. Zanim ktokolwiek coś poruszy czy zmieni.

– Hej, ranny z ciebie ptaszek.

Śledczy skrzywił się.

– Kiepski początek weekendu – mruknął ponuro.

– No, mamy niezłą zabawę.

– Chcesz najpierw zrobić zdjęcia?

– Jeśli pozwolisz. To nie potrwa długo.

– Dobra.

– Zaraz będzie tu Kitt. Widziałem też furgonetkę z Channel 13.

– Skąd telewizja wie, co się stało?

Scott tylko wzruszył ramionami i zabrał się do pracy, ona natomiast zaczęła przeglądać pozostałe pomieszczenia. Nie było ich dużo, jak na taki dom – tylko trzy. Pokój starszej dziewczynki wyglądał, jakby przeszedł przez niego tajfun. W sypialni matki też panował bałagan, ale innego rodzaju. Stały tam kosze z czystymi ubraniami, które trzeba było poskładać i położyć na miejscu, a na szafce przy łóżku leżało kilka książek, parę romansów i jedna lub dwie powieści sensacyjne. Na podłodze stały dwa kieliszki po winie.

M.C. zmarszczyła brwi. Czyżby matka dziewczynki miała wczoraj gościa? Przyklęknęła i powąchała, niczego nie dotykając. Hm, pili białe wino.

Przyjrzała się uważnie drugiej części wielkiego łoża. Nawet jeśli kobieta miała gościa, to z pewnością tam nie spał. Pościel była nieruszona i leżały na niej jakieś papiery. M.C. zaczęła je przeglądać: opisy domów, ulotki reklamowe... Wyglądało na to, że pani Vest pracowała w agencji handlu nieruchomościami.

– Zauważyłaś może coś ciekawego? – usłyszała pytanie.

Kiedy się obróciła, dostrzegła stojącą w drzwiach Kitt.

– Nie, raczej nie. Myślałam, że będziesz tu o wiele wcześniej.

– Miałam trochę problemów z mediami – wyjaśniła. – Naciskali, żebym złożyła oświadczenie.

– Sama tego chciałaś!

Kitt pozostawiła tę uwagę bez komentarza, co zaimponowało M.C.

– Jakiś anonimowy rozmówca poinformował prasę, co się stało, teraz tak łatwo ich się nie pozbędziemy.

– Boże, wciąż ci anonimowi rozmówcy!

– Raczej anonimowi mordercy – rzekła z westchnieniem Kitt. – Czy to znowu ten Naśladowca?

– Na to wygląda, ale jeszcze nie wchodziłam do środka. Snowe robi zdjęcia. – Urwała na chwilę. – Widziałam jednak, jak są ułożone ręce.

Kitt skinęła głową, a następnie obie udały się do pokoju ofiary. M.C. zauważyła, że szefowa jakoś dziwnie się porusza.

– Co się stało? – spytała. – Kulejesz?

Kitt skrzywiła się lekko.

– Trochę wczoraj biegałam – wyjaśniła. – A po powrocie znalazłam przyczepioną do drzwi kartkę...

– Orzeszek?

Kitt spojrzała na nią poirytowana, ale znowu powstrzymała się od komentarza.

– Tak. Napisał, że widział mnie w telewizji. Zawiozłam ją dziś rano do laboratorium. Dlatego przyjechałam trochę później.

Weszły do pokoju dziewczynki. Pojawili się tu już inni pracownicy ekipy technicznej. Obie zauważyły, że Snowe jest wyraźnie wstrząśnięty.

– Nie spodziewałem się tego – powiedział.

Nie musiały pytać, o co mu chodzi. Śpiący Aniołek wyglądał wprost przerażająco. Śliczna twarzyczka dziecka była wykrzywiona strachem.

Kitt cofnęła się, jakby nie mogła na to patrzeć. M.C. wytrzymała, ale sporo ją to kosztowało. Wszyscy obecni widzieli gorsze zbrodnie. Niektóre ciała były zmasakrowane albo w fazie rozkładu. Jednak przerażona dziewczynka wstrząsnęła nimi o wiele bardziej, może dlatego, że spodziewali się innego widoku.

– Musiała się wcześniej obudzić – mruknął Snowe.

M.C. chrząknęła, nie wiedząc, czy zdoła zapanować nad głosem.

– Mamy szczęście. Chyba z nim walczyła. Może go podrapała albo wyrwała mu trochę włosów?

Snowe przykucnął i zaczął oglądać palce dziecka.

– Na oko nic nie widać. Ale może anatomopatolog coś znajdzie.

– Już jestem – usłyszeli głos Francesa Rosellego. Starszy mężczyzna podszedł do łóżka. – Uu, kiepsko to wygląda.

Kitt spojrzała na niego z nadzieją. Potrzebowała jego wiedzy i doświadczenia.

– Zrobiłeś już zdjęcia? – spytała Snowe'a.

Scott skinął głową. Po chwili wyszedł wraz z kilkoma innymi członkami ekipy.

– Czy widzisz tu coś ciekawego? – M.C. spytała Rosellego.

Przez chwilę przyglądał się dziewczynce.

– Na razie nie – odparł. – Najpierw trzeba zabezpieczyć jej dłonie. Potem przyjrzę się uważniej.

Podziękowały mu i wyszły na korytarz.

– Rozmawiałaś już z matką? – spytała Kitt.

– Jeszcze nie. Możemy to zrobić razem.

Pani Vest wciąż siedziała w kuchni, tyle że teraz towarzyszył jej wysoki mężczyzna w średnim wieku. Na szyi miał zawieszony czarny krzyż. Na stole, obok filiżanki z kawą, leżała Biblia.

Pastor, domyśliła się M.C.

– Przepraszam panią – zwróciła się do kobiety, która spojrzała na nie przerażonymi oczami. – Czy możemy zadać pani kilka pytań?

Wahała się przez chwilę, jakby nie bardzo wiedziała, o co im chodzi, ale w końcu skinęła głową.

– O której pani córka poszła wczoraj spać?

– O... o dziewiątej. Tak jak zwykle.

– Położyła ją pani?

W oczach kobiety zaszkliły się łzy.

– N...nie. Musiałam trochę popracować...

Wybuchnęła płaczem, kryjąc twarz w dłoniach. Pastor dotknął delikatnie jej ramienia. M.C. zauważyła, że Kitt spojrzała gdzieś w bok.

– Więc skąd pani wie, że poszła spać?

– Po...po prostu jej powiedziałam, żeby to zrobiła.

– Gdzie pani pracowała?

– W łóżku.

– A kiedy zgasiła pani światło?

– O jedenastej.

M.C. musiała nadstawić uszu, żeby usłyszeć zduszoną odpowiedź.

– Czy zajrzała pani do córki?

Pełen bólu wyraz jej twarzy wystarczył za odpowiedź. M.C. bardzo jej współczuła, ale musiała kontynuować przesłuchanie.

– Czy miała pani jakieś towarzystwo?

– Towarzystwo? – powtórzyła, wycierając oczy chusteczką. – Nie rozumiem.

– Czy miała pani gościa?

Pani Vest pokręciła głową.

– Nie, byłyśmy tylko we dwie. Janie, mo... moja starsza córka pojechała do koleżanki. – Spojrzała na pastora. – Boże, jak ja jej to powiem?! Przecież ona nic... – głos jej się załamał.

M.C. poczekała, aż kobieta trochę się uspokoi. W końcu uznała, że może powtórzyć pytanie.

– Czy miała pani gościa wczoraj wieczorem?

– Nie rozumiem – powtórzyła kobieta.

– Czy nie można z tym poczekać? – spytał pastor.

– Przykro mi, ale nie – rzekła łagodnie Kitt i przykucnęła obok kobiety. – Pani Vest, wiemy, że jest pani ciężko, ale musi pani nam pomóc. Jeszcze tylko kilka pytań.

Kobieta skinęła głową.

– Obok pani łóżka stały dwa kieliszki – ciągnęła M.C. – Jest pani pewna, że nikt pani wczoraj nie odwiedził?

Kobieta patrzyła na nią niewidzącym wzrokiem, jakby nie rozumiała, o co jej chodzi. W końcu skinęła głową.

– Musiałam wziąć drugi. Cza... czasami mi się to zdarza.

– Słyszała pani w nocy coś, co zwróciło pani uwagę?

Pani Vest potrząsnęła żałośnie głową.

– Proszę się zastanowić. Może jakiś samochód? Albo ujadanie psa?

– Nie, nic.

– Budziła się pani w nocy?

Pokręciła głową.

Następne pytanie pochodziło od Kitt.

– Czy córka nie skarżyła się, że ostatnio ktoś za nią chodził? Albo ją obserwował? A może widziała kogoś obcego w pobliżu domu albo szkoły?

Tak właśnie było w przypadku poprzednich morderstw. Właśnie dlatego postanowiła obserwować jeden z domów.

Kobieta zastanawiała się przez chwilę.

– Nie.

– A może wydarzyło się ostatnio coś dziwnego? – Kitt nieustępliwie drążyła temat. – Może pani widziała w pobliżu jakieś obce samochody? A może dzwonił ktoś nieznajomy? Albo pojawiali się tu jacyś akwizytorzy?

Pani Vest tym razem też zaprzeczyła. Kitt nie chciało się to pomieścić w głowie.

Zostawiły ją i zajrzały jeszcze raz do pokoju dziewczynki. Kiedy już wychodziły z domu, M.C. mruknęła, na poły do siebie, a na poły do koleżanki:

– Kim jest ten facet? Czy to jakiś Houdini?

– Nie, nie sądzę – powiedziała Kitt. – To wszystko nasza wina.

M.C. zatrzymała się i spojrzała jej prosto w oczy.

– Co chcesz przez to powiedzieć?

– Żyjemy w ciągłym pośpiechu i na nic nie zwracamy uwagi, dopóki nie wydarzy się jakieś nieszczęście. Za bardzo interesuje nas to, co sami mamy do zrobienia, i ten facet sprytnie to wykorzystuje. Sama słyszałaś, nawet nie położyła jej spać! Nie sprawdziła, czy wszystko u niej w porządku! Gdybym miała małą córkę, kazałabym jej ze mną spać, ale ona zajęła się pracą. Wiem, to nie moja sprawa, ale potwornie mnie to wkurza!

Kitt cała drżała. Do tej pory starała się ukrywać emocje, ale nie mogła już dłużej nad nimi panować. To wszystko za bardzo bolało, niczym jątrząca się rana.

M.C. nie bardzo wiedziała, co odpowiedzieć. Kitt milczała przez chwilę, potem ruszyła w stronę samochodów. M.C. powoli podążyła za nią.

ROZDZIAŁ SIEDEMNASTY

Piątek, 10. marca 2006
godz. 15.00

Kitt siedziała przy biurku. Bolała ją głowa, burczało jej w brzuchu. Czuła się, jakby ścigała nieuchwytne duchy – nie tylko mordercę, ale też jej prywatne demony, które nieustanie ją prześladowały.

Od swego wybuchu nie rozmawiała z Riggio. Miały różne rzeczy do zrobienia. Kitt zajęła się rozmowami z sąsiadami, a M.C. przesłuchaniem ojca i siostry zamordowanej dziewczynki, musiały także sprawdzić innych krewnych.

Kitt obawiała się spotkania z koleżanką, która zapewne poinformowała o zajściu zarówno sierżanta Haasa, jak i Sala. Co gorsza, Kitt sama sobie była winna, ujawniając żenującą słabość.

Żenującą również dla niej samej.

Uniosła dłonie do skroni i zaczęła je masować. Zachowała się głupio, chociaż zapewniła M.C., że poradzi sobie z tą sprawą. Tymczasem to młodsza koleżanka zdołała zachować spokój i pełny profesjonalizm, ona natomiast potknęła się przy pierwszej okazji.

Powróciła myślami do poprzedniego wieczoru i kartki, którą znalazła na drzwiach. Odkleiła ją, wraz z substancją, za pomocą której ją przyczepiono. Bardzo przy tym uważała, chociaż nie sądziła, by przestępca zostawił na niej odciski palców. Jak okazało się po pierwszych badaniach, jej przypuszczenie było słuszne. Orzeszek nie popełniał głupich błędów!

Napisał, że będzie się z nią kontaktował.

Spojrzała na telefon, ciekawa, kiedy to nastąpi.

Nagle poczuła, jak bardzo drżą jej ręce, i opuściła je na kolana. Kiedyś w takiej sytuacji sięgnęłaby po butelkę. Spokój w płynie. Zawsze trzymała jedną buteleczkę w skrytce samochodu, a drugą w szafce.

Ale to już przeszłość, nie zamierzała do tego wracać.

– Jesteś głodna?

Drgnęła, słysząc głos M.C. Była tak pogrążona w myślach, że nie słyszała jej kroków. M.C. trzymała papierową torbę z tłustymi plamami, zapewne zakupy ze sklepu po drugiej stronie ulicy.

– Bardzo – odparła ostrożnie, spodziewając się, że Riggio powie: „To fajnie", wyjmie wielką kanapkę i zacznie zajadać na jej oczach.

Koleżanka usiadła jednak przy jej biurku i wyjęła z torby dwie kanapki.

– Domyśliłam się, że nie miałaś czasu, żeby coś zjeść – powiedziała. – Wolisz z szynką czy z pastrami i serem?

Kitt nie była przygotowana na przyjacielskie gesty, nie wiedziała, jak się zachować.

– Wszystko jedno, ty wybierz.

Riggio podała jej kanapkę z pastrami i serem.

– Mam też chipsy. Oczywiście Mrs. Fisher. Produkowano je w Rockford. Kiedy Kitt była mała, jej mama kupowała chipsy w fabryce w wielkich, metalowych puszkach.

Rozwinęły kanapki i zaczęły jeść.

– Dowiedziałaś się czegoś od sąsiadów? – spytała ją M.C. między kęsami.

Kitt pokręciła głową.

– Wygląda na to, że nawet pies nie zaszczekał.

– Wypiła trochę wody mineralnej. – To dziwne, bo przecież to spokojna, cicha dzielnica, a jego wóz musiał tam stać kilka godzin. I nic. Nikt nie wyjrzał z domu. Nikt nie zainteresował się obcym. Co tu się dzieje?

Zaczęła przeglądać notatki, sprawdzając, czy czegoś nie przeoczyła. Po chwili znowu pokręciła głową. Nie, nie znalazła nic interesującego.

M.C. otworzyła butelkę i też napiła się wody.

– Może mieszka w tej okolicy?

– To sensowna hipoteza. – Otworzyła paczkę chipsów. – Dzięki za żarcie. Ile jestem ci winna?

– Nic. Następnym razem ty stawiasz.

Proszę, co za niespodzianka. Więc M.C. dopuszczała możliwość dalszej współpracy...

– Czemu jesteś dla mnie taka miła? – spytała wprost.

– Nie jestem matką Teresą, Kitt. Chodzi o to, że jeśli nie zaczniesz jasno myśleć, nie będzie z ciebie pożytku. Trzeba więc o ciebie zadbać.

No tak, mogła się tego spodziewać.

– Musimy sprawdzić wszystkich mieszkańców Tullocks Woods powyżej szesnastego roku życia – M.C. wróciła do poprzedniego wątku.

– Już zaczęłam to robić. – Kitt wzięła kolejnego chipsa. – Nie zna wszystkich moich tajemnic – mruknęła do siebie. – Popełnia błędy. Działa zbyt szybko i pochopnie.

– O czym mówisz?

– To słowa Mordercy Śpiących Aniołków – wyjaśniła. – Uważa, że jego zbrodnie są doskonałe. To perfekcjonista.

M.C. wytarła usta serwetką.

– Rozumiem. Właśnie dlatego jest taki wkurzony. Bo ktoś go nieudolnie naśladuje.

– Ale co to znaczy „zbrodnia doskonała"?

– To oznacza, że nigdy nie uda się dopaść sprawcy.

– Właśnie! – powiedziała podniecona Kitt. – A kogo nie można złapać?

M.C. popatrzyła na nią ze zdziwieniem.

– No, kogoś, kto wszystko szczegółowo planuje i umie przewidywać.

– Właśnie! – powtórzyła Kitt. – Rozumiesz, właśnie o to mu chodziło! Że naśladowca działa pospiesznie i popełnia błędy.

Zauważyła, że koleżance udziela się jej podniecenie.

– Jeśli przestępca działa zbyt szybko, popełnia błędy, zostawia jakieś ślady... No i nie jest dostatecznie ostrożny!

– Właśnie to było najgorsze w tych pierwszych morderstwach. Całkowity brak śladów. Nic, na czym dałoby się oprzeć.

Przez chwilę obie milczały. M.C. sięgnęła do torby Kitt i poczęstowała się chipsem. Żuła wolno i z namysłem.

– Z tym jest chyba podobnie – mruknęła.

– Nie, wydaje mi się, że musimy się tylko bardziej postarać... Wiedzieć, gdzie szukać... – powiedziała Kitt. – Poza tym, rzeczywiście jest szybki. Dwie dziewczynki w ciągu trzech dni!

– Co jeszcze charakteryzowało poprzednie morderstwa? – zaciekawiła się M.C.

– Całkowita przypadkowość wyboru ofiar. Nigdy nie udało nam się znaleźć niczego, co mogłoby je łączyć. Oczywiście wszystkie dziewczynki miały mniej więcej dziesięć lat i były blondynkami, ale poza tym nic, na czym można by zbudować jakąś teorię.

Ofiary seryjnych morderców pochodziły zwykle z jakiejś określonej okolicy, którą dobrze znał albo reprezentowały określoną profesję, na przykład mogły to być prostytutki. Tacy mordercy rzadko jednak opuszczali swój teren.

– Zatem jak je wybierał?

– Problem w tym, że nigdy do tego nie doszliśmy. – Pchnęła w stronę M.C. swoją paczkę chipsów. – Poza tym nie zapominaj, że zamordował tylko trzy dziewczynki. Prawdopodobieństwo schwytania seryjnego mordercy wzrasta z każdą ofiarą. Bundy przyznał się do dwudziestu ośmiu morderstw, a mogło być ich więcej.

– Więc dlaczego przestał?

Kitt wzruszyła ramionami.

– Może trafił do więzienia za jakieś drobne przestępstwo? – rzuciła. – Takie rzeczy czasami się zdarzają.

M.C. skinęła głową.

– Racja.

– Jeśli rzeczywiście rozmawiałam z Mordercą Śpiących Aniołków, to możliwe, że poznał swego naśladowcę w więzieniu.

M.C. znowu się z nią zgodziła. Ta wersja brzmiała bardzo prawdopodobnie.

– Pamiętasz, Lawrence Bittaker i Roy Norris poznali się w więzieniu i po wyjściu zamordowali razem pięć nastolatek. Ten facet jest bardzo dumny ze swoich „zbrodni doskonałych". Mógł się nimi przechwalać w więzieniu.

– Ale jest na tyle sprytny, że zapewne powiedział o tym tylko zaufanej osobie. Mordercy dzieci nie mają lekkiego życia w wiezięniu.

– Jeśli nawet założymy, że nie istnieje żaden naśladowca, to teoria z więzieniem też ma sens. Przecież od poprzednich morderstw minęło pięć lat. Musimy sprawdzić wszystkich mężczyzn wypuszczonych ostatnio z więzień stanowych.

Kitt odchyliła się na oparcie krzesła i zaczęła głośno myśleć:

– Morderca Śpiących Aniołków zabił trzy dziewczynki. Przerwy między kolejnymi zbrodniami wynosiły sześć tygodni, potem nagle przestał działać. – Zamyśliła się na chwilę. – Uważa, że były to zbrodnie doskonałe. Ma na tym punkcie obsesję, dlatego do nas zadzwonił, choć w ten sposób wystawił się na ryzyko. O czym to świadczy?

M.C. zmrużyła oczy.

– Że jest arogancki i pewny siebie. Chce udowodnić, że jest najlepszy.

– Nie, on uważa, że już to udowodnił. I dlatego tak się wkurzył, kiedy pojawił się naśladowca. Boi się, że te zbrodnie będą mniej perfekcyjne... i zepsują mu opinię.

– Dlatego zapomniał o ostrożności – dodała M.C. – Musisz jednak przyznać, że miał sporo racji, a jego obawy się potwierdziły...

Kitt zmarszczyła brwi. Tak, musiał się tego spodziewać.

A więc wie, kim jest naśladowca.

Otworzyła usta, żeby coś powiedzieć, a potem z trudem przełknęła ślinę, kiedy przyszło jej do głowy coś innego.

Panowanie nad sobą. To, z czym ona wciąż ma problemy.

– O czym myślisz? – spytała M.C.

– Że jeśli Morderca Śpiących Aniołków nie był w więzieniu, a mimo to przestał zabijać, bo bał się, że go złapiemy, to musi fantastycznie nad sobą panować. To nie jest zwykły seryjny zabójca!

– Jest groźny – stwierdziła M.C.

– Może być znacznie groźniejszy, niż nam się wydaje – mruknęła.

Młodsza policjantka wstała.

– Niewiele udało nam się ustalić – stwierdziła.

– Nie wiemy też, czy i kiedy ponownie uderzy – dodała Kitt.

– Wobec tego poszukajmy tego, co łączy dwie ostatnie ofiary.

– Racja. – Kitt wstała i sięgnęła po kurtkę, którą powiesiła na oparciu krzesła. – Musimy się odmeldować sierżantowi Haasowi, a potem pojedziemy do rodziców obu dziewczynek.

ROZDZIAŁ OSIEMNASTY

Piątek, 10. marca 2006
godz. 16.20

Matka Julie Entzel mimo późnej pory była w szlafroku i kapciach. Gdy zobaczyła policjantki, na jej twarzy pojawił się strach, a potem nadzieja.

– Czy... czy może coś już wiadomo? – spytała niepewnie.

– Przykro mi, ale na razie nie – odparła M.C. – Chciałyśmy zadać pani jeszcze kilka pytań.

Margie Entzel skinęła głową. Wyglądała na przybitą. Zaprosiła je do małego saloniku, gdzie stał telewizor nastawiony na kanał meteo. Ściszyła głos, a potem spojrzała na obie policjantki.

– Lubię to oglądać, bo nie trzeba przy tym myśleć – rzuciła.

Kitt skinęła ze zrozumieniem głową i pochyliła się w stronę kobiety.

– Jestem porucznik Lundgren – wyjaśniła. – Prowadzę tę sprawę.

Kobieta przyjrzała się jej uważniej.

– Widziałam panią wczoraj w telewizji – przypomniała sobie. – I dzisiaj, po tym okropnym morderstwie. Boże...

– Właśnie. – Kitt zerknęła na partnerkę, a następnie przeniosła wzrok na panią Entzel. – Obiecuję, że go złapiemy. I to szybko. Czy może nam pani pomóc?

Kobieta mocno zacisnęła dłonie, aż pobielały jej knykcie.

– Ale jak?

– Szukamy jakiegoś związku między tymi dwiema sprawami. Czy znała pani tę drugą dziewczynkę albo kogoś z jej rodziny?

Margie Entzel potrząsnęła głową. Zaczęły sprawdzać wszystkie możliwe miejsca, gdzie mogły się zetknąć: szkołę, kościół, przychodnię, sklepy, restauracje, w których bywali Entzelowie. M.C. skrupulatnie notowała, a Kitt zadawała pytania.

– A czy ostatnio wydarzyło się może coś niezwykłego?

Margie Entzel myślała przez chwilę.

– Rozgrywki softballowe dziewcząt, siedemdziesiąte urodziny wujka Edwarda – zaczęła wyliczać. – No i oczywiście przyjęcie urodzinowe Julie.

– Kiedy to było?

– Dwudziestego pierwszego stycznia. W sobotę. Julie tak się cieszyła, że będzie miała przyjęcie akurat w dniu urodzin, bo to rzadko tak wypada...

Marianne Vest miała dziesiąte urodziny w lutym.

Kitt spojrzała na koleżankę, która jeszcze tego nie skojarzyła.

– Gdzie urządziła pani przyjęcie?

Kobieta wzięła chusteczkę i wytarła oczy.

– W „Fun Zone". Julie uwielbiała to miejsce.

Teraz M.C. spojrzała na Kitt, a ona skinęła jej lekko głową. M.C. zamknęła swój notatnik.

– Dobrze, porozmawiamy jeszcze z panią Vest i dokładnie porównamy te informacje. Może coś z tego wyniknie.

Kitt wstała i pożegnała się z panią Entzel. Poczuła, że dłonie kobiety są mokre od łez.

– Bardzo pani dziękujemy.

– Naprawdę chciałabym pomóc – powiedziała z westchnieniem matka dziewczynki.

– Pomogła nam pani bardziej, niż się pani wydaje. Jeśli coś jeszcze przyjdzie pani do głowy, proszę koniecznie zadzwonić.

Dopiero kiedy znalazły się w samochodzie, Kitt spojrzała na koleżankę.

– Urodziny Julie Entzel były w styczniu, a Marianne Vest w lutym. Myślisz, że to przypadek?

– Raczej nie. Przynajmniej mam taką nadzieję.

Ruszyły z piskiem opon. Wystarczyła godzina, by upewnić się, że miały rację. Przyjęcie urodzinowe Marianne Vest również odbyło się w „Fun Zone".

ROZDZIAŁ DZIEWIĘTNASTY

Piątek, 10. marca 2006
godz. 17.40

„Fun Zone" było olbrzymią salą zabaw, przeznaczoną dla dzieci w wieku od dwóch do czternastu lat. Maluchy miały do dyspozycji zjeżdżalnie, basen z piłeczkami i labirynt, a starsze dzieci mogły wybrać gry wojenne, wspinanie się na ściankę albo inne atrakcje. Poza tym bez przerwy kręciły się tam dwie maskotki „Fun Zone", wiewiórki Sammy i Suzi, które pozowały do zdjęć, pomagały dzieciom i rozdawały autografy.

Kitt i M.C. pokazały odznaki nastolatkowi stojącemu przy wejściu i zapytały o kierownika. Wskazał im kasę i powiedział, żeby zapytały o pana Zubę.

M.C. uśmiechnęła się, słysząc to nazwisko.

– Znasz go? – spytała Kitt.

– Mój brat Max chodził do szkoły z niejakim Zedem Zubą.

Kitt sceptycznie pokręciła głową.

– Na miłość boską, kto tak nazywa dziecko? Nie dosyć, że Zuba, to jeszcze Zed!

Koleżanka tylko machnęła ręką.

– Po prostu mówiliśmy na niego ZZ. Również dlatego, że uwielbiał zespół ZZ Top. Ale to pewnie ktoś inny, bo ZZ był strasznym łobuzem. Rodzice mieli z nim masę kłopotów.

– Może chciał się na nich odegrać za takie imię.

Stanęły w kolejce za rodziną złożoną z rodziców i czwórki dzieci, z których żadne nie miało więcej niż sześć lat. Wszyscy mówili jednocześnie, ale ponieważ w środku i tak panował hałas, nie miało to właściwie znaczenia. W końcu dotarły do znudzonego nastolatka, który sprzedawał bilety i spytały o pana Zubę. Chłopak obejrzał się przez ramię i zawołał:

– ZZ, ktoś do ciebie!

Mężczyzna stojący w drugim końcu pomieszczenia obrócił się w ich stronę. Kiedy jego wzrok padł na M.C., na jego ustach pojawił się szeroki uśmiech.

– Do licha! Przecież to Mary Catherine Riggio!

– ZZ! – wykrzyknęła policjantka. – Nie widziałam cię od czasu, kiedy musiałam odbierać was wszystkich z Beloit. – Nastolatki z Rockford bardzo lubiły bawić się w tej miejscowości, która znajdowała się niedaleko, ale już w stanie Wisconsin.

– To Max po mnie zadzwonił. Byliście wtedy kompletnie pijani!

– A ty ulitowałaś się nad nami i wybawiłaś nas z kłopotu. Zawsze można było na ciebie liczyć. Och, to były czasy – powiedział z westchnieniem.

– Wiesz, ustatkowałem się. Mam dwoje dzieci, syna i córkę. – Spojrzał na Kitt. – To ktoś z rodziny?

– Nie, to moja partnerka z policji. – Pokazała mu odznakę. – Porucznik Lundgren. Możemy gdzieś spokojnie pogadać?

ZZ lekko pobladł.

– Jasne. Zaczekajcie chwilę.

Wydał kilka poleceń chłopakowi w kasie, po czym wyszedł i dał gestem znak, żeby poszły za nim.

– Zawsze tu taki hałas?! – M.C. musiała prawie krzyczeć, żeby ją usłyszał.

– W piątki wieczorem zwykle mamy dużo klientów. Lepsze są tylko soboty od dziesiątej do drugiej.

Otworzył jakieś zamknięte na klucz drzwi i zaprowadził je na zaplecze, gdzie było znacznie ciszej. M.C. podziękowała mu za to w duchu. Kiedy weszli do biura, poprosił je, żeby usiadły, i sam zajął miejsce w wielkim fotelu.

M.C. zauważyła stojące na biurku zdjęcie ładnej brunetki i dwójki dzieci.

– Masz fajną rodzinę – powiedziała.

ZZ natychmiast się rozpromienił.

– Poznałem Judy w Rock Valley, wyobrażasz sobie?! A to jest Zoe, ma dwa latka. – Wskazał pucułowatą, ciemnowłosą dziewczynkę. – Synek skończył pół roku. Ma na imię Zachary.

Zoe i Zach Zuba, westchnęła w duchu Kitt. Zozu i Zazu, albo ZZII i ZZIII, szukała dla nich w myślach najlepszych przydomków. Naprawdę można zwariować.

Chciała mu to powiedzieć, ale tylko spytała:

– Nie przeszkadza panu ten hałas?

– Nie, uwielbiam dzieciaki. To znak, że się świetnie bawią.

M.C. popatrzyła na niego z niedowierzaniem. ZZ pokochał dzieci? Kto by pomyślał!

– O co chodzi, M.C.? – spytał, nagle poważniejąc.

– Prowadzimy śledztwo w sprawie Mordercy Śpiących Aniołków. Wydaje nam się, że obie ostatnie ofiary miały przyjęcia urodzinowe właśnie tutaj, w „Fun Zone". Julie Entzel i Marianne Vest.

ZZ popatrzył na nią niespokojnie.

– Kiedy zobaczyłem je w telewizji, wydały mi się znajome – powiedział. – Ale nie miałem pewności. Przecież przychodzi tu tyle dzieci... – Westchnął ciężko. – To naprawdę straszne! Jak mógłbym pomóc?

– Jak sprawdzasz swoich pracowników? – spytała M.C.

– Przede wszystkim pytam policję stanową, czy nie byli notowani. Poza tym przechodzą testy na narkotyki. Jeśli są starsi, prosimy o referencje, które następnie weryfikujemy.

– Macie tu dużo dorosłych pracowników?

– Nie za wiele, wszyscy są dokładnie sprawdzeni. Szczycimy się tym, że nasza sala zabaw jest całkowicie bezpieczna. Właśnie na tym oparliśmy kampanię reklamową.

Otworzył szufladę i wyjął z niej kilka opasek na ramię.

– Wszystkie są ponumerowane – wyjaśnił. – Rodzina lub grupa ma te same numery, następnie sprawdzamy to przy wyjściu. Nigdy nie wypuszczamy dzieci bez dorosłych, z którymi przyszły. Jeśli jakiś dorosły przychodzi tu sam, moi pracownicy pytają go, do której grupy dzieci zamierza dołączyć. Jeśli nie umie odpowiedzieć, wtedy wzywają mnie, a ja proponuję uprzejmie, żeby poszedł gdzie indziej. Przecież to jest sala zabaw dla dzieci!

– A co z monitoringiem? Macie kamery?

– Owszem, jedną przy wejściu i w obu łazienkach. No i przy kasie.

– Przechowujecie taśmy?

Pokręcił głową.

– Nie, wymieniamy co trzy dni. Traktujemy to jako zabezpieczenie na wypadek jakichś roszczeń. To dobry i wiarygodny dowód dla towarzystw ubezpieczeniowych.

M.C. pochyliła się w jego stronę.

– Chcemy dostać wszystkie taśmy, jakie macie. A także te, które będziecie od teraz nagrywać.

– Ale...

Nawet nie zamierzała słuchać jego protestów.

– Poza tym chcę mieć listę twoich pracowników. Również tych, których zwolniłeś lub którzy sami odeszli.

ZZ poprawił się nerwowo w fotelu.

– Jak ci mówiłem, szczycimy się tym, że jest tu całkowicie bezpiecznie. Więc jeśli...

– Jeśli co? Jeśli prasa dowie się, że zabójca Julie Entzel i Marianne Vest wypatrzył je tutaj, będziesz miał kłopoty? Boisz się o interesy?

– Nie, ale... nasi ludzie są czyści. Zresztą większość pracowników to nastolatki.

– Więc nie masz się czego obawiać – stwierdziła.

ZZ sięgnął po telefon.

– Zadzwonię po pana Dale'a. To on jest właścicielem i sam powinien się tym zająć.

Z Dale'em rozmawiała również M.C. Postawiła twarde warunki, na które szybko przystał, a w zamian obiecała trzymać sprawę w sekrecie.

Od razu dostały kasety, jak również wykaz etatowych i dorywczych pracowników oraz listy gości z przyjęć obu dziewczynek.

Wsiadły do forda M.C., Kitt spojrzała kpiąco na partnerkę.

– Ratowałaś z opresji przyjaciół? – mruknęła.

– Jakoś trudno mi to sobie wyobrazić.

– Zapomniał, że wzięłam wtedy od nich po piętnaście dolców – zaśmiała się.

– Właśnie czegoś takiego się spodziewałam. – Kitt pokiwała głową.

– Daj spokój, rodzice by się wściekli, gdyby to wyszło na jaw. Max miałby szlaban do końca życia. – Ruszyła ostro z parkingu. – Moja rodzina jest straszna. Gdybym kiedykolwiek zaczęła gadać o dziecku, możesz mnie uszczypnąć w tyłek.

– Masz złe wspomnienia z dzieciństwa?

– To też, ale wystarczy, że popatrzę, a przede wszystkim posłucham – położyła szczególny nacisk na to słowo – tych rozwrzeszczanych bachorów i od razu odechciewa mi się uroków macierzyństwa.

– Wcale nie jest tak źle, takie sale zabaw to dobry pomysł – stwierdziła Kitt.

M.C. tylko się skrzywiła.

– Nie zamierzam mieć dzieci.

– Naprawdę?

Pomyślała o bratanku i o tym, jak bardzo go kocha.

– No jasne. Po co komu dzieci? Same kłopoty i... – urwała nagle i z niepokojem spojrzała na koleżankę.

– Przepraszam, Kitt. Jestem potwornie bezmyślna.

– Nie ma sprawy – odparła tamta, wyglądając przez okno.

M.C. zauważyła, że mocno zaciska dłonie.

– Naprawdę strasznie mi przykro.

– Nie wracajmy do tego. Powiedz raczej, co sądzisz o tym tropie.

Z ulgą podjęła temat.

– Uważam, że warto to sprawdzić – powiedziała.

– Jest już późno. Jeśli chcesz, możemy to zrobić jutro.

– O ile nie masz nic przeciwko, sprawdziłabym przynajmniej tych pracowników w naszym komputerze. Może coś na nich znajdziemy...

– Oczywiście – rzuciła M.C. i skręciła w stronę Whitman Street Bridge. – To tylko przesądy, że piątek jest po to, żeby się zabawić.

ROZDZIAŁ DWUDZIESTY

Piątek, 10. marca 2006
godz. 22.35

Sprawdziły trzy czwarte listy, aż w końcu M.C. stwierdziła, że jest już zmęczona. W dodatku była głodna, bo od czasu kiedy zjadły razem kanapki, nie miała nic w ustach. Nowy ślad sprawił, że zapomniała o jedzeniu, ale teraz żołądek upomniał się o swe prawa. Zdecydowały zatem, że wrócą do tego następnego ranka. Cóż, policjanci rzadko mają wolne weekendy.

M.C. zaczęła już myśleć, że ten trop okazał się zwykłą stratą czasu. Sala zabaw mogła odegrać ważną rolę w sprawie, ale skąd pewność, że morderca właśnie tam wybierał ofiary? A nawet jeśli tak było, ustalenie tego wymagałoby mnóstwo czasu.

M.C. wyjechała z parkingu, ale zaraz przestawiła automatyczną skrzynię biegów na postój. Zostawiła koleżankę przy komputerze, i teraz opadły ją wyrzuty sumienia.

Westchnęła ciężko, myśląc o minionym dniu i o Kitt. Przypomniała sobie ból, jaki dostrzegła w jej oczach, kiedy rozmawiały o dzieciach. I słowa, które padły przy pożegnaniu.

– Posłuchaj, M.C., mówię poważnie. Naprawdę warto mieć dzieci.

M.C. poczuła, jak ścisnęło jej się serce. Przypomniała sobie Marianne Vest, a potem rozbitą panią Entzel w szlafroku i kapciach.

W porównaniu z tym, z czym się dzisiaj zetknęła, jej rodzinne problemy wydawały się błahe, wręcz śmieszne.

Ponownie westchnęła, ruszyła, i po niecałych dwudziestu minutach stanęła przed domem. Popatrzyła na pogrążony w mroku budynek. Cicho, spokojnie, czyli tak, jak lubiła.

Po dzieciństwie i wczesnej młodości spędzonej w domu, gdzie oprócz pięciu braci było zawsze mnóstwo przyjaciół i zwierząt, gdzie trzeba było bić się o dostęp do łazienki, wreszcie napawała się ciszą i samotnością. Mogła teraz wziąć prysznic, kiedy chciała. Mogła zaprosić, kogo chciała. Nie musiała się martwić, że któryś z braci obrazi gościa, zaś matka podda go przesłuchaniu, a potem mruknie coś pogardliwego, o ile nieszczęśnik nie okaże się stuprocentowym Włochem.

Tak, cisza, spokój...

Tylko dlaczego nie kwapi się z wejściem do środka, żeby się tym nacieszyć?

Bo akurat dzisiaj nie pragnie ciszy i spokoju!

Po chwili namysłu znowu włączyła silnik i ruszyła przed siebie. Dobrze byłoby spotkać się z kimś, pożartować, pośmiać się. Tylko dokąd pojechać? Po zastanowieniu zdecydowała się na bar Bustera. Dotarła tam w ciągu kwadransa. Jednak dzisiaj było tu pełno ludzi, z trudem znalazła wolne miejsce na parkingu. Na scenie zamiast Lance'a Castrogiovanniego, z którym chętnie by się spotkała, występował jakiś zespół country, niemiłosiernie mordując piosenkę Shanii Twain.

M.C. z trudem przepchnęła się do baru. Zauważyła tam Briana, a także paru innych kolegów z policji. Sądząc po ich wyglądzie, siedzieli tu już od dłuższego czasu.

Brian posunął się, robiąc jej miejsce.

– Właśnie o tobie myślałem – powiedział.

– Tak, panie poruczniku? – spytała służbiście.

– Wrzuć luz. Przecież to piątkowy wieczór.

– Wygląda na to, że ty wyluzowałeś się za nas dwoje – odparła. Barmanka postawiła przed nią kieliszek wina, przyjęła zapłatę i szybko umknęła. Co jej się stało? – Jesteś z żoną? Chętnie bym ją wreszcie poznała.

– Nie, ma dzisiaj spotkanie z przyjaciółkami. Jestem wolny.

O Boże! Teraz doskonale rozumiała zachowanie barmanki.

– Przepraszam, ale muszę już...

Brian złapał ją za ramię.

– Nigdzie nie pójdziesz. Chcę z tobą pogadać. Na osobności.

– Czy to nie może poczekać? Jestem padnięta. Zamierzałam wypić kieliszek wina i lecieć do domu – powiedziała z mocą. Oby zabrzmiało to wystarczająco przekonująco.

Jednak Brian wyglądał tak, jakby w ogóle jej nie słuchał.

– Chodzi mi o sprawę tego mordercy.

– A konkretnie? – spytała, marszcząc brwi.

– Nie tutaj. – Wskazał korytarzyk prowadzący do łazienek.

Wcale jej się to nie spodobało, ale mimo to poszła za nim. Brian oparł się o ścianę, jakby bał się utraty równowagi.

– Jeśli o mnie idzie, to wciąż prowadzisz tę sprawę – powiedział, biorąc ją za rękę.

– Bardzo mi miło. Jeśli jednak pozwolisz, to już sobie...

– Zależy mi na tobie.

Chciał ją przyciągnąć do siebie, ale wyszarpnęła rękę i zaczęła ją rozcierać. Nigdy, choćby nie wiem co, nie umawiała się z żonatymi mężczyznami!

– Chyba nie muszę ci wyjaśniać, co znaczy molestowanie seksualne – zaczęła groźnie.

– Co się stało? Przecież było nam razem tak dobrze – powiedział żałosnym głosem i zachwiał się lekko. Dopiero teraz dotarło do niej, jak bardzo jest pijany. Zbyt pijany, by zrozumieć rozsądne argumenty.

– Chciałam ci przypomnieć, że wciąż jesteś żonaty.

– Ale było fajnie, nie?

– Daj spokój, Brian. Za dużo wypiłeś.

– Ale nie tyle, żeby mogło to nam przeszkodzić – rzucił aluzyjnie. – No chodź. Zobaczysz, nie pożałujesz...

Nagle tuż za Brianem pojawił się Lance Castrogiovanni.

– Ach, tutaj jesteś, M.C. Przepraszam za spóźnienie.

Popatrzyła na niego z wdzięcznością. Nareszcie miała jakąś wymówkę, żeby uciec od Briana.

– A właśnie, byliśmy umówieni – podchwyciła.

– Brian, znasz Lance'a, prawda? – dodała, podchodząc do komika.

Objął ją i przeprowadził na salę.

– Zauważyłem, co się dzieje. – Wskazał stolik, od którego widać było korytarz przy toaletach. – Myślałem, że zabije mnie samym spojrzeniem.

– Dzięki. Brian nie jest taki zły.

– Mnie wydał się wielki i wkurzony jak sto diabłów – rzekł z westchnieniem Lance. – Pracujecie razem?

– Tak, ale Brian ma wyższe stanowisko, no i stopień. Popełniłam kiedyś błąd, wdając się z nim w romans.

– Aha.

– Oczywiście to było na początku mojej pracy w policji.

– Cóż, wszyscy popełniamy błędy.

M.C. uniosła kieliszek z winem.

– Wypijmy zatem za błędy. – Zawahała się. – I za tych, którzy pomagają nam ich unikać...

– To znaczy?

– Jestem ci wdzięczna za szybką interwencję. Ze względu na niegdysiejszy związek z Brianem i jego obecną pozycję muszę bardzo uważać – wyjaśniła.

Lance skinął głową.

– Rozumiem, gdybyś walnęła go kolanem w jaja, byłby kłopot.

– Oj tak – przyznała ze śmiechem. – Więc to był naprawdę szczęśliwy zbieg okoliczności.

Upiła łyk wina, a Lance podniósł kufel z piwem. Następnie milczeli przez chwilę, patrząc na siebie.

– Prawdę mówiąc, to nie był zbieg okoliczności – przyznał Lance.

– To znaczy?

– Wiesz, zwykle jeśli nie pracuję, raczej unikam barów. Za dużo w nich dymu i różnych zdesperowanych osobników.

– A więc jednak miałam szczęście – wtrąciła.

Lance natychmiast wyciągnął rękę, nie pozwalając sobie przerwać.

– Ale dzisiaj przyszedłem tu specjalnie. Miałem nadzieję, że cię spotkam.

Popatrzyła na niego, by sprawdzić, czy się z niej nie nabija.

– Bardzo zabawne – rzuciła na wszelki wypadek.

– Mówię poważnie. Jestem tu zresztą trzeci raz od naszego poprzedniego spotkania. Gdybyś się nie pokazała, przeszedłbym do punktu B mojego planu.

– Czyli?

– Zadzwoniłbym do ciebie do pracy, chociaż niezbyt mi się to uśmiechało...

– A to dlaczego? – spytała. – Masz coś na sumieniu?

Wzruszył ramionami.

– Tak jak wszyscy. Skoro już zdobyłem się na szczerość, to muszę ci powiedzieć, że przy policjantach dostaję gęsiej skórki ze strachu. Oczywiście z wyjątkiem ciebie...

– Przy mnie nie dostajesz? – upewniła się.

– Dostaję, ale z innego powodu.

M.C. spojrzała w bok, by ukryć zmieszanie.

– Bardzo mi miło – szepnęła, nie bardzo wiedząc, co powiedzieć.

Lance rozejrzał się dookoła. W barze robiło się coraz bardziej duszno. Siedzący tu mężczyźni byli coraz bardziej podchmieleni.

– Może byśmy zmienili lokal? – zaproponował. – Znam miłą kawiarnię, gdzie podają świetne ciasto.

– To zupełnie nie w włoskim stylu – zaczęła się z nim drażnić.

Lance machnął nonszalancko dłońmi.

– Ja stawiam – zadeklarował. – No, chyba że będziesz chciała dwa kawałki.

Ustalili, że każde z nich pojedzie swoim samochodem. Kawiarnia nazywała się po prostu „Main Street" i mieściła się u zbiegu North Main Street i Auburn Street, w dzielnicy, której dosięgły już macki recesji.

Kiedy weszli do jasno oświetlonego wnętrza, kobieta w średnim wieku przywitała Lance'a po imieniu. Po chwili z zaplecza wychylił się nienajmłodszy już mężczyzna.

– Cześć, Lance – powiedział. – Jak się miewasz? I co porabiasz? Nie było cię tu chyba z tydzień...

– Sporo pracuję – wyjaśnił Lance.

– A kogo przyprowadziłeś?

– To moja przyjaciółka, Mary Catherine Riggio. Lepiej bądźcie dla niej mili, bo pracuje w policji. To jest Bob Meuller i jego żona Betty – przedstawił znajomych.

– Zawsze jestem miły – mruknął Bob.

– Jak cholera. – Betty skrzywiła się. – Właśnie dlatego trzymam go na zapleczu.

W tym momencie do kawiarni weszła grupka rozbawionych młodych ludzi. Wszyscy mieli już nieźle w czubie, z wyjątkiem dziewczyny, która wyglądała na poirytowaną i co jakiś czas pobrzękiwała kluczykami do samochodu.

Lance zaczekał, aż młodzież usiądzie przy stoliku, a następnie wybrał stojący najdalej od hałaśliwej grupy.

– Pewnie mieszkasz gdzieś w okolicy – domyśliła się M.C.

– Tak, przecznicę dalej. Często tutaj jadam, bo mają też niezłe zestawy lunchowe.

– To właściciele? – Wskazała Boba i Betty.

– Tak, nie mogli znaleźć nikogo do pracy na noce w czasie weekendów. Bardzo mili, spokojni ludzie.

– To widać – powiedziała, patrząc z uśmiechem w stronę baru. – Co polecasz?

– Wszystko jest bardzo dobre.

M.C. nie mogła się zdecydować na jedno ciasto, więc poprosiła o małe kawałki kokosowego, czekoladowego, truskawkowego i cytrynowego oraz kawę. Kiedy Betty przyniosła zamówienie, M.C. aż zamrugała na widok olbrzymiej porcji.

– Odniosłem wrażenie, że jesteś głodna – stwierdził Lance.

Zajęli się jedzeniem. Grupa nastolatków, zapewne zachęcona ich przykładem, również zamówiła po kilka kawałków ciasta.

– Muszę przyznać, że ciasto jest doskonałe – odezwała się w końcu M.C.

– A które najbardziej ci smakuje?

– Kokosowe. A zaraz potem czekoladowe.

Lance uśmiechnął się lekko.

– Ja też najbardziej lubię kokosowe. Ale potem cytrynowe.

M.C. odłożyła widelczyk, czując, że musi zrobić sobie przerwę.

– Jak tam w pracy?

– Nic poważnego – odparł.

– To taki żart zawodowy?

– Przepraszam. – Rozłożył ręce w bezradnym geście. – Czasami nie mogę się powstrzymać. A co u ciebie?

– Jestem wykończona.

Uniósł lekko brwi.

– Żart zawodowy?

Nie pomyślała o tym wcześniej, ale skinęła głową.

– Ciekawe, jak to jest być policjantem?

– Powiedz raczej, jak tobie się pracuje – zaproponowała.

– Ciężko. Ciężko i fajnie. Jak mnie słuchają, jestem w siódmym niebie. Jak gwiżdżą, przeżywam katusze. No i oczywiście odwalam jeszcze jakieś chałtury, żeby na siebie zarobić...

– Czemu to robisz?

– Bo muszę – odparł całkowicie poważnie. – Żeby zachować zdrowie psychiczne.

Ta odpowiedź bardzo jej się spodobała. Jak również to, że wcale nie kreował się na artystę i mówił o swojej pracy zupełnie normalnie.

W tym momencie zadzwoniła jej komórka.

– Tak, słucham?

– M.C.? Tu Kitt. Mamy go!

Natychmiast zapomniała o wszystkim innym.

– Kto to taki?

– Derrick Todd, notowany za przestępstwa na tle seksualnym.

– Pracuje w „Fun Zone"? Dobra, zaraz do ciebie przyjadę.

Rozłączyła się i włożyła aparat do futerału. Lance spojrzał na nią z żalem.

– Musisz jechać?

– Przepraszam. Widzisz, na tym właśnie polega praca w policji. – Dopiła parę ostatnich łyków znakomitej kawy i wstała. – Było mi naprawdę miło. Dzięki.

Lance też wstał.

– Spotkamy się jeszcze?

– Koniecznie – odparła.

Dopiero w drodze do biura uświadomiła sobie, że zapomniała dać mu numer telefonu. Jeśli będzie chciał skontaktować się z nią, będzie musiał przejść do planu B.

ROZDZIAŁ DWUDZIESTY PIERWSZY

Sobota, 11. marca 2006
godz. 00.05

Kitt siedziała za biurkiem i czytała komputerowy wydruk.

– Powiedziałaś, że zaraz kończysz pracę – rzuciła poirytowana M.C.

Skąd to rozdrażnienie? Czy gniewała się, ponieważ koleżanka ją ubiegła, czy też miała żal z powodu przerwania miłego wieczoru?

Podekscytowana Kitt spojrzała na nią nieco nieprzytomnie, nie bardzo wiedząc, o co chodzi.

– Nawet chciałam. Zamierzałam sprawdzić jeszcze kilka nazwisk, tak żeby dojść do końca strony. Ten Todd figurował jako ostatni. – Podała jej wydruk. – Ma dwadzieścia cztery lata i pracuje w ekipie technicznej. Pewnie nauczył się zawodu w więzieniu. Odsiedział dwa lata w Big Muddy River za molestowanie seksualne dzieci.

Big Muddy River przypominało bardziej zakład poprawczy niż więzienie i realizowało między innymi program leczenia dla pedofilów.

– Kiedy stamtąd wyszedł?

– Niecały rok temu, co potwierdzałoby naszą hipotezę, że spotkał Mordercę Śpiących Aniołków w więzieniu.

M.C. zaczęła przeglądać papiery. Todd był wcześniej notowany za drobne kradzieże, a potem nagle aresztowano go za przestępstwa na tle seksualnym. Wyglądało na to, że coraz bardziej się staczał.

– O ile się orientuję, popełnił przestępstwo, zatrudniając się w „Fun Zone" – dodała Kitt. – Ci ludzie muszą co jakiś czas meldować się w więzieniu, nie wolno im mieszkać koło szkół i pracować z dziećmi.

Derrick Todd mógł bardzo prędko ponownie trafić za kratki.

– Jak to się stało, że zatrudnili go w „Fun Zone"? – mruknęła M.C.

– Nie wiem, ale chętnie się dowiem. Myślisz, że ZZ jeszcze nie śpi?

– Pewnie śpi, jednak z radością go obudzę – powiedziała mściwie M.C. – Chyba nie będzie miał nic przeciwko.

Jednak miał. Otworzyła im jego żona, która niemal zemdlała na widok policyjnych odznak. Po chwili z sypialni wynurzył się zupełnie nieprzytomny ZZ. Zamieszanie obudziło młodsze dziecko, które zaczęło płakać. Wkrótce oczywiście dołączyło do niego starsze.

– Mary Catherine? – spytał ZZ, patrząc wściekle na dawną przyjaciółkę.

– Przepraszamy za tak późne najście, panie Zuba – odezwała się Kitt. – Ale mamy naprawdę ważną sprawę.

Jego żona zrobiła wielkie oczy.

– Zed?

– Nie chodzi o mnie, Judy. Zajmij się dziećmi.

Wahała się przez chwilę, ale w końcu wzięła młodsze dziecko na ręce i przeszła ze starszym do sypialni.

– Chodźmy do kuchni – zaproponował ZZ.

Poszły za nim i usiadły przy stole, na którym wciąż stały resztki z kolacji.

ZZ zamrugał gwałtownie.

– Przestraszyłyście moją żonę, więc mam nadzieję, że to naprawdę coś ważnego – mruknął.

– Niestety, w takich przypadkach liczy się każda minuta – powiedziała Kitt.

– A gdyby morderca czyhał na twoje dziecko? – dodała M.C. – Chciałbyś, żebyśmy czekały do rana?

ZZ spojrzał na nie bardziej ugodowo.

– No dobra. Napijecie się kawy?

Obie podziękowały i M.C. zadała Zedowi kluczowe pytanie:

– Co wiesz o Derricku Toddzie?

– O Derricku? – powtórzył zdziwiony. – Bardzo miły facet. Cichy, spokojny. Trzyma się trochę z boku.

– To ty go zatrudniłeś?

– Nie, jego zatrudnił właściciel. Miał podobno świetne referencje.

– Od kogo?

– Nie wiem.

M.C. zrobiła zdziwioną minę.

– Ale to ty byłeś wtedy kierownikiem?

ZZ skinął głową i ziewnął.

– Tak, ale od niedawna.

– Sprawdzono go dokładnie, tak jak innych?

ZZ poprawił się na krześle. Wyglądało na to, że w końcu się obudził i zdał sobie sprawę z powagi sytuacji.

– Trudno mi powiedzieć. To właściciel przyjął go do pracy.

– Czy Todd ma bezpośrednią styczność z klientami „Fun Zone"?

ZZ spojrzał w bok i poruszył się niespokojnie.

– No, tak. Sprawdza system zabezpieczeń, naprawia gry, jeśli zachodzi taka potrzeba, zajmuje się też automatami do sprzedaży napojów i słodyczy. Nie chodzi o większe naprawy, raczej takie doraźne. Jest w tym naprawdę dobry.

– A co byś powiedział, gdyby okazało się, że ten spokojny Derrick Todd jest notowanym przez policję pedofilem?

W innej sytuacji uznałyby pewnie jego minę za komiczną.

– To niemożliwe! Derrick jest czasami trochę mrukliwy, ale świetnie radzi sobie z dzie...

Nie dokończył. Może dotarło do niego, jak to zabrzmiało. Albo przypomniał sobie, że pedofile zwykle uwielbiają towarzystwo dzieci i potrafią się nimi świetnie zajmować. No i wybierają pracę, która umożliwia im częste kontakty z maluchami...

– Wszystko w porządku, Zed?

Spojrzeli w stronę drzwi, w których stanęła jego żona.

– Tak. Jeszcze raz przepraszamy za najście – powiedziała Kitt.

– Czy chodzi o mordercę tych dziewczynek?

– Mówią, że Derrick jest notowanym przez policję pedofilem.

Pani Zuba uniosła dłoń do ust.

– O Boże! Przecież on był u nas w domu!

M.C. wstała i położyła dłoń na ramieniu dawnego kumpla.

– Powinieneś kiedyś zadzwonić do Maksa. Na pewno się ucieszy.

Skinął głową, ale wciąż był bardzo przybity. Widać było, że nie może się pogodzić z przekazanymi mu informacjami. A może zastanawiał się nad przyszłością „Fun Zone", jeśli okaże się, że ich pracownik zamordował Julie Entzel i Marianne Vest?

M.C. podeszła do drzwi.

– Czy szef mieszka gdzieś w pobliżu?

– Tak, we wschodniej części miasta – odpowiedziała pani Zuba. – W tej modnej dzielnicy, Brandywine Estates.

Po chwili wyszły i skierowały się do samochodu.

– Ciekawe – mruknęła M.C. – Zatrudnił go sam szef, podobno sprawdził referencje – ciągnęła półgłosem. – Odwiedzimy szefa wcześnie rano.

– Lepiej teraz – rzuciła Kitt. – Wątpię, czy jeszcze śpi.

No tak, przecież ZZ raczej nie zasypiał gruszek w popiele. Pewnie już dzwoni do szefa, żeby powiedzieć mu, co się stało. M.C. miała tylko nadzieję, że kumpel ich nie okłamał.

Wsiadły do explorera.

– Dajmy mu trochę czasu, żeby zmiękł – zaproponowała starszej koleżance. – Jak się przestraszy, zadzwoni po swoich prawników i niczego się nie dowiemy. Jedźmy lepiej do Todda.

Derrick Todd nie mieszkał w modnej czy bogatej dzielnicy. Po drodze minęły kawiarnię, w której M.C. była z Lance'em. M.C. uśmiechnęła się na to wspomnienie.

– O co chodzi? – spytała Kitt.

– Nic takiego.

– Co robiłaś, kiedy do ciebie zadzwoniłam? Byłaś w domu?

– Nie, w tej kawiarni.

– Sama?

– Nie.

– Opowiesz mi o nim?

– Hm...

– To może powiesz przynajmniej, jak się nazywa?

– Nie.

– No, tak. Fajnie nam się razem pracuje. Ta otwartość i szczerość... – Wskazała kolejne skrzyżowanie. – To chyba gdzieś tutaj.

Skręciły w prawo. Po paru minutach znalazły duży i zaniedbany budynek, w którym mieszkał Derrick Todd.

M.C. spojrzała w górę. W kilku oknach wciąż paliły się światła.

– Idziemy?

– Jasne. Masz latarkę?

– Tak. – M.C. sięgnęła do skrytki i wyjęła z niej podłużny przedmiot.

Wysiadły z samochodu i podeszły do wejścia. Blok przypominał wielkie pudło i był zbudowany z cegieł, chyba jeszcze w latach czterdziestych. Pewnie kiedyś stanowił szczyt nowoczesności, chociaż nigdy nie mieszkała tu śmietanka towarzyska.

W środku paliło się mdłe światło i unosił się lekki, ale przykry zapach jakiegoś jedzenia. To kapusta, pomyślała M.C. Trudno to wywietrzyć. Jak to dobrze, że Włosi nie jadają często tego warzywa.

– Drugie piętro – powiedziała Kitt. – Sektor D.

Weszły po schodach i ruszyły korytarzem do części oznaczonej literą D. Z mieszkania obok dobiegała muzyka. W końcu odnalazły drzwi Todda. Kitt zapukała głośno, a kiedy nikt nie odpowiedział, nacisnęła klamkę. Drzwi lekko zaskrzypiały.

– Otwarte.

Kitt wyjęła pistolet i odbezpieczyła go.

– Panie Todd, policja!

Zajrzały do wnętrza przez wąską szparę. W środku było ciemno. Nikt im nie odpowiedział.

M.C. pchnęła mocniej drzwi i poświeciła do wnętrza. Todd niezbyt często robił porządki.

– Wchodzimy? – spytała M.C.

– Tak, to będzie usprawiedliwione. Drzwi są otwarte. Po prostu chcemy sprawdzić, czy nic mu nie jest.

Kitt spojrzała w głąb.

– Wchodzimy, panie Todd – powiedziała nieco głośniej. – Chcemy sprawdzić, czy nic się panu nie stało!

Jasne, pomyślała M.C. i wyciągnęła broń.

Po chwili znalazły się w mieszkaniu. Składało się praktycznie z jednego dużego pokoju i niewielkiej kuchni. Derrick sypiał na brudnej kanapie, a w łazience nie było nawet wanny, tylko kabina prysznicowa. Panował tu potworny bałagan, ale nic nie wskazywało na zbrodnicze zamiary lokatora.

M.C. chętnie skorzystałaby z okazji i zaczęła prawdziwą rewizję, ale wszystko, co znalazłyby bez nakazu, zostałoby przez sąd odrzucone.

Jeśli okaże się, że instynkt ich nie zawiódł, w co święcie wierzyła, zdobycie nakazu nie będzie stanowiło najmniejszego problemu.

Kiedy wyszły z powrotem na korytarz, Kitt schowała latarkę i zamknęła porządnie drzwi. Z naprzeciwka cały czas dobiegała muzyka. Poza tym w bloku panowała cisza. Wyszły na zewnątrz i wsiadły do terenówki M.C.

– Może chwilę zaczekamy? – zaproponowała Kitt. – Zobaczymy, czy wróci.

– Jasne.

– Masz tu coś do żarcia?

– Torebkę fistaszków i chipsy sojowe.

– Sojowe? – skrzywiła się Kitt. – To zupełnie niepodobne do policjantki. Powinnaś mieć bekonowe, a jeszcze lepsze byłyby precle.

M.C. otworzyła schowek i wyjęła dwie paczki chipsów.

– To dla zdrowia, po tych wszystkich pizzach i makaronach. Wcale nie są takie złe.

– Nie, dzięki. Wolę fistaszki.

Kitt sama po nie sięgnęła i zaczęła wolno przeżuwać. Zdaje się, że od kilku godzin nic nie jadła.

Ciekawa kobieta, pomyślała M.C. I wcale nie taka wariatka, jak mogłoby się wydawać. Jest inteligentna i ambitna. To straszne, że przy niesprzyjających okolicznościach te dwie cechy mogą doprowadzić do obsesji.

Niesprzyjające okoliczności... Wyjątkowy eufemizm, bo przecież chodziło o śmierć córeczki,

143

seryjnego mordercę dzieci, trudne śledztwo, naciski ze strony władz, dodatkowo podsycane przez bezwzględne media!

Kitt zjadła jeszcze kilka fistaszków.

– To moje ulubione – mruknęła.

– Też je lubię, ale potem mam wyrzuty sumienia.

Kitt skinęła głową.

– Nigdy nie miałam kłopotów z nadwagą, właściwie sama nie wiem dlaczego. Po prostu uwielbiam żarcie.

– A ja mam to w genach – powiedziała M.C. – Włoszki muszą uważać, bo od pewnego wieku zaczynają potwornie tyć.

– A co z twoją matką?

– Jest tego najlepszym przykładem.

– Moja aż do końca była bardzo szczupła.

– Zmarła?

– Parę lat temu.

Straciła więc córkę i matkę, w dodatku rozpadło się jej małżeństwo. A to wszystko w stosunkowo krótkim czasie.

– Bardzo mi przykro – szepnęła M.C., chociaż te słowa wydały jej się dziwnie mdłe i nieodpowiednie.

Kitt milczała. W samochodzie przez parę minut panowała cisza.

– Będziemy czuwać na zmiany? – odezwała się w końcu Kitt.

– W porządku. – M.C. spojrzała na zegarek. – Śpimy po godzinie czy po dwie?

– Może dwie? Zaczynaj, jakoś nie jestem senna.

M.C. przystała na to bez sprzeciwu. Chociaż też nie chciało jej się spać, rozłożyła jednak siedzenie i przymknęła oczy. Kitt zaczęła coś cichutko nucić pod nosem i dopiero po chwili M.C. zdała sobie sprawę, że to kołysanka.

Przez chwilę zastanawiała się, skąd taki dziwaczny pomysł.

ROZDZIAŁ DWUDZIESTY DRUGI

Sobota, 11. marca 2006
godz. 8.30

Derrick Todd w ogóle się nie pokazał. Oczywiście mogło istnieć mnóstwo różnych powodów jego nieobecności, ale Kitt obawiała się, że lada chwila otrzyma telefon z informacją, że zginęła kolejna dziewczynka.

W końcu morderca nie tylko dusił swoje ofiary, ale spędzał z nimi całą noc.

Obie z M.C. zdecydowały, że najlepiej będzie zadzwonić po policjanta, który zmieni je na posterunku. Musiały przecież poinformować szefa o wydarzeniach tej nocy i zdobyć nakaz aresztowania Todda i rewizji jego mieszkania. Poza tym należało porozmawiać z właścicielem „Fun Zone". Najpierw jednak chciały się wykąpać, przebrać i coś zjeść. Umówiły się więc w biurze.

Kitt pojawiła się tam pierwsza, mogła więc sprawdzić w komputerze adres pana Dale'a.

– Zaczynam mieć kompleksy – rzuciła M.C., wchodząc do pokoju.

– Z jakiego powodu? – Kitt obejrzała się za siebie.

– Wczoraj pracowałaś dłużej niż ja, i to ze świetnym wynikiem, a dzisiaj zdołałaś się szybciej wykąpać i przebrać. Jak ty to robisz?

Kitt uśmiechnęła się tajemniczo.

– Mam w pracy zmianę ubrania. Wykąpałam się tutaj i przebrałam, a jedzenie mam z naszego automatu. No i jeszcze wypiłam kawę, którą ktoś zostawił na noc – wyjaśniła.

– Czy ktoś ci kiedyś powiedział, że cierpisz na przerost ambicji?

Wyglądało na to, że M.C. lubi rywalizację.

– Owszem, kilka osób – odparła, podając jej adres. – Brandywine Estates, tak jak mówiła żona ZZ. Poprowadzisz?

M.C. niemal wyszarpnęła kartkę z jej dłoni.

– Jasne. A poza tym jedzenie z automatu nie jest zdrowe. No i za godzinę znowu będziesz głodna.

Roy Linde, który zajmował pokój wraz z Kitt i paru innymi śledczymi, zachichotał, słysząc te słowa.

– Co w tym śmiesznego? – obruszyła się M.C.

Wyciągnął rękę, jakby spodziewał się ataku.

– Nic takiego. Ja się do tego nie mieszam, ale... lubię takie sceny.

Paru innych kolegów też się zaśmiało.

– Trafiła kosa na kamień – rzucił któryś z nich.

– Nie bierz tego do siebie, M.C. – dodał Roy.

– Nawet superpolicjantki czasami muszą uznać swoją niższość.

Kitt zauważyła, jak M.C. zacisnęła szczęki i rozejrzała się groźnie dookoła, ale pozostawiła słowa kolegi bez komentarza. Odezwała się, kiedy w końcu znalazły się w windzie.

– Czy mogę coś ci poradzić?

– Wolałabym nie – mruknęła M.C.

– I tak wiesz, że nie odpuszczę.

– Spróbuj.

– Wyluzuj się czasami. Nie traktuj wszystkiego tak poważnie.

M.C. popatrzyła na nią z niedowierzaniem.

– I to ty mówisz o luzie?

– Tak. Przeszkadza ci to?

– No jasne!

– Co niby jest takie jasne? Chodzi ci o to, że za dużo pracuję? A może o to, że nie potrafię nabrać dystansu? – dopytywała się Kitt.

Wyszły z windy. M.C. nieco zwlekała, próbując trochę ochłonąć.

– Chodzi mi o to, że miałaś obsesję na punkcie Mordercy Śpiących Aniołków, a potem zawaliłaś sprawę i zaczęłaś pić! Ale jakoś udało ci się wrócić do pracy i teraz każesz mi wyluzować i zachować do siebie dystans.

Kitt odwróciła się i spojrzała na nią groźnie. Pomyślała jednak, że niepotrzebnie zaczęła zgrywać mądrzejszą i dojrzalszą. Tylko zdenerwowała koleżankę. W końcu jeśli Mary Catherine Riggio woli być zgryźliwa i ponura, to wyłącznie jej sprawa.

Obróciła się na pięcie i ruszyła do wyjścia. M.C. za nią. Razem przeszły przez drzwi i po chwili wsiadły do samochodu. Nie rozmawiały ze sobą przez dobrych dziesięć minut. Kitt pierwsza zdecydowała się przerwać ciszę:

– Moja córka umarła, moje małżeństwo się rozpadło. Jeśli uważasz, że zwariowałam, to twoja sprawa. Teraz jednak zrobię wszystko, by nie schrzanić śledztwa.

M.C. pochyliła się nad kierownicą.

– Przepraszam, przesadziłam – powiedziała w końcu przez ściśnięte gardło. – Bardzo mi zależy na tym, by traktowano mnie poważnie. Walczyłam o to przez całe życie. – Urwała na chwilę. – Nagadałam ci masę głupot. Bardzo mi przykro.

– Przynajmniej obie byłyśmy szczere – rzuciła Kitt.

M.C. uśmiechnęła się lekko.

– Dobrane z nas partnerki.

– Cóż, tak wyszło.

– Jednak nadal ci nie ufam.

– Ani ja tobie.

Pozostała część drogi upłynęła im w ciszy. Czuły się jednak lepiej i Kitt mogła pozbierać myśli, zastanawiając się, o co spytać Sydneya Dale'a.

Okazało się, że mieszka w dużym, nowoczesnym domu położonym na pięknej działce, która zajmowała pewnie co najmniej hektar. Miał na niej basen z przebieralnią, a także naturalne jeziorko ze skałą i wodospadem.

Zatrzymały się na podjeździe za białym kabrioletem bmw. Podeszły do drzwi, ale zanim zdołały zadzwonić, z domu wyskoczyła ładna nastolatka z końskim ogonem. Przebiegła obok i wsiadła do samochodu. Po chwili usłyszały warkot silnika.

Z domu wypadł jakiś mężczyzna, który omal nie przewrócił Kitt.

– Sam! Sam! Wcale nie pozwoliłem ci...

– Muszę już jechać, tato! – krzyknęła dziewczyna i ruszyła półkolistym podjazdem.

Kitt patrzyła trochę rozbawiona, a trochę zniesmaczona tą sceną. Typowy przykład nastolatki, która owinęła sobie ojca wokół małego palca. Rodzice powinni wcześniej zająć się jej wychowaniem.

– Pan Dale? – spytała M.C.

Spojrzał na nie tak, jakby dopiero teraz zauważył ich obecność.

– Tak, słucham?

Był wysoki, ale niezbyt przystojny. Miał za duży nos, a skóra nosiła ślady trądziku młodzieńczego.

Za to jego córka robiła wrażenie. Cóż, miał tyle forsy, że mógł odpowiednio zadbać o jej urodę. Pewnie co tydzień bywała w salonie kosmetycznym. Kitt słyszała nawet o nastolatkach, które w nagrodę za dobre stopnie mogły sobie powiększyć piersi.

Do licha, ta smarkula dostała też piękny, złoty naszyjnik z krzyżem, zapewne od matki.

Kitt pokazała mu odznakę.

– Porucznik Lundgren z policji w Rockford. A to moja partnerka, porucznik Riggio.

M.C. też pokazała odznakę, na którą mężczyzna nawet nie spojrzał.

– Właśnie zastanawiałem się, kiedy panie przyjedziecie. Chciałem uprzedzić, że już rozmawiałem o tym z moim prawnikiem.

Typowy bogaty dupek.

– Chodzi oczywiście o Derricka Todda, którego sam zatrudniłem, prawda?

Kitt skinęła głową.

– I z powodu kilku naszych pytań musiał pan konsultować się z prawnikiem? – udała zdziwienie.

Dale zmarszczył brwi.

– Proszę się ze mną nie drażnić, pani porucznik. Oboje wiemy, dlaczego to zrobiłem. Mam dużo do stracenia i muszę bardzo uważać na różne pomówienia i plotki.

To brzmi sensownie, pomyślała z uznaniem Kitt.

– I co doradził panu prawnik?

– Mam mówić prawdę, starać się pomóc policji i nie wtrącać się w jej sprawy.

– Doskonale.

Nie zaprosił ich do środka, tylko zamknął drzwi.

– Żona wciąż śpi.

Szczęściara. Nie to, co one. Kitt wyjęła notatnik.

– Jest pan oczywiście właścicielem „Fun Zone"?

– To jedna z moich inwestycji, ale prowadzi ją kierownik. On również zatrudnia i zwalnia pracowników.

– Pan Zuba?

– Tak.

– Więc zatrudnia i zwalnia, ale nie zawsze, prawda?

Dale zawahał się.

– Czasami robię to ja.

– Czy tak było w przypadku Derrica Todda?

Znowu wahanie.

– Tak.

– Pan Zuba powiedział nam, że to pan zarekomendował Derrica Todda.

– Owszem. Pracował u nas przez kilka miesięcy, zajmując się ogrodem i basenem. Dobrze mu szło, polubiliśmy go. Zrezygnował, kiedy poszedł na studia.

– Gdzie studiował?

– Na RVC.

Rock Valley College był miejscową trzyletnią szkołą wyższą. Dużo młodzieży z Rockford uczyło się tam przed podjęciem studiów magisterskich. Przyjmowano również nieco starsze osoby, które chciały podnieść kwalifikacje.

– Kiedy to było?

Przez chwilę zastanawiał się nad odpowiedzią.

– Jakieś cztery, cztery i pół roku temu.

Kitt spojrzała na M.C., która obserwowała uważnie Dale'a, starając się wychwycić najmniejsze oznaki kłamstwa.

– A potem?

– Któregoś dnia zgłosił się do mnie z pytaniem o pracę. Obiecałem, że zobaczę, co da się zrobić. Akurat było wolne stanowisko w dziale technicznym „Fun Zone", więc poleciłem Todda panu Zubie.

– I to wszystko?

– Tak.

– A czy nie polecił pan, by go zatrudnić bez zbędnych formalności?

– Bez sprawdzenia, czy był notowany przez policję? To byłoby chyba niezbyt mądre z mojej strony, nie uważa pani?

– To prawda, ale czasami tak się zdarza.

– Sam nie wiem, jak to się stało, że nikt go nie sprawdził – mruknął i spojrzał w bok. – Po prostu nie dogadaliśmy się z Zubą. Takie przekłamanie komunikacyjne...

Kitt poczuła, że wzbiera w niej gniew.

– Z tego powodu być może zginęły dwie niewinne dziewczynki!

Zamrugał parę razy. Zrozumiała, że uderzyła we właściwe miejsce. Poczuł się winny. A może się przestraszył?

– Więc nie wiedział pan nic o tym, że Derrick Todd siedział w więzieniu?

– A czy wówczas przyjąłbym go do pracy? – zdenerwował się i spojrzał na nią z jawną niechęcią.

– Właśnie chciałam o to zapytać. – Kitt zmierzyła go ostrym wzrokiem.

– Nie mam nic więcej do powiedzenia. Chętnie pomogę w dalszym śledztwie, jeśli tylko będę w stanie. Żegnam.

Od razu wyczuła nieszczery ton.

Podziękowały mu i przeszły do samochodu M.C. Kiedy ruszyły, Kitt spojrzała ciekawie na koleżankę.

– Zauważyłaś, że nawet nie zapytał, dlaczego Todd siedział w więzieniu? Nie wyraził też skruchy czy żalu.

– Trudno było nie zauważyć. Od razu widać, że bardziej zależy mu na własnym tyłku. To kawał gnoja!

Kitt skinęła głową. Skręciły w Riverside Drive.

– Chodzi mu o to, żeby zwalić wszystko na Zubę, gdyby okazało się, że Todd to morderca.

– Tak, dobrze się przygotował.

– Musimy go sprawdzić w naszym komputerze, a wtedy zobaczymy, czy jest taki święty, za jakiego chce uchodzić.

M.C. pokiwała głową.

– Ale najpierw zajrzyjmy jeszcze do „Fun Zone", żeby pogadać z ZZ.

Przyjechały do sali zabaw na chwilę przed otwarciem. ZZ i jego pracownicy szykowali się na sobotni najazd dzieci.

Na ich widok ZZ zrobił ponurą minę.

– Możemy pogadać na osobności? – spytała M.C.

Wskazał zaplecze.

– Chodźmy do mojego biura.

Kiedy zajęły już miejsca, a on usadowił się za biurkiem, M.C. postanowiła od razu zaatakować.

– Posłuchaj, mamy problem. Twój szef twierdzi, że polecił ci tylko, żebyś zatrudnił Todda. I podobno nie było mowy o tym, że nie musisz go sprawdzać.

ZZ pobladł.

– To nieprawda! Sam za niego poręczył!

– Cóż, nam podał inną wersję wydarzeń. Ciekawe dlaczego?

Zrozpaczony ZZ przeciągnął dłonią po włosach.

– Nie mam pojęcia.

M.C. spojrzała mu prosto w oczy.

– Posłuchaj, musisz powiedzieć mi prawdę. Jeśli okaże się, że Derrick Todd jest mordercą, możesz mieć kłopoty. I to poważne. Gadaj, jak było.

– Przysięgam, że powiedziałem prawdę.

Kitt przyjrzała mu się uważnie. Czemu miałby kłamać? Poza tym zaskoczyły go wczoraj i nie miał czasu przygotować swojej wersji wydarzeń.

– Dobrze, dziękujemy – powiedziała. – Obawiam się, że to nie koniec.

– Zaraz. Dlaczego pan Dale tak wam powiedział? Dlaczego skłamał?

– Może powinien pan sam go o to zapytać – zasugerowała Kitt.

ZZ zmarszczył brwi. Nareszcie zaczęło do niego docierać, że szef postanowił zrzucić na niego całą odpowiedzialność.

Płotki zawsze mają najgorzej. Nie są groźne, toteż nie trzeba się z nimi liczyć.

Kitt zrobiło się go żal. Jego sytuacja była gorsza, niż sobie wyobrażał.

W tym momencie zadzwoniła jej komórka. Kitt wyjęła ją z futerału i przyłożyła do ucha.

– Tak, słucham?

– Cześć, Kitt, tu Sal. Todd wrócił do domu. Sierżant Petersen go aresztował.

– Doskonale. Wrzuć go do pokoju przesłuchań. Już jedziemy.

ROZDZIAŁ DWUDZIESTY TRZECI

Sobota, 11. marca 2006
południe

Derrick Todd był prawdziwym młodym gniewnym. Ciskał się i stawiał, zamiast wykazać trochę sprytu. Nie znaczyło to, że nie jest inteligentny. Po prostu w tej chwili zachowywał się jak głupek.

Przypominał ten typ młodych ludzi, którzy bez przerwy robią coś idiotycznego, a potem spychają winę na innych. Nigdy nie kończyło się to dobrze, a czasami dochodziło do najgorszego.

Kitt weszła do pokoju przesłuchań, niosąc kawę, gazetę i pudełko pączków. Oczywiście pączki stanowiły stary numer i nie sądziła, żeby Derrick, który ewidentnie nie przepadał za policją, dał się nabrać.

Jak ustaliły, Kitt położyła najnowsze wydanie „Register Star" tak, żeby Todd mógł widzieć nagłówki, a w szczególności jeden z nich: NAŚLADOWCA CZY NIE? CZY MORDERCA ZNOWU UDERZY? Pod spodem umieszczono duże zdjęcia Julie Entzel i Marianne Vest, oraz mniejsze ofiar Mordercy Śpiących Aniołków sprzed pięciu lat.

Większość seryjnych morderców marzy o rozgłosie. Lubią czytać o sobie i przypominać sobie przebieg wydarzeń. Są dumni, że wszystkich przechytrzyli.

Jeśli więc Todd rzeczywiście jest mordercą, nie będzie mógł oderwać oczu od gazety. Była to sztuczka opracowana przez psychologów z FBI. Zamiast gazet można też było skorzystać z samych zdjęć, jakichś przedmiotów związanych z ofiarą lub też narzędzi zbrodni.

Kiedy M.C. po raz pierwszy wykorzystała tę sztuczkę, podejrzany nawet się przysunął, żeby lepiej widzieć lawendową czapeczkę, która należała do ofiary.

Postanowiły zacząć łagodnie, tak by Todd poczuł się bezpiecznie. Dopiero wtedy zamierzały ostro zaatakować. M.C. miała grać złą policjantkę, a Kitt dobrą. Kitt postawiła pudełko z pączkami na gazecie.

– Przepraszam za spóźnienie – powiedziała łagodnym tonem. – Zrobiłam sobie przerwę na kawę.

– Ach, te gliny – mruknął Derrick.

– Słucham?

Spojrzał na nią prowokacyjnie.

– Właśnie czegoś takiego można się po was spodziewać – rzucił.

– Chcesz pączka? – Wskazała pudełko.

– Nie, dziękuję.

– M.C.?

– Jasne. – M.C. ze smakiem wgryzła się w apetyczne ciastko.

– Dlaczego mnie aresztowaliście?

– No, chyba sam wiesz najlepiej.

– Chodzi o pracę w „Fun Zone"? Nie szkoda wam zachodu?

– A gdzie byłeś dzisiejszej nocy?

– Na mieście.

– Gdzie konkretnie?

– U przyjaciółki.

– Nazwisko?

– Nie mam pojęcia. – Wzruszył ramionami. – Poznałem ją w barze.

Czyżby nie był zbyt wybredny?

– W jakim barze?

Zawahał się lekko.

– „Google Me".

– Nie jesteś tego pewien?

– Jestem. Nie chcę tylko, żeby jakieś łachy sprawdzały, gdzie chodzę.

Nie, z pewnością nie był zbyt mądry. Inaczej nie obrażałby osób, które mają broń i od których zależy jego przyszłość.

M.C. spojrzała na Kitt, która wpatrywała się w Todda. Wiedziała, o co jej chodzi. Koleżanka czekała, aż Todd wreszcie spojrzy na gazetę.

On jednak tego nie zrobił. Nie sądziła, by miał na tyle inteligencji, żeby podjąć z nimi grę, ale musiały to sprawdzić.

– Kitt, chcę pogadać z tobą na osobności.

Koleżanka natychmiast zrozumiała, o co jej chodzi. Wyszły, zamykając drzwi na klucz. Następnie przeszły do pokoju obserwacyjnego, gdzie siedział trzydziestoletni asystent prokuratora okręgowego w okularach à la Harry Potter i z mocno przerzedzonymi włosami. Sal i sierżant Haas wpatrywali się w ekran.

Wszystkie przesłuchania były obecnie nagrywane, co, jak się okazało, mogło bardzo pomóc w śledztwie, a jednocześnie chroniło policję przed zarzutami o brutalne traktowanie aresztantów.

Mężczyźni ani na chwilę nie oderwali wzroku od ekranu. M.C. usiadła na krześle, ale Kitt wolała stać. Todd najpierw bębnił palcami po stole, a potem zaczął chodzić po pokoju. W końcu znowu usiadł i pokazał język do kamery.

Następnie spojrzał na gazetę.

Nie wzbudziła jednak jego zainteresowania.

– Może nie umie czytać – mruknęła M.C.

– Nie jest z nim chyba tak źle – rzekła z westchnieniem Kitt. – Zaraz ją weźmie.

– Skąd ta pewność? – M.C. popatrzyła na nią z powątpiewaniem.

– Po prostu wiem!

– Chwileczkę – odezwał się asystent prokuratora generalnego – chyba połknął przynętę.

Kitt wstrzymała oddech. No już, ponaglała go w duchu. Odsuń to pudełko. Poczytaj o sobie!

Derrick jednak naplul do pudełka z pączkami i rozsiadł się na krześle, bardzo z siebie zadowolony.

– A to skurwiel! – jęknął Sal. – Miałem taką ochotę na pączka.

M.C. spojrzała na Kitt.

– Może potraktujemy go ostrzej?

– Nie tak się umawiałyśmy.

– No i co z tego?

– Zróbmy to tak, jak planowałyśmy.

M.C. westchnęła z żalem.

– Moim zdaniem trzeba mu przykręcić śrubę.

– Zaczekamy jeszcze chwilę, a potem wrócimy do pokoju. Tylko spokojnie.

M.C. już otworzyła usta, żeby zaprotestować, ale Sal zmarszczył brwi. Nie chciał, żeby jego pracownicy się kłócili, a zwłaszcza w tak ważnym dla śledztwa momencie.

– Dobra, idziemy.

Kiedy ponownie weszły do pokoju, Todd się rozpromienił.

– Może pączka? – zaproponował.

– Straszny z ciebie skurwiel, co? – warknęła M.C.

– Skoro tak uważacie.

– Tak uważamy – powiedziała. – To zabawne, że chodzisz właśnie do „Google Me". Marzysz, żebyśmy sprawdziły cię w naszym komputerze, co?

– Odpierdol się.

– Myślisz, że dziewczynie, z którą spędziłeś noc, spodobałoby się, że siedziałeś w więzieniu za pedofilię?

Kitt postanowiła interweniować, zanim Derrick zacznie im ubliżać.

– Kto cię zatrudnił w „Fun Zone"? – spytała.

– Właściciel, Sydney Dale – powiedział, krzywiąc się.

– Jak widzę, nie przepadasz za nim. Mimo że dał ci pracę?

– To nadęty głupek – mruknął Derrick.

– A wiedział, że siedziałeś w więzieniu?

Todd tylko wzruszył ramionami.

– Nie mam pojęcia. Wszystko mi jedno.

M.C. postanowiła się włączyć.

– Naprawdę? Sala zabaw to dziwne miejsce pracy dla kogoś, kto molestował dzieci. A może... z twojego punktu widzenia to wygląda inaczej?

Todd poczerwieniał.

– Nie molestowałem żadnych dzieci.

– Jednak sąd był innego zdania.

Chwyciła gazetę i przysunęła ją bliżej. Postukała palcem w zdjęcia Julie i Marianne.

– Widziałeś tam kiedyś te dziewczynki?

– Nie.

– Jesteś pewny?

Spojrzał na gazetę i przeczytał nagłówek. Dopiero teraz zrozumiał, o co im chodzi. Zrobił taką minę, jakby miał za chwilę zwymiotować.

– Nie, nie widziałem tych dzieci.

– Czy byłeś w „Fun Zone" dwudziestego pierwszego stycznia?

– Nie pamiętam.

– Zaraz ci pomogę – warknęła Kitt. – Poprosiłam pana Zubę, żeby to sprawdził. Dwudziestego pierwszego byłeś w pracy!

– A w sobotę jedenastego lutego? – ciągnęła M.C.

– Nie wiem. Pewnie tak.

– Właśnie – powiedziała niemal wesoło Kitt.

– No i co z tego?

Próbował zachowywać się jak wcześniej, ale było widać, że obleciał go strach.

– Te dziewczynki obchodziły urodziny w „Fun Zone". Julie Entzel w styczniu, a Marianne Vest w lutym. Nie wydaje ci się, że to dziwny zbieg okoliczności? Facet, który siedział za pedofilię, pracuje w miejscu, gdzie były dwie ofiary morderstw! Zastanawiające...

Cały pobladł, a na jego czole zalśniły krople potu.

– Żądam prawnika!

– No jasne – rzuciła M.C. – Chodź, Kitt, poszukamy mu prawnika. Najwyraźniej go potrzebuje.

– Nic nie zrobiłem!

Kitt postanowiła zagrać przejętą jego losem.

– Posłuchaj, Derrick. Sprawa jest poważna. Chciałabym ci pomóc. Muszę złapać tego mordercę. Jeśli tego nie zrobiłeś...

– Przysięgam, że nie! Nawet nie widziałem tych dziewczynek w „Fun Zone"! Przecież tam bez przerwy odbywają się przyjęcia urodzinowe!

– Dlaczego tam pracujesz? To okoliczność obciążająca...

– Musiałem jakoś zarabiać! – krzyknął. – Dale miał wobec mnie dług wdzięczności i akurat nadarzyła się ta robota!

– Dale miał wobec ciebie dług? Co chcesz przez to powiedzieć?

– Znam swoje prawa! Już nic ze mnie nie wydusicie!

– Dobrze, idziemy po prawnika – powiedziała M.C. i wstała.

ROZDZIAŁ DWUDZIESTY CZWARTY

Niedziela, 12. marca 2006
godz. 9.20

Kitt zwolniła, czując, że brakuje jej tchu i bardzo się spociła. Nadal próbowała wrócić do dawnej formy. Kiedy odczuwała zniechęcenie, przypominała sobie Mary Catherine Riggio, co natychmiast dodawało jej energii.

Wiedziała, że rywalizacja z młodszą koleżanką nie ma sensu, ale nie mogła się powstrzymać. Kiedy patrzyła na Riggio, widziała siebie samą sprzed dwudziestu lat. Pewną siebie, wierzącą w świetlaną przyszłość...

Oczywiście zdawała sobie sprawę z tego, że się różnią. Było to widoczne zwłaszcza w takich momentach jak przesłuchanie Todda. M.C. chciała go koniecznie przycisnąć, niemal zmiażdżyć. Kitt wolała działać powoli i rozważnie. Zbyt bała się, że popełni błąd. Ciekawe, które podejście okaże się lepsze?

Czy kiedykolwiek rozstąpią się ciemności, które spowijały ją od kilku lat? Czy będzie wreszcie wiedziała, co robić?

Po przesłuchaniu Todda śledztwo utknęło w martwym punkcie. Zatrzymano go pod zarzutem naruszenia prawa stanowego dotyczącego przestępstw na tle seksualnym. Przeszukanie jego mieszkania i samochodu nie dało podstaw do tego, by połączyć go ze sprawą Entzel i Vest.

Wcale jej to nie zaskoczyło. Na papierze wszystko wyglądało świetnie, ale instynkt podpowiadał jej, że Todd nie jest seryjnym mordercą.

Przede wszystkim nie połknął przynęty. A poza tym gdyby był winny, zachowywałby się mniej wyzywająco.

Todda zamknięto za obnażanie się i nieprzyzwoite gesty wobec dziecka. A przecież ofiary morderstw nie były molestowane.

Zobaczyła, że ktoś siedzi na jej werandzie. To był Danny, popijał kawę ze Starbucks i czytał gazetę.

– Cześć – przywitała się, podchodząc.

Spojrzał na nią znad gazety i uśmiechnął się.

– Już chciałem zrezygnować. Pół godziny to dla mnie za dużo.

Usiadła obok.

– Cieszę się, że tego nie zrobiłeś. Czy to dla mnie? – Wskazała drugi styropianowy kubek.

– Mm, *vanilla latte*. – Podał go Kitt. – Pewnie powinienem był wziąć bez cukru i z odtłuszczonym mlekiem.

– Daj spokój, od razu wpadłabym we wściekłość. Ćwiczę, żeby nadążyć za konkurencją, a nie po to, żeby schudnąć.

Wypiła trochę i westchnęła z błogością, chociaż kawa była ledwie letnia.

– Masz na myśli Mary Catherine?

– Tak, moją cholerną partnerkę.

– Mówisz tak, jakby zamierzała skoczyć ci do gardła.

– Wcale bym się nie zdziwiła.

Danny pokręcił głową.

– Może o tym pogadamy?

Podał jej szarą torbę.

– Jak chcesz. To też dla mnie?

– Proszę, to wszystko, co zostało. Trochę zgłodniałem, czekając na twój powrót.

W środku była tylko jedna, w dodatku zjedzona do połowy bułka. Kitt patrzyła na nią przez chwilę.

– Nie, dzięki.

– Dobra, sam dojem – rozpromienił się i wziął bułkę.

– Coś się stało?

– Nie, chciałem zobaczyć, czy wszystko u ciebie w porządku.

– Prawdę mówiąc, trochę wymiękam, jeśli o to ci chodzi – powiedziała, krzywiąc się lekko.

– Naprawdę nie czekam, aż ci się powinie noga – mruknął, patrząc gdzieś w bok.

– Wiem. Tylko chcesz mi pomóc, gdyby jednak do tego doszło.

– Wcale nie – powiedział z lekkim wyrzutem, dotknięty jej sarkazmem. – Powinnaś wiedzieć, że pomogę ci w każdej sytuacji.

Nagle zrobiło jej się przykro.

– Przepraszam, Danny. Żyję w ciągłym stresie.

– Z powodu partnerki?

Wypiła jeszcze parę łyków kawy i zdecydowała, że nie powinna niczego ukrywać.

– Tak. Jest młoda i inteligentna.

– I ładna?

– To też.

– I to cię dręczy?

– To chyba jasne.

– Nie dla mnie.

– Mówisz poważnie?

– Ty też jesteś inteligentna, Kitt. I, moim zdaniem, bardzo atrakcyjna.

– Ba, jesteś moim przyjacielem, nie wypada ci powiedzieć nic innego. A poza tym – wyciągnęła rękę, chcąc powstrzymać jego protesty – nie jestem już taka młoda.

– Ale mądra. Mądrzejsza o te wszystkie lata.

Powiedział to z uśmiechem, jednak jej wcale nie było do śmiechu. Tak, mądra starowinka, pomyślała ponuro.

– Spieprzyłam całą sprawę.

– Nie, po prostu podle się czujesz.

Kitt zamilkła na chwilę. Powoli zaczynała odzyskiwać dobry humor.

– Ale jej przychodzi to z taką łatwością...

– Mówisz o pracy?

– Nie, o pewności siebie.

Nic na to nie powiedział, tylko uścisnął jej ramię.

– Muszę już iść.

Oboje wstali. Danny zszedł po schodkach.

– Tak szybko? – rozżaliła się.

– Obiecałem kumplowi, że pomogę mu w przeprowadzce.

Patrzyła za nim przez chwilę, a potem podeszła do drzwi. Odruchowo nacisnęła klamkę. Okazało się, że drzwi są otwarte.

Zmarszczyła brwi. Przed bieganiem zamknęła je na klucz.

Tylko czy na pewno?

Zaczęła sobie przypominać, co robiła przed wyjściem, ale przychodziło to jej z dużym trudem. Wiedziała jednak, że zawsze zamyka drzwi na klucz. Jest przecież policjantką!

Obejrzała uważnie framugę. Nie wyglądało na to, żeby ktoś włamał się do domu. Pomyślała ze smutkiem, że jest z nią coraz gorzej. Weszła do środka i zamknęła drzwi na zasuwę.

– Najpierw prysznic, a potem porządne śniadanie – powiedziała głośno.

Do tego czasu będzie jej musiała wystarczyć sama kawa. Pożałowała nagle, że zrezygnowała z nadjedzonej bułki.

Weszła do sypialni i zdjęła mokrą koszulkę. Nagle, kiedy jej wzrok padł na szafkę nocną, włosy zjeżyły się jej na karku.

Szufladka, w której trzymała pistolet, była otwarta.

Poczuła pulsowanie krwi w skroniach. Na szczęście nigdy nie rozstawała się z bronią. Kiedy biegała, brała albo kaburę na łydkę, albo torebkę z paskiem. Dzisiaj wzięła torebkę.

Mimo to doskonale pamiętała, że szufladka była zamknięta.

Podeszła do szafki i otworzyła ją szerzej. Jej pamiętnik, pióro, kilka ulubionych zdjęć z Sadie, wolne miejsce na glocka...

Ktoś wszedł do jej domu. Pomyślała o Dannym i natychmiast zganiła się za takie posądzenie. To nie on.

Orzeszek!

Znał jej adres. Potrafił wchodzić do cudzych domów, nie zostawiając żadnych śladów. Widocznie uznał, że pora nieco ożywić grę.

A jeśli nadal tu jest? – pomyślała nagle.

Otworzyła torebkę i wyjęła pistolet. Powoli i systematycznie zaczęła przeszukiwać cały dom. Kiedy nic nie znalazła, powróciły wątpliwości.

Czyżby poniosła ją wyobraźnia? Czyżby sama zostawiła otwarte drzwi i szufladkę?

Czyżby zaczynała świrować?

To już lepiej, żeby rzeczywiście odwiedził ją morderca!

ROZDZIAŁ DWUDZIESTY PIĄTY

Poniedziałek, 13. marca 2006
godz. 8.00

Kitt piła świeżo zaparzoną kawę. Cały poprzedni dzień upłynął bez niespodziewanych wydarzeń, ale ona nadal zastanawiała się, czy morderca był w jej domu, czy podzielić się podejrzeniami z M.C. albo z Salem.

Zdecydowała w końcu, że tego nie zrobi. Nie chciała wyjść na przepracowaną, znerwicowaną i niezbyt przytomną wariatkę.

M.C. pojawiła się w pracy nieco zmęczona, z lekko przekrwionymi oczami.

– I jak spędziłaś wolny dzień? – zapytała ją Kitt.

– Fatalnie – mruknęła koleżanka. – Głównie robiłam pranie, sprzątałam i płaciłam rachunki.

– Tak, policjanci nie mają czasu na rozrywkę. Prawnik Todda zostawił nam wiadomość.

– Tak? – zaciekawiła się M.C. – Jaką?

– Że jego klient jest niewinny.

– Nie mamy nikogo lepszego...

Kitt pokręciła głową.

– Moim zdaniem powinnyśmy się skoncentrować na „Fun Zone". To dobry trop. W przypadku Mordercy Śpiących Aniołków nigdy nie udało nam się znaleźć żadnego związku między zamordowanymi dziewczynkami. Sal wyraził zgodę, żeby jakiś funkcjonariusz w cywilnym ubraniu miał na oku tę salę zabaw. Uważa, że właśnie ty świetnie się do tego nadajesz.

M.C. szeroko otworzyła przekrwione oczy.

– Ja? Większość dzieci się mnie boi! Poza tym jeśli zacznę tam pracować, to chyba zwariuję.

– Powiedziałam mu to samo. No i obie byłyśmy w telewizji w związku z tą sprawą.

– Co on na to?

– Wydelegował tam Schmidta.

– Ależ z niego szczęściarz. – Zaśmiała się. – Dostał filmy z sali zabaw? – Kiedy Kitt skinęła głową, M.C. spojrzała na nią z wdzięcznością. – Dzięki.

– Od czego są partnerzy!

Zanim koleżanka zdążyła to skomentować, zadzwonił telefon na biurku Kitt.

– Porucznik Lundgren, słucham – powiedziała do słuchawki.

– Chyba gonisz własny ogon, kochanie – usłyszała znajomy głos.

Znowu on! Kitt dała znak M.C., która natychmiast zadzwoniła do techników, by spróbowali namierzyć rozmówcę.

– Kto mówi?

– Przecież doskonale wiesz, że to ja, twój kochany Orzeszek.

Kitty aż zazgrzytała zębami, słysząc zadowolenie w jego głosie.

– Długo musiałam czekać na twój telefon. Myślałam, że się wycofałeś.

– Nigdy się nie wycofuję.

– Dobrze. Masz, czego chciałeś, a teraz powiedz nam, kto jest naśladowcą.

M.C. pochyliła się nad biurkiem i zapisała na kartce: „komórka".

Cholera! Musi z nim rozmawiać co najmniej pięć minut, inaczej go nie namierzą.

– Jak się czujesz z tym, że to od ciebie zależy życie kolejnej dziewczynki?

– Nie ode mnie, tylko od ciebie, Kiciu. – Znowu się zaśmiał. – Mnie tam wszystko jedno, ale ty chyba nie chcesz mieć na sumieniu niewinnej krwi. Zwłaszcza krwi dziecka.

– Mam czyste sumienie.

– Naprawdę? A co z twoją córką?

Musiała wziąć się w garść. Zależy mu, żeby wyprowadzić ją z równowagi. Właśnie na tym polega jego „zabawa".

– Nie chodzi o mnie – powiedziała nieco ciszej. – Obiecałeś mi pewne informacje i mam nadzieję, że dotrzymasz słowa.

Znowu usłyszała jego paskudny śmiech.

– A jak tam śledztwo?

– Trafiliśmy na ważny ślad.

– Masz na myśli tego chłopaczka z „Fun Zone"?

Aż otworzyła ze zdziwienia usta.

– Skąd wiesz o Toddzie? – wyjąkała po chwili.

– Ja wiem wszystko. Jestem potężny!

– Przepraszam, czy powiedziałeś „pogięty"?

Spojrzała na M.C., która zasłoniła sobie usta, żeby nie wybuchnąć głośnym śmiechem. Oczywiście to było naiwne zagranie, w dodatku nie miała pewności, czy powinna go denerwować, chciała jednak, żeby zapomniał, ile trwa rozmowa. Poza tym warto było sprawdzić, jak zareaguje. To mogłoby im coś powiedzieć o jego psychice.

– Lepiej uważaj – ostrzegł nieco drżącym głosem.

Jest zły, domyśliła się. Do tej pory całkowicie panował nad sobą, jednak wystarczył jeden nie najwyższych lotów dowcip, żeby wyprowadzić go z równowagi.

To znaczy, że traktuje siebie bardzo poważnie.

Spojrzała na M.C. i pokazała zegarek, a ta w odpowiedzi wyciągnęła trzy palce. Jeszcze tylko dwie minuty.

Pomyślała, że to łatwe, ale tak naprawdę mogło wydawać się wiecznością.

– Przepraszam, czasami nie panuję nad językiem.

– Radzę się pilnować.

Wszyscy w biurze już wiedzieli, co się dzieje, i wokół zebrała się grupka kolegów. Kitt starała się nie zwracać na nich uwagi i skupić się na rozmowie.

– Moglibyśmy się kiedyś spotkać i lepiej poznać – rzuciła.

– To nie jest najlepszy pomysł.

– Przyjdę sama. Moglibyśmy się czegoś napić i porozmawiać.

– Za bardzo zależy mi na twoim zdrowiu, Kiciu, dlatego nie przyjdę. Wiem, że staracie się namierzyć tę rozmowę. Loves Park, powierzchnie magazynowe do wynajęcia, boks numer siedem.

Zakończył rozmowę. Kitt skoczyła na równe nogi.

– Mamy go?

M.C. wyciągnęła rękę, a potem zaklęła szpetnie.

– Nie, zabrakło czasu.

– Cholera. – Kitt chwyciła kurtkę. – Potrzebuję nakazu rewizji tego magazynu.

– Zaraz będzie.

– Wyślemy co najmniej dwa wozy. Zadzwoń po ludzi z ekipy technicznej. Muszą tam być jak najszybciej.

ROZDZIAŁ DWUDZIESTY SZÓSTY

Poniedziałek, 13. marca 2006
godz. 9.40

Loves Park było niewielką miejscowością sąsiadującą z Rockford od północy. W Rockford mówiło się, że kobiety z Loves Park mają owłosione nogi, a faceci jeżdżą tam wyłącznie pikapami, jak to na wsi.

Kitt nie miała pojęcia, skąd brały się te dowcipy, bo gdyby nie znak, w ogóle nie zauważyłaby różnicy. Po prostu mieszkańcy Rockford uważali się za lepszych od sąsiadów.

Magazyn czy raczej budynek, gdzie można było wynająć przestrzeń magazynową, mieścił się pomiędzy chińską restauracją a barem z hamburgerami. Kiedy Kitt wysiadła z samochodu, uderzył ją zapach rozgrzanego tłuszczu. Nie było jeszcze dziesiątej, a już ktoś coś smażył. Doskonale wiedziała, że niemal wszyscy faceci, z którymi przyjechała, zaczęli w tym momencie myśleć o lunchu. Co wybrać? Chińszczyznę czy soczysty hamburger?

Oczywiście pod warunkiem, że uwiną się z robotą przed dwunastą. Kto wie, może boks będzie pusty albo okaże się, że Orzeszek ich podpuścił. Najwyraźniej podobało mu się, że gotowi są jechać w każde miejsce, które wskaże.

Możliwe jednak, że znajdą tam coś naprawdę ważnego. Coś, co doprowadzi ich do naśladowcy, a może nawet do samego Mordercy Śpiących Aniołków. Oby tak...

– Idziemy? – M.C., która stanęła po drugiej stronie samochodu, rozumiała jej wahanie. – Powinnyśmy liczyć na to, że Mikołaj da nam spóźniony prezent.

– Tak, chodźmy.

Weszły pierwsze do środka, a za nimi pospieszyli technicy. Kitt miała mieszane uczucia. Wiedziała, że ten moment może przesądzić o wszystkim, ale zdawała też sobie sprawę, że mogą odjechać stąd z pustymi rękami. Nigdy nie przepadała za rewizjami, chociaż na ogół były konieczne. Czasami ludzie, których mieszkania przeszukiwali, nie mieli pojęcia, o co im chodzi. Niektórzy płakali, inni grozili procesem. Ale zdarzało się, że gdy dopadli jakiegoś przestępcę, ten wyciągał broń lub zaczynał uciekać.

W środku znajdował się tylko niewielki stolik i regał na dokumenty oraz krzesło dla jednego klienta. Kiedy tak stały obok siebie, prawie nie mogły się ruszyć.

– Dzień dobry – powiedziała Kitt i odruchowo zerknęła na łydki kobiety wystające spod stolika. Były gładkie, pozbawione choćby jednego włoska. Tyle jeśli idzie o głupie dowcipy.

– Czym mogę służyć? – spytała z uśmiechem kobieta.

Kitt podeszła do stolika i położyła na nim nakaz rewizji.

– Jestem porucznik Lundgren z policji w Rockford, a to porucznik Riggio – wyjaśniła. – Chcemy przeszukać jeden z boksów, a konkretnie ten z numerem siódmym.

Kobieta potrząsnęła głową.

– Przepraszam, ale nic nie rozumiem.

Kitt pomyślała złośliwie, że chyba mieszkańcy Loves Park rzeczywiście nie są zbyt inteligentni. Wystarczyło jednak spojrzeć na tę młodą kobietę, by się domyślić, że jest bardzo zdenerwowana. Dłonie jej drżały, na czole pojawiły się kropelki potu. Być może był to jej pierwszy kontakt z policją, bo nigdy nawet nie wlepiono jej mandatu za przekroczenie dozwolonej prędkości.

– Chcemy przeszukać boks numer siedem – powtórzyła. – Mamy tu nakaz rewizji.

– Sama nie wiem. – Kobieta sięgnęła po słuchawkę. – Mo... może zadzwonię do właściciela...

Kitt wzruszyła ramionami.

– Proszę bardzo, ale to nakaz sądowy. Tak swoją drogą, zgodnie z prawem ktoś z obsługi powinien być przy rewizji. Lepiej poprosić właściciela, by tu przyjechał – dodała, dostrzegając na twarzy rozmówczyni narastającą panikę.

– Zaraz. Ale ja nie mam klucza do tej części magazynu – przypomniała sobie nagle kobieta.

Kitt uśmiechnęła się lekko.

– Nic nie szkodzi. Nasi ludzie już się tym pewnie zajęli.

Istotnie, kiedy wyszły, okazało się, że jeden z mundurowych policjantów przepiłował kłódkę i przesunął wielkie, metalowe drzwi. Wewnątrz panował półmrok, i to pomimo wpadającego tam dziennego światła.

Trzej policjanci zapalili latarki.

– Przydałyby nam się reflektory – mruknęła Kitt.

– Zaraz to załatwię – powiedziała M.C.

Kitt rozejrzała się po wnętrzu. Znajdowały się tu nie tylko szafki, ale i boksy, z których aż wylewały się najrozmaitsze rzeczy: meble, rowery, sprzęt sportowy, pudła z książkami. Zauważyła nawet jakiś manekin.

Okazało się, że boks numer siedem też jest przepełniony. Członkowie ekipy technicznej przez dwie następne godziny ostrożnie przeglądali jego zawartość, otwierając pudła i przetrząsając garderobę. Szukali rzeczy takich jak zdjęcia czy książki z dedykacjami, czegoś, co pomogłoby zidentyfikować właściciela. A także na przykład kosmyków włosów ofiar czy części ich garderoby, które morderca mógł tu trzymać w charakterze trofeum, no i oczywiście broni.

Kitt czuła, że znajdą coś istotnego.

A może instynkt znowu ją zawodził?

Podeszła do Snowe'a.

– Co o tym myślisz?

– Jeśli mamy to zrobić porządnie, potrzebujemy trochę czasu, może nawet tygodnia.

Tego właśnie się obawiała, chociaż przez chwilę łudziła się, że Snowe powie coś innego.

– Niestety nie mamy czasu.

– Chyba nie oczekujesz po mnie cudów.

– A jeśli nie będziemy tego wszystkiego spisywać? Będzie szybciej.

177

– Przeglądanie bez analizy? To potrwa mniej więcej dwa dni.

Ludziom, którzy oglądają programy policyjne w telewizji, wydaje się, że każde śledztwo prowadzone jest niezwykle dokładnie, co nie jest zgodne z prawdą. Nawet sprawy traktowane priorytetowo mają ograniczony budżet i nie można przy nich zatrudnić wszystkich wolnych policjantów.

– Dobrze, róbcie swoje, a ja ustalę, kto wynajął ten boks – powiedziała, a następnie zwróciła się do jednego z mundurowych policjantów: – Sprawdź nazwisko i adres najemcy i przepuść to przez nasz komputer. Chcę wiedzieć, czy był notowany.

– Tak jest.

Mężczyzna skinął głową i ruszył do biura magazynu. Potem wpisze dane najemcy do komputera w wozie ekipy technicznej.

Po chwili przy boksie pojawiła się M.C.

– Musimy porozmawiać.

Kitt zesztywniała.

– O co chodzi?

– Moim zdaniem to pułapka. Żebyś straciła jak najwięcej czasu.

– Dlaczego tak myślisz?

– Popatrz uważnie. Zupełnie jakby ktoś specjalnie tak ustawił rzeczy, by ich przeszukanie zajęło całe wieki.

Spojrzała na zawartość boksu. Rzeczy piętrzyły się jedne na drugich, tworząc coś w rodzaju piramidy. Jakieś szafki, rowery, żelazko i pęknięte lustro...

Zupełnie jak w filmie, pomyślała.

Ktoś bardzo się postarał...

– Nabiera cię, Kitt.

– Możliwe, ale czuję, że coś tu jest. Być może gdzieś to schował.

– Jeśli tak, to bardzo głęboko. Już mówiłam, chce cię czymś zająć i doprowadzić do tego, byś zaczęła ścigać cienie.

Ścigać cienie? Sadie, Joego, zamordowane dziewczynki...

– Musisz zastanowić się, dlaczego tak postąpił.

Kitt nie miała na to najmniejszej ochoty.

– Chcesz powiedzieć, że powinniśmy dać sobie spokój? – wskazała boks.

– Nie, tylko... – M.C. odwróciła wzrok i zamilkła. Kitt miała wrażenie, że partnerka boi się mówić o czymś, czego do końca nie rozumie. – Po prostu uważaj.

Kitt odczuła zaskoczenie. Nigdy nie przyszłoby jej do głowy, że M.C. może się o nią troszczyć.

– Dzięki, ale myślę, że nie mam się czego bać – rzuciła z pozorną nonszalancją, lecz zabrzmiało to sztucznie. – Jestem już dużą dziewczynką, a ten niewinny blond zawdzięczam fryzjerowi.

M.C. nawet się nie uśmiechnęła.

– Może cię zabić albo... zrobić coś o wiele gorszego.

Obie doskonale wiedziały, o co jej chodzi, jednak M.C. nie zdawała sobie sprawy, że Kitt już od dawna czuła się na wpół martwa.

– Mam te dane, pani porucznik. – W magazynie znowu pojawił się mundurowy policjant, machając komputerowym wydrukiem.

Kitt wzięła wydruk do ręki i szybko przebiegła wzrokiem kolejne rubryczki. Andrew Stevens, lat dwadzieścia osiem, pracuje jako inżynier w Sundstrand. Czysta kartoteka.

– Dziękuję – powiedziała do chłopaka. – Będziesz mnie osłaniać? – Te słowa skierowała do M.C.

– Jasne.

Tak jak przypuszczały, zastały Stevensa w pracy. Miał miłą, szczerą twarz i otwarte spojrzenie.

– Chodzi o mój portfel? – spytał, kiedy się przedstawiły.

– Portfel? – zdziwiła się Kitt.

Mężczyzna zrobił smutną minę.

– A więc jednak nie? Miałem w nim sporo ważnych rzeczy, nie mówiąc o pieniądzach. Skradziono mi go zaraz po Bożym Narodzeniu. Zgłosiłem to na policję, ale nikt się później nie odzywał.

– Bardzo mi przykro, panie Stevens, ale nam chodzi o boks w magazynie.

– Jaki boks?

– Numer siedem w magazynie w Loves Park. Wynajął go pan trzeciego stycznia.

Patrzył na nie przez chwilę, marszcząc brwi, a następnie pokręcił głową.

– Nie wynajmowałem żadnego boksu – stwierdził dobitnie.

No proszę, kto by się spodziewał, że będzie kłamał, pomyślała Kitt. Zaraz też podsunęła mu umowę najmu.

– Proszę spojrzeć. Był pan tam przecież trzeciego stycznia.

Mężczyzna spojrzał na dokument i ponownie pokręcił głową.

– Nic podobnego.

180

– A to czemu? – wtrąciła ostro M.C.

– Choćby dlatego, że trzeciego stycznia byłem z żoną w San Francisco. Pojechaliśmy tam w podróż poślubną.

ROZDZIAŁ DWUDZIESTY SIÓDMY

Poniedziałek, 13. marca 2006
godz. 15.00

Kitt była potwornie wkurzona. Krążyła po pokoju niczym zamknięta w klatce pantera.

– Uważaj, bo w tym tempie zrobisz dziurę w podłodze albo zedrzesz buty – mruknęła M.C.

– Wszystko mi jedno. Kolejna ślepa uliczka. Cholera!

– Może jabłko?

– Wolałabym hamburgera.

– Żadnych fast-foodów. Moim zdaniem nie powinnaś już tego jeść. – M.C. rzuciła jej jabłko.

Kitt złapała je i spojrzała na nie nieufnie.

– Ten facet zaczyna mnie wkurzać. Bawi się ze mną jak kot z myszką.

– Przecież mówiłam...

– Tylko znowu nie zaczynaj. Nie widzisz, w jakim jestem stanie?

– Wszystko ci się pomyliło. – M.C. pokręciła głową. – To ja jestem niedoświadczona i kąpana w gorącej wodzie, a ty rozsądna i dojrzała. Powinnaś mnie pocieszać. Radzić, co mam robić...

– Najlepiej idź do diabła!

Kitt wbiła zęby w jabłko. Było twarde i lekko kwaśne, a takie lubiła najbardziej.

– Dziękuję bardzo. Pozwolisz, że ja też coś ci powiem? Ale poważnie...

– Nie – warknęła Kitt.

– To jasne, że ten facet się z tobą bawi. W dodatku zachowujesz się tak, jak przewidział. Powinnaś się uspokoić. Przestań chodzić po tym cholernym pokoju i pokaż mordercy, że nie będziesz tańczyć, jak ci zagra.

– Potwornie mnie denerwujesz – stwierdziła Kitt, ale zatrzymała się.

M.C. uśmiechnęła się, jakby ta uwaga sprawiła jej przyjemność.

– Lepiej, żebym to była ja niż on – rzuciła.

Kitt zjadła kolejny kęs jabłka, wciąż patrząc na koleżankę.

– Ale naprawdę wydaje mi się, że coś jest w tym boksie.

– Tylko co? Stevensa możemy wykluczyć. Rzeczywiście zgłosił kradzież portfela i unieważnił wszystkie karty kredytowe, a także zmienił zamki w drzwiach. Linie lotnicze potwierdziły, że wyleciał drugiego stycznia do San Francisco, wraz z żoną, a dyrekcja hotelu – że byli w nim od drugiego do ósmego.

– A zatem morderca posłużył się jego dokumentami. Wynajął boks i zapłacił za niego za rok z góry.

– Ale który morderca? Naśladowca czy tak zwany Orzeszek?

Kitt skrzywiła się, słysząc przydomek córki. Ten facet doskonale wiedział, jak jej dokuczyć. M.C. od razu to zauważyła i postanowiła bardziej zważać na słowa.

– Nie wiem. – Kitt pogrążyła się w myślach.

– Nie powiedział, czyj to boks, więc założyłam...

– Że należy do naśladowcy – dokończyła M.C.

– O to mu pewnie chodziło.

– Ale to tylko kolejna gierka.

– Tak, starannie to wszystko przygotował – stwierdziła M.C. – To była pułapka.

Kitt usiadła na brzegu biurka. W tej chwili była bardzo spokojna i skoncentrowana, jakby już zapomniała o gniewie.

– Tak, ale coś tam na pewno jest...

– Mhm, ukryte niczym igła w stogu siana. Może jest, a może nie ma.

– Jest. – Wyrzuciła ogryzek do kosza, który stał pod biurkiem. – Gdyby mnie oszukał, mogłabym nie podjąć dalszej gry. Zresztą co to za przyjemność wygrać, kiedy się oszukuje...

– Pamiętaj, że to morderca. Zależy mu przede wszystkim na tym, by wyjść z tego cało. – Wzięła drugie jabłko, zaczęła je jeść.

– Chyba jednak nie masz racji. Zależy mu na tej grze, przynajmniej na razie...

– Jesteś pewna, że możesz ufać własnym przeczuciom?

Kitt zrobiła obrażoną minę. M.C. pomyślała, że partnerka nie jest jeszcze gotowa, by prowadzić tę sprawę. Brakowało jej pewności siebie.

Niedobrze.

Dojadła jabłko, wciąż myśląc o sprawie.

– Musisz uważać na wszystko, co mówi – powiedziała z westchnieniem. – Analizować jego posunięcia. I przede wszystkim zastanowić się, dlaczego wybrał właśnie ciebie.

– Bo to ja prowadziłam pierwsze śledztwo – odparła Kitt bez wahania. – Uważa, że łatwo mnie pokonać. Nie sądzę, żeby to było ważne.

M.C. nie podzielała tej opinii. Jej zdaniem wybór Kitt musiał o czymś świadczyć. Gdyby rozwikłały tę zagadkę, zyskałyby ważną broń w walce z mordercą.

– Nie, zastanów się, przecież równie dobrze mógł zadzwonić do kogoś innego. Jednak wybrał ciebie...

Kitt pokręciła głową. Nie zamierzała o tym rozmawiać, uważała to za stratę czasu.

– A co to za różnica? Bardziej interesuje mnie to, skąd wie, kto jest jego naśladowcą.

– Może wcale tego nie wie. Albo to jedna i ta sama osoba. Albo są wspólnikami. Może obaj uczestniczą w jakiejś grze?

– A ja jestem tylko pionkiem? – Kitt przetarła oczy. – Takie rozważania do niczego nie prowadzą. Zginęły już dwie dziewczynki, a my wciąż jesteśmy w punkcie wyjścia.

Umilkły obie. M.C. pogrążyła się w myślach. Kitt gryzła wargę, jakby coś nie dawało jej spokoju.

– Jak sądzisz, skąd wiedział o Toddzie?

Tak, to było dobre pytanie. Jak to się stało, że zajęły się tym dopiero teraz?

– Może nas śledzi – podsunęła M.C. – Może jest jakoś związany z tym śledztwem?

– Myślisz, że to policjant?

– Mało prawdopodobne, ale nie możemy niczego wykluczyć. – M.C. potarła czoło. – Kto wiedział o tej sprawie?

– Na pewno my obie, Sal, ZZ i jego żona, no i Sydney Dale.

M.C. skinęła głową.

– Tak, od początku przeczuwałam, że ten Dale to pokrętny typ. Wynajął Todda bez sprawdzenia, a potem temu zaprzeczył. I miał jakiś dług wdzięczności wobec tego chłopaka. Ciekawe jaki?

– Więc może to będzie pierwsza rzecz do sprawdzenia na naszej liście – zaproponowała Kitt i spojrzała w stronę drzwi. – A skoro już o tym mowa...

Do pokoju wszedł naburmuszony Snowe.

– No, mam tę waszą cholerną listę! – Rzucił ją na biurko Kitt. – Pracowaliśmy nad tym z Sorensteinem przez całą noc!

Kitt zaczęła ją przeglądać.

– Dzięki.

– Liczę na drinka – mruknął Snowe.

– Dwa drinki – rzuciła M.C.

Chciał już wyjść, ale zatrzymał się jeszcze w drzwiach i spojrzał na nią.

– Pamiętasz tego komika od Bustera?

– Lance'a Castrogiovanniego? O co chodzi?

– Widziałem go właśnie na dole. Pytał o ciebie w informacji. Zdaje się, że masz adoratora.

Porucznik Allen popatrzył na nią znad papierów.

– Masz chłopaka, M.C.? A już myślałem, że Kitt ci wystarczy...

M.C. skrzywiła się z niesmakiem.

– Kiedy wy dorośniecie?

Wyszła z biura i po paru minutach odnalazła nieco zagubionego Lance'a.

– Cześć, co cię tu sprowadza? – spytała.

Uśmiechnął się na jej widok tak, że od razu zrobiło jej się cieplej na sercu.

– Cześć, właśnie cię szukałem – oświadczył. – Miałem coś do załatwienia w pobliżu i postanowiłem do ciebie zajrzeć.

Zrobił taką minę, jakby wymagało to nie lada odwagi.

– Bardzo mi miło – powiedziała zgodnie z prawdą i uśmiechnęła się.

– Tak sobie pomyślałem, że może gdzieś się wybierzemy...

– Teraz? Wykluczone! – przerwała mu.

Gwałtownie zamachał rękami. Zrobił to tak komicznie, że ledwie powstrzymała się od śmiechu.

– Nie, nie, źle się wyraziłem. Może wybierzemy się gdzieś w tygodniu, na przykład na kolację, ale... w tym tygodniu mam wolną tylko środę.

Jej rodzinna kolacja. Nie mógł wybrać lepszego dnia!

M.C. uśmiechnęła się szeroko.

– Doskonale. Chyba że będę musiała zostać w pracy.

ROZDZIAŁ DWUDZIESTY ÓSMY

Wtorek, 14. marca 2006
godz. 7.30

Otaczały go dźwięki baru, do którego zaczynało napływać coraz więcej klientów na śniadanie i poranną kawę. Lubił ten gwar. Lubił być między ludźmi.

Nikt nie zwracał na niego uwagi. Nikt nie wiedział, kim jest. I do czego jest zdolny.

Nikt nie znał jego tajemnic.

Nawet Kicia. A może właśnie przede wszystkim ona.

Rozsiadł się wygodnie na krześle i zaczął popijać kawę. Uśmiechnął się do kobiety, która na niego spojrzała.

Często tak się bawił. Patrzył na jakąś osobę i zastanawiał się, co by zrobiła, gdyby wyznał jej prawdę. Wyobrażał sobie strach, który pojawiłby się w jej oczach, jej szeroko otwarte usta i zduszony jęk przerażenia, który zapewne by się z nich wydobył.

Na myśl o tym odczuwał przyjemne podniecenie.

Nagle przypomniał sobie sugestię Kitt Lundgren, że jest psycholem. Jak powiedziała? Pogięty... Jego dobry nastrój natychmiast się ulotnił.

Rozzłościła go.

Na moment stracił panowanie nad sobą.

To było sprytne posunięcie. Zaskoczyła go, zasłużyła na jego uznanie. Zarazem jednak to na niej skupiła się jego wściekłość.

Zapłaci mu za to. Kara nie powinna być duża, bo to jej pierwszy błąd. Musi jednak poczuć ból, to nauczy ją ostrożności.

Co by tu wymyślić?

Siedząca przy stoliku obok kobieta znowu się do niego uśmiechnęła. Muszę kogoś ukarać, zwrócił się do niej w duchu. Pewną arogancką policjantkę. Co pani proponuje?

Nie, z pewnością nie doradziłaby mu niczego sensownego, ale miał niezłą frajdę, snując takie rozważania. Wziął swoją filiżankę, przeszedł do sąsiedniego stolika, przedstawił się uśmiechniętej kobiecie.

ROZDZIAŁ DWUDZIESTY DZIEWIĄTY

Wtorek, 14. marca 2006
godz. 16.30

Amerykańskie Stowarzyszenie Chorych na Białaczkę urządzało wiosną targi, z których dochody przeznaczano na walkę z tą chorobą. Odbywały się one na terenie Muzeum Miejskiego w Rockford, gdzie ustawiano na ten czas stoiska z jedzeniem, organizowano różne pokazy, a także aukcje. Kitt zawsze tam chodziła, chociaż wzmagało to tylko jej wyrzuty sumienia i ból. Jednak przede wszystkim zależało jej na tym, żeby pomóc chorym dzieciom.

W tym roku po raz pierwszy miała tam pójść sama. Wcześniej zawsze towarzyszył jej Joe, chociaż już od dwóch lat byli rozwiedzeni. Mimo to coś ich do siebie ciągnęło, zwłaszcza w takich trudnych chwilach.

Jednak w tym roku pewnie wolał przyjść tu z narzeczoną.

Kitt zastanawiała się, czy go spotka. I czy rzeczywiście Valerie będzie mu towarzyszyć.

A może Joe w ogóle się nie zjawi? Może chce definitywnie skończyć z przeszłością?

Powoli przechadzała się po terenie targów. Kupiła bilety na parę pokazów, na które nie zamierzała pójść, kupiła kilka rzeczy, których wcale nie potrzebowała.

Na koniec nabyła też znicze dla Sadie. Jak co roku na terenie targów powstał ogródek poświęcony pamięci tych, którzy przegrali bitwę z białaczką. Do zniczy dołączona była ozdobna karta, na której można było wypisać imię i nazwisko zmarłej osoby.

Kitt napisała „Sadie Marie Lundgren" fioletowym flamastrem, gdyż był to ulubiony kolor córki. Nie mogła zrobić nic więcej, smutek ją dosłownie obezwładniał.

Ogródek znajdował się w największej sali muzeum, był ogrodzony białym płotkiem.

Wiele osób krzywiło się na ten pomysł, lecz Kitt popierała go całym sercem. Przecież wszyscy zebrali się tu po to, żeby choroba pochłonęła jak najmniej ofiar. Jednak to dzięki zmarłym przychodziło tu tylu ludzi.

Kitt podała swoje znicze i kartkę kobiecie pilnującej ogródka i patrzyła, jak ta stawia je między innymi.

Ktoś jeszcze umieścił kartkę z imieniem Sadie.

A więc Joe jednak przyszedł!

Kitt patrzyła ze ściśniętym gardłem na napis: „Naszemu Orzeszkowi Sadie Marie".

Nagle łzy napłynęły jej do oczu. O Boże, jak bardzo brakowało jej córki. I męża.

Brakowało jej rodziny.

– Kitt?

Zdusiła łzy i obejrzała się za siebie. Nie chciała, żeby Joe zobaczył, że płacze. Zwłaszcza jeśli był w towarzystwie Valerie.

– To ty, Joe? – powiedziała sztywno. – Cześć.

Spojrzała na towarzyszącą mu kobietę. Była od niego o co najmniej dziesięć lat młodsza, miała ładne brązowe oczy i włosy.

Narzeczona Joego była niska i przyjemnie zaokrąglona, zaś Kitt przeciwnie, wysoka i koścista. Kitt zaskoczyło to spostrzeżenie, ale właściwie dlaczego? I dlaczego tak bardzo ją to zasmuciło? Być może oczekiwała, że Joe wybierze kogoś podobnego do niej.

– Dzień dobry, jestem Kitt – zdołała wydusić i wyciągnęła dłoń do kobiety.

– Valerie – przedstawiła się tamta. – Dużo o pani słyszałam.

Miała przyjemny głos i wyglądała na szczerą, otwartą osobę. Kitt bardzo to zdenerwowało, bo miło byłoby znaleźć jak najwięcej wad w kobiecie, która zajęła jej miejsce u boku Joego.

Obok stała zaczerwieniona z podniecenia, jasnowłosa dziewczynka. Trzymała w ręce plastikową torebkę, w której pływała złota rybka. Mała mogła mieć dziewięć, góra jedenaście lat. Nagle Kitt zakręciło się w głowie.

Nie wiedziała, że Valerie ma dziecko!

Joe znowu będzie ojcem!

– To moja córka Tami. Tami, to jest porucznik Lundgren.

Dziecko spojrzało na nią, a potem schowało się za matką.

– Przepraszam, jest bardzo nieśmiała. To częściowo z powodu...

Kitt w ogóle jej nie słyszała. Łzy znowu napłynęły jej do oczu. Obróciła się na pięcie i ruszyła pędem do wyjścia.

Valerie miała córkę.

Joe wolał ją od Sadie!

– Kitt, zaczekaj!

Zaczęła biec. Chciała jak najszybciej uciec od Joego i jasnowłosej dziewczynki.

Dogonił ją już na zewnątrz. Chwycił za ramię i zmusił, żeby się zatrzymała.

– Puszczaj!

– Musimy porozmawiać.

– O czym?! O twojej nowej córce?!

– Tami nie jest moją córką.

– Ile ma lat?

Jego mina stanowiła najlepszą odpowiedź.

– Jak mogłeś mi to zrobić?!

– Muszę zacząć nowe życie.

– Z nową rodziną – rzuciła z goryczą.

Złapał ją za drugie ramię.

– Posłuchaj, to nie znaczy, że obrażam w ten sposób pamięć naszej córki. Raczej chcę ją uczcić.

– Puść mnie. Nie zamierzam słuchać twoich usprawiedliwień.

– Sadie wcale nie spodobałaby się nasza rozmowa. A tym bardziej twoje zachowanie. Pomyśl o tym.

Wyszarpnęła mu się, drżąc z oburzenia. Czuła się zdradzona i oszukana.

– Nigdy ci tego nie wybaczę, Joe! Nigdy!

Stali tak długą chwilę, mierząc się wzrokiem. Chciała mu się rzucić w ramiona i z płaczem błagać, żeby nie żenił się z Valerie.

W końcu Joe odsunął się od niej z westchnieniem.

– Przykro mi, Kitt, ale nie mogę... Nie mogę tak dłużej żyć!

Odwrócił się i ruszył do środka. Patrzyła za nim zdruzgotana. Poczuła, że definitywnie straciła męża.

Westchnęła z bólem. Do tej pory łudziła się, że może jednak zdoła go odzyskać.

– To dla pani.

Spojrzała na klauna, który chciał jej dać jeden ze sprzedawanych przez siebie balonów. Jego pomalowana twarz była dziwnie poważna.

Potrząsnęła głową, niezdolna wykrztusić choćby jednego słowa.

On jednak wciskał jej do ręki wielki, różowy balon.

– Żeby już pani nie płakała.

Klaun musiał słyszeć jej rozmowę z Joem. Widział, co się stało. Zrobiło mu się jej żal.

Wzięła niepewnie balon, a on skłonił jej się i po chwili odszedł. Kitt ruszyła nieśpiesznie w stronę parkingu.

ROZDZIAŁ TRZYDZIESTY

Wtorek, 14. marca 2006
godz. 23.00

Obudził ją przenikliwy dzwonek telefonu. Kitt z trudem uniosła powieki, czując, jak pokój kołysze się wraz z nią. Rozejrzała się niepewnie dookoła. Telefon znowu zadzwonił. Sięgnęła po niego, zrzucając coś z szafki nocnej. Szklanka, pomyślała. Pusta szklanka.

Ta, w której miała wódkę.

Podniosła telefon do ucha.

– Te...ek? Tu Lun...ren.

– Kitt? To ja, Danny.

– Danny? – powtórzyła, starając się trochę oprzytomnieć.

Zawaliła sprawę. Uległa słabości i znowu zaczęła pić. Dlaczego jest taką idiotką?

– Nic ci nie jest? – spytał.

– Wszystko w porządku – odparła. – Po prostu mocno spałam. – Chrząknęła i przesunęła się dalej, żeby spojrzeć na zegarek. – Która godzina? Mam wrażenie, że to środek nocy.

– Dopiero koło jedenastej.

Od razu wyczuła, jak bardzo go zawiodła. Na pewno domyślił się, co się stało. Alkoholik zawsze wie, kiedy ktoś zaczyna pić.

– Co się stało? – spytała, starając się nadać głosowi jak najbardziej normalne brzmienie.

Milczał przez chwilę.

– Nic takiego, po prostu o tobie myślałem. Nie rozmawialiśmy od ostatniego spotkania. Ja tylko chciałem się upewnić, że wszystko u ciebie w porządku...

– Jak najbardziej. – Miało to zabrzmieć wesoło, ale wypadło dosyć żałośnie. – To znaczy na tyle, na ile to możliwe.

– Ze względu na drugie małżeństwo twojego męża i śledztwo?

– Właśnie.

Zamknęła oczy i zaczęła się w duchu modlić, żeby nie spytał, czy piła. Nie wiedziała, czy zdobędzie się na to, by wyznać mu prawdę.

– Mogłaś do mnie zadzwonić, Kitt. Albo do kogoś innego z naszej grupy.

– Nie rozumiem, o co ci chodzi.

– Dobrze. – Urwał na chwilę, jakby chciał dać jej czas. – Myślałem, że jesteśmy przyjaciółmi. Zadzwoń do mnie, kiedy będziesz gotowa do rozmowy.

– Danny, za...

Ale on już się rozłączył. Czekała chwilę z aparatem przy uchu. Czuła się fatalnie. Mogła zapomnieć o roku, który udało jej się przeżyć bez alkoholu. Wystarczył jeden dzień, by wszystko diabli wzięli. Wiedziała, że nie wolno jej do tego dopuścić, a jednak... stało się. W dodatku nie tylko zaczęła pić, ale też kłamać.

Upuściła telefon i ukryła twarz w dłoniach. Poczuła, że drżą. Zrobiło jej się niedobrze. Musi natychmiast zadzwonić do Danny'ego. Potrzebuje jego wsparcia, wsparcia całej grupy.

Telefon znowu zadzwonił. Natychmiast sięgnęła po słuchawkę.

– Danny, miałeś rację. Tak mi przykro...

– Danny? Czy powinienem być o kogoś zazdrosny, Kiciu?

Och nie, tylko nie to!

– Czego chcesz? – warknęła.

– Nie jesteś dla mnie zbyt miła.

– A niby czemu miałabym być miła? Straciłam przez ciebie masę czasu.

– Po tym wszystkim, co dla ciebie zrobiłem...

– A co takiego dla mnie zrobiłeś? Masz na myśli ten cholernie zagracony magazyn, w którym będziemy grzebać do końca świata, tracąc cenny czas?

– Może na razie poszukiwania wydają ci się bezowocne, ale powinnaś pokładać we mnie więcej wiary – rzekł ze śmiechem.

– Przede wszystkim wierzę w to, że w końcu złapię ciebie i twojego naśladowcę.

– Naprawdę jesteś dzisiaj w kiepskim humorze. Nie spodobał ci się balon?

Przez chwilę wydawało jej się, że się przesłyszała. Nie, to jednak nie omamy słuchowe. Morderca był na targach.

Czyżby na nią czekał? Czy znał ją aż tak dobrze?

Klaun! O Boże, czyżby tak znajdował ofiary?

– Zaniemówiłaś, Kiciu?

– Idź do diabła! – krzyknęła zirytowana i przerwała połączenie.

Telefon zadzwonił ponownie. Tak jak przypuszczała, to znowu był on.

– Nie rób tego więcej – powiedział nabrzmiałym z wściekłości głosem. – Uważaj, bo inaczej gorzko tego pożałujesz!

Uśmiechnęła się, zadowolona z odniesionego zwycięstwa. A więc chodziło mu o to, by ją terroryzować, by nią manipulować. Chciał wpływać na jej emocje. Nie spodziewał się, że przerwie połączenie. Powoli zyskiwała nad nim przewagę.

Jeśli zapanuje nad emocjami, być może popchnie go do popełnienia błędu. Może powie coś, czego nie powinien zdradzać.

– A co mi zrobisz?

– Lepiej nie pytaj. – Usłyszała trzask zapalniczki i mężczyzna po drugiej stronie zaciągnął się głęboko. – Wiem, gdzie mieszkasz i jak się do ciebie dobrać.

Ręce jej drżały. Przeklinała alkohol, ale zarazem żałowała, że nie może się znowu napić.

– Chyba jednak nie znasz mnie tak dobrze, jak ci się zdaje.

– Jak sobie chcesz. Jeśli dzięki temu poczujesz się lepiej...

– Posłuchaj, mam już dość tego straszenia. Wiesz co, uważam, że jesteś zwykłym głupkiem. Psycholem, który morduje małe, bezbronne dziewczynki, bo boi się zbliżyć do dorosłej kobiety.

Przez moment myślała, że się rozłączy, ale on zaczął tylko szybciej oddychać. Znowu był nieźle wkurzony.

– Popełniałem też inne zbrodnie, słyszysz? Absolutnie doskonałe! I to sam!

– Co, zabiłeś też inne dzieci? – spytała, wstrzymując oddech.

– Nikt nie był w stanie mnie z nimi połączyć!

– Gadaj, czy to były dzieci!

– Spodobał ci się ten balon? Przypomniał ci Sadie? To chyba miło z mojej strony, że ci go dałem.

– Kogo jeszcze zabiłeś? – powtórzyła. – Chcę wiedzieć!

– Śpij dobrze, Kiciu.

Rozłączył się. Zaklęła, bo zapewne znowu nie udało się go namierzyć. Po chwili zadzwonił do niej policjant, który to potwierdził.

Cisnęła telefon na łóżko.

Jasna cholera!

Wstała błyskawicznie, zachwiała się, ale zaraz doszła do siebie. Pobiegła do łazienki, ochlapała twarz zimną wodą. Nogi miała jak z gumy. Ręce jej się trzęsły. Następnie poszła do kuchni i spojrzała na opróżnioną do połowy butelkę wódki, czując, że wzbiera w niej wściekłość. Na siebie. Na Joego. I na tego potwora, który zabijał dzieci.

Chwyciła butelkę i wylała zawartość do zlewu. Następnie odkręciła wodę, żeby usunąć zapach alkoholu. Nie, nikt jej nie pokona. Ani wódka, ani ten psychol, któremu wydaje się, że jest doskonały.

Nastawiła kawę i zaczęła chodzić po kuchni. Powiedział jej, że popełnił też inne zbrodnie. Na pewno chodziło o morderstwa. Ale czy dzieci? Kitt zaczęła w to wątpić. Zabójstwa dzieci były bardzo rzadkie, policja zawsze mobilizowała wszystkie siły. Z całą pewnością nie przeszłyby bez echa.

Kogo zatem zabił?

Ekspres zaczął perkotać. Całe szczęście, bo rozpaczliwie potrzebowała dawki kofeiny. Musiała jak najszybciej pozbyć się z ust kwaśnego smaku alkoholu. Dolała do kawy śmietanki, wsypała sporo cukru, a potem zrobiła sobie kanapkę z masłem orzechowym.

Jedząc i pijąc, zaczęła się zastanawiać, czego dowiedziała się w trakcie rozmowy. A więc morderca był na targach. Utrzymywał nawet, że dał jej balon. Teraz rozpaczliwie usiłowała przypomnieć sobie, jak wyglądał.

Niestety, miał wielki sztuczny nos, który uniemożliwiał zobaczenie prawdziwych rysów twarzy. Klaun był też umalowany, dlatego jego oczy wydawały się zbyt wielkie. Dzięki temu zwróciła uwagę, że są niebieskie. Nie dostrzegła jednak koloru włosów, bo nosił perukę.

Kitt podsumowała swoje rozmyślania. Wiedziała, że mężczyzna był biały i dosyć wysoki, mógł mieć nawet ponad metr osiemdziesiąt. No i jeszcze oczy... To trochę mało.

Co teraz? Spojrzała na zegar. M.C. nie powinna jeszcze spać. A jeśli nawet, to szybko się obudzi.

Wróciła do sypialni i wzięła z łóżka przenośny aparat. Szybko wybrała numer koleżanki. M.C. odebrała po drugim dzwonku.

– Nie śpisz? – spytała Kitt.

M.C. wymamrotała coś sennie, zapewne jakieś przekleństwo.

– Mam nadzieję, że to coś poważnego – dodała po chwili.

– Sama ocenisz. Znowu miałam telefon od mordercy. Twierdzi, że zabił też inne osoby i nikt go nigdy nie powiązał z tymi zbrodniami.

Usłyszała, jak koleżanka westchnęła, a potem chyba zaczęła gramolić się z łóżka.

– Czy według ciebie mówił prawdę?

– Nie wiem. Pojadę teraz do pracy i sprawdzę, czy uda mi się coś znaleźć w naszym komputerze.

– Nie, daj spokój. To akurat może poczekać.

– Wiem, ale i tak już nie zasnę. – Kitt chrząknęła. – Jest jeszcze coś, wygląda na to, że miałam z nim dzisiaj bliskie spotkanie trzeciego stopnia.

– No, teraz to mnie zażyłaś! Widziałaś go? – Zamilkła na chwilę. – Wiesz co, i tak jest mi po drodze. Wpadnę po ciebie.

ROZDZIAŁ TRZYDZIESTY PIERWSZY

Środa, 15. marca 2006
godz. 00.05

Kitt rzeczywiście mieszkała dosyć blisko. M.C zaparkowała przed jej domem, wysiadła z explorera i zadzwoniła do drzwi.

Musiała czekać ładnych parę minut, zanim koleżanka jej otworzyła. Kitt miała mokre włosy i była zaczerwieniona od gorącej kąpieli.

– Jesteś szybka – rzekła z uznaniem. – Myślałam, że mam przynajmniej dwadzieścia minut.

– Powinnam była ci powiedzieć, że jestem ubrana. Zdrzemnęłam się na chwilkę na kanapie.

– Nic nie szkodzi. Jestem prawie gotowa. Tylko wysuszę włosy, dobrze?

– Jasne. Czy to zapach kawy?

– Tak, jeszcze sporo zostało. Poczęstuj się. Do kuchni cały czas prosto. Możesz zresztą kierować się zapachem.

M.C. bez problemu odnalazła kuchnię, wyjęła kubek z szafki. Zobaczyła otwartą cukiernicę na stole, a także talerz w zlewie. Ciekawe, kiedy Kitt jadła i piła – po rozmowie z nią czy przed.

M.C. nalała kawy do kubka, a następnie z poczuciem winy wsypała do niej łyżeczkę cukru. Podeszła jeszcze do lodówki i ze zdziwieniem spojrzała na zdobiące ją zdjęcia, przytwierdzone magnesami.

To Sadie i Joe, pomyślała.

Zaczęła przyglądać się zdjęciom. Sadie była naprawdę ślicznym dzieckiem. Miała blond warkoczyki i piękny uśmiech. Joe był bardzo wysoki, też jasnowłosy i mocno zbudowany. Twarz miał opaloną, jakby często przebywał na powietrzu

Wzięła śmietankę i wlała do kawy. Wypiła parę łyków i aż westchnęła z zadowolenia. Słodzik i odtłuszczone mleczko nie mogły się równać z prawdziwym cukrem i śmietanką. Znów podeszła do lodówki i zaczęła przyglądać się zdjęciom. Musiała przyznać, że najbardziej zaskoczyły ją zdjęcia samej Kitt. Trudno ją było poznać, bo była na nich znacznie młodsza. Pogodna i beztroska.

Jak to jest, kiedy się traci najbliższą rodzinę?

M.C. pamiętała śmierć ojca, i to wspomnienie nadal wywoływało w niej ból. Ale przecież Kitt straciła córkę, a potem odszedł od niej mąż. To musiało być dużo gorsze.

– Widzę, że sobie poradziłaś.

M.C. obróciła się gwałtownie, jakby przyłapano ją na gorącym uczynku. Trochę kawy wylało się na dłoń i na podłogę.

Kitt urwała kawałek papierowego ręcznika, podała koleżance.

– Przepraszam, nie chciałam cię przestraszyć.

M.C. umyła rękę, po czym starła kawę z podłogi. Kitt natomiast spojrzała tęsknie w stronę zdjęć.

– Była naprawdę śliczna – powiedziała M.C.

– I bardzo dobra. – Kitt uśmiechnęła się lekko.

– Strasznie mi przykro. To musiało być okropne.

Kitt nie odpowiedziała. Podeszła do zlewu, opłukała talerz i kubek, potem wstawiła naczynia do zmywarki.

– Mówiłaś, że zdrzemnęłaś się tylko na chwilę. A co robiłaś, jeśli mogę zapytać?

M.C. skinęła głową.

– Przeglądałam listę rzeczy z tego magazynu.

– Znalazłaś coś ciekawego?

– Nie, nic. Jest tam wszystko, co tylko można sobie wyobrazić: ubrania, książki, stare kalendarze, nawet manekin, sztuczna choinka, jakieś zapiski. Kosz jest tutaj? – spytała, otwierając drzwiczki pod zlewem.

– Nie, ja sa...

Od razu zauważyła pustą butelkę po wódce, która leżała na wierzchu. Był to popularny, tani gatunek.

Właśnie coś takiego kupiłby alkoholik.

M.C. patrzyła na butelkę i powoli zaczęło do niej docierać, co to oznacza. Właśnie tego się obawiała. A zatem nie może do końca ufać Kitt, musi na nią uważać. Dała się nabrać na jej zapewnienia, że wszystko jest w porządku.

Czy to pierwszy raz, czy może piła już wcześniej?

A co to za różnica?

M.C. wyrzuciła mokry papier do kosza i wyjęła butelkę.

– Skąd się to tutaj wzięło? – spytała wściekła.

Koleżanka patrzyła z przerażeniem na dowód swojej winy.

– Do licha, zaczęłaś pić!

– Zaraz wszystko ci wyjaśnię.

M.C. pokręciła głową.

– Tego nie można wyjaśnić. Jesteś alkoholiczką. Nie wolno ci nawet wąchać alkoholu!

– Tak, wiem. – Wyciągnęła ku niej rękę. – Ale posłuchaj...

– Będę musiała powiedzieć o tym Salowi.

– To już się nie powtórzy. Przysięgam.

– Nie możesz tego obiecać, a ja nie pozwolę, żebyś zawaliła śledztwo.

– Sal mnie zawiesi, a ta praca... to wszystko, co mi zostało.

– Powinnaś była o tym pamiętać, zanim zaczęłaś imprezować.

Kitt pokręciła głową.

– To nie tak. Mogę ci wszystko wytłumaczyć...

– Nasza współpraca jest skończona!

– Joe znowu się żeni – powiedziała płaczliwie. – Ta... ta kobieta ma córkę w wieku Sadie. Właśnie dzisiaj się o tym dowiedziałam. Będzie miał wszystko, co ja... – Słowa nie chciały jej przejść przez gardło.

M.C. domyśliła się, o co chodzi. Będzie miał wszystko, co ja straciłam... M.C. poczuła ukłucie w sercu. Było jej smutno z powodu Kitt, ale nie mogła dopuścić, żeby koleżanka zawaliła śledztwo. Musiała zachowywać się odpowiedzialnie.

Kitt podeszła do stołu, opadła na krzesło, ukryła twarz w dłoniach.

– Po prostu nie chciało mi się pomieścić w głowie, że mógł to zrobić. Że mógł w ten sposób zastąpić mnie i Sadie.

M.C. wahała się przez chwilę, a następnie odstawiła butelkę na blat i podeszła do koleżanki.

– Opowiedz mi o wszystkim – poprosiła, siadając obok. – Ja cię wysłucham.

– Byłam na targach, z których dochód przeznaczony jest na leczenie białaczki – zaczęła. – Chodziliśmy tam co roku, ale tym razem Joe przyprowadził swoją narzeczoną. N... nie uprzedził mnie, że ona ma dziecko... – Kitt otarła łzy. – Poczułam się zdradzona i chciałam uciec. Ale Joe dogonił mnie na dworze, pokłóciliśmy się... Byłam wściekła. Po drodze wstąpiłam do sklepu i niewiele myśląc, kupiłam wódkę. Wypiłam połowę...

Przełknęła ślinę i spojrzała przed siebie.

– Tak właśnie robiłam po śmierci Sadie. Piłam, żeby zagłuszyć poczucie obezwładniającej pustki. I stłumić ból.

Kitt zacisnęła dłonie w pięści.

– Czy wiesz, że przedtem prawie wcale nie piłam? Czasami coś na imprezie... W moim domu rodzinnym w ogóle nie było alkoholu. Dziadek ze strony ojca był alkoholikiem i rodzice dmuchali na zimne. Nigdy nie widziałam, żeby ojciec coś pił.

Rysy Kitt wyostrzyły się nagle.

– A potem zadzwonił morderca. Rozpierała go duma, bo też był na tych targach.

– Wiesz to od niego?

– Tak.

Kitt na chwilę zamilkła.

– Dał mi różowy balon. – Opisała całą scenę.
– Spytał mnie przez telefon, czy mi się spodobał.
Klaun. Czy tak właśnie wybierał ofiary?

M.C. wstała.

– Czy powiedział coś jeszcze?

– Że popełnił też inne zbrodnie i że nikt nie był w stanie go z nimi powiązać.

– Ale nic więcej na temat waszego spotkania?

– Nie. – Kitt zacisnęła dłonie. – Nie piłam od roku, M.C. To pierwszy i ostatni raz.

M.C. nie wiedziała zbyt wiele na temat alkoholizmu. Na szczęście nikt w jej rodzinie nie miał pociągu do mocniejszych trunków, a wino pijało się tylko do posiłków. Wiedziała jednak, że jest to choroba w pewnym stopniu dziedziczna, która wymaga specjalistycznego leczenia. Sama silna wola niestety nie wystarczy.

Czy powinna dać Kitt jeszcze jedną szansę? Czy może sobie na to pozwolić?

Cholera, wcale nie chciała podejmować takich trudnych decyzji!

– Dobrze, dam ci jeszcze jedną szansę – usłyszała własne słowa. – Ale następnym razem od razu pójdę do szefa.

Ledwie to powiedziała, zaczęła się zastanawiać, czy nie popełnia błędu. Na tyle poważnego, że może przypłacić to życiem.

ROZDZIAŁ TRZYDZIESTY DRUGI

Środa, 15. marca 2006
godz. 3.30

Ten Drugi wcale nie był zadowolony. Wpadł w złość i zaczął go karać.

Spojrzał w lustro nad umywalką w łazience; powoli zachodziło mgłą. Wytarł je dłonią, przyjrzał się swemu odbiciu. Dlaczego mu to robi? Przecież zawsze stanowili jedność. Zawsze działali razem. Tak było, od kiedy pamiętał.

Nie dwóch, ale jeden.

Ukrył twarz w drżących dłoniach. Czy nie wycierpiał już wystarczająco dużo? Od dawna nie mógł spać. Kiedy tylko zamykał oczy, widział twarz ostatniego aniołka. Męczyło go to i w dzień, i w nocy.

Straszne, potworne.

To on uczynił z tej dziewczynki bestię.

Bestia. Tak właśnie nazywał Tego Drugiego, kiedy tamten go nie słyszał.

Tym właśnie był. Bestią. Bestią i brutalem.

Poczuł gniew i odradzający się bunt. Jak śmiał tak go łajać? W dodatku nawet nie spytał o pozwolenie na rozmowę z tą policjantką. Jak mógł dzwonić do niej, zdradzać jej ważne informacje?

Nie, jasne, że nie spytał. Nawet nie przyszło mu to do głowy.

A kto właściwie ustalił, że to właśnie on ma odpowiadać za ich losy?

Sukinsyn! Cholerny skurwiel!

Opuścił ręce i nagle coś zamajaczyło w zamglonym lustrze. Obrócił się gwałtownie.

Nie, był sam w łazience. Zamknął za sobą drzwi, ale nie na zasuwkę. To nie byłby pierwszy raz, kiedy tamten wślizgiwał się do jego mieszkania, żeby go szpiegować.

A co z aniołkami? Być może ten ostatni został zesłany, by zemścić się za wszystkie poprzednie?

Opadł na podłogę, czując chłód terakoty na nagim ciele. Przesunął się w stronę ściany, aż w końcu usiadł skulony w kącie. Wbił wzrok w drzwi.

Sekundy mijały wolno, a on czekał z bijącym sercem. W końcu oczy zaczęły go piec, więc zamknął je na chwilę. Natychmiast zobaczył wykrzywioną strachem twarz. Zaczął jęczeć, wciskając się coraz bardziej w kąt.

Musi się pozbyć tego obrazu. Tylko jak? Jak to zrobić?

Musi znaleźć kolejnego aniołka. Spokojnego, śpiącego...

A Ten Drugi nie ma prawa się wściekać.

ROZDZIAŁ TRZYDZIESTY TRZECI

Środa, 15. marca 2006
godz. 18.00

M.C. nie przyznałaby się do tego nikomu, ale była wielkim tchórzem. Przynajmniej jeśli chodziło o jej matkę. Gdyby miała choć trochę odwagi, zaraz by do niej zadzwoniła i powiedziała, że nie przyjedzie na kolację, bo umówiła się dzisiaj na randkę.

A potem poradziłaby sobie bez najmniejszych problemów z pytaniami, którymi matka niewątpliwie by ją zasypała.

Ona jednak wybrała najbardziej tchórzliwe wyjście i postanowiła poprosić brata o przekazanie tej wiadomości.

Michael miał ostatniego pacjenta o godzinie piątej, wracał do domu za piętnaście szósta. Zawsze żartowała, że można według niego nastawiać zegarek. Potrafił też odpowiednio wytresować swoich pacjentów, by zawsze stawiali się na wizyty punktualnie.

Mieszkał w pięknej willowej dzielnicy Churchill Grove. Kupił tam stylowy dom, zbudowany w latach dwudziestych, i stopniowo go odnawiał.

Weszła po wielkich schodach i zadzwoniła do drzwi. Otworzył jej, trzymając w lewej dłoni pucharek z lodami.

– Zobaczysz, że utyjesz – powiedziała po tym, jak ucałował ją w policzek na powitanie.

– Chcesz trochę? Czekoladowe, z pełnotłustego mleka.

– Sam będziesz pełny i tłusty – rzuciła. – Znowu nie jadłeś lunchu?

– Niestety. – Zamknął drzwi i poprowadził ją do kuchni.

W mieszkaniu pachniało cytrynowym środkiem czyszczącym.

– Miałeś dziś sprzątanie?

– Tak, nareszcie.

Dotarli do odnowionego pomieszczenia. M.C. szczególnie podobały się czarno-białe posadzki i stylowe blaty.

Brat włożył pucharek do zamrażalnika i spojrzał na nią.

– Bardzo się cieszę, że odwiedziła mnie moja ulubiona siostra.

Co miało znaczyć: wiem, że zaraz o coś poprosisz. Gadaj.

– Nie masz więcej sióstr, Michael.

– Ale i tak jesteś moją ulubioną. Napijesz się piwa?

– Z przyjemnością.

Podszedł do lodówki i wyjął butelkę corony. Otworzył ją, a następnie podał „ulubionej siostrze". Wziął też drugą dla siebie.

– Piwo po lodach? Michael, daj spokój...

– Nigdy nie próbowałaś? Sama nie wiesz, co tracisz. A jak tam twoje dochodzenie?

– Mam z tym masę roboty.

– Widziałem w telewizji twoją nową partnerkę.

– Kitt Lundgren? To ona teraz prowadzi sprawę. Ja tylko pomagam.

– Bardzo mi przykro.

M.C. wzruszyła ramionami i wypiła trochę piwa.

– Tego wymaga dobro śledztwa, nie ma w tym niczyjej winy. Jakoś to przeżyję.

Stali przez chwilę w milczeniu. Brat najwyraźniej czekał, aż zdradzi mu powód swojej wizyty. Obawiała się jednak, że kiedy mu powie, Michael zasypie ją gradem pytań.

Jej rodzina miała talent do przesłuchań.

– Nie mogę dzisiaj przyjść na kolację. Proszę, byś przekazał to mamie.

– Nic z tego, Mary Catherine. Wiesz, co się będzie działo.

– Powiedz jej, że mam randkę.

– Naprawdę? Nie lubię kłamać.

Doskonale znała go od tej strony. Skarżył na nią i donosił już jako dziecko.

– Naprawdę. – M.C. położyła dłoń na piersi.

– Z facetem?

Pchnęła go lekko w bok.

– O ile zdołałam się zorientować.

– Wobec tego przyjdźcie razem. Mama na pewno bardzo się ucieszy.

– Nie wątpię, ale wiesz, bardzo go lubię i nie chciałabym go spłoszyć.

– Opowiesz mi o nim?

– Jeszcze nie.

– No to jak się nazywa?

M.C. rozłożyła ręce.

– Bardzo mi przykro.

– Przynajmniej powiedz, czy ma włoskie nazwisko. Tylko tyle. Żebym mógł uspokoić mamę.

– O, tak. Nazwisko ma włoskie – potwierdziła i roześmiała się, zadowolona, że nie musi kłamać.

Przypomniała sobie występy Lance'a i jeszcze bardziej zachciało jej się śmiać. Nie mogła jednak tego zrobić, bo brat nabrałby podejrzeń.

– To poważne?

– Jeszcze nie wiem. Zobaczymy.

Michael wydął usta.

– Rzadko umawiasz się z facetami, więc lepiej uważaj.

Przypomniała sobie Lance'a, który kompletnie zagubiony rozglądał się po holu posterunku.

– Nie zapominaj, że pracuję w policji, Michael. Potrafię się bronić. Mam czarny pas karate i zawsze noszę glocka. Nie musisz się o mnie martwić.

Brat nawet się nie uśmiechnął.

– Doskonale wiesz, że w pewnych sytuacjach nie pomoże ci nawet karate.

M.C. pociągnęła nosem, czując, że zbiera jej się na płacz.

– To takie miłe z twojej strony, Michael. Ja też cię bardzo kocham.

Brat miał rację, rzadko umawiała się z mężczyznami. Tak było już od dawna. Chyba zbytnio skupiła się na buncie przeciwko tak zwanej kobiecości, by zainteresować się płcią przeciwną. W każdym razie nie przejmowała się mężczyznami tak bardzo, jak wiele znanych jej kobiet.

A może właśnie była zbyt mało kobieca, by mężczyźni zwracali na nią uwagę?

Mimo że jej doświadczenia w tym względzie były skromne, nie czuła się jak nowicjuszka. W młodości miała paru chłopaków, potem spotykała się też z kilkoma mężczyznami, włączając w to Briana.

Kiedy jednak podeszła do księgarni znajdującej się obok parkingu, zaczęły dręczyć ją wątpliwości. Po jakie licho umawiała się z Lance'em? Powinna raczej siedzieć w pracy i pomagać Kitt, która niestrudzenie przeglądała papiery i zapisy w komputerze. Czyżby nie umiała się oprzeć zabawnym facetom? O czym to świadczy?

Umówili się w kawiarni, która była jednocześnie księgarnią. Był to dobry wybór, Lance od razu zdobył u niej kilka punktów, kiedy to zaproponował. Nie miała ochoty na knajpy i głośne, podpite towarzystwo.

Weszła do części z książkami, która wydała jej się dziwnie zatłoczona jak na środowe popołudnie, i przeszła do części kawiarnianej. Lance już tam był. Wybrał taki stolik, żeby mogła go od razu dostrzec.

Wstał na jej widok i pomachał ręką. M.C. uśmiechnęła się i ruszyła w jego stronę.

– Cześć. Przepraszam za spóźnienie.

– Nie ma sprawy.

Podsunął jej krzesło i ten staroświecki gest bardzo ją zaskoczył.

– Musiałam wpaść do brata i poprosić, by przekazał mamie, że nie mogę przyjść na kolację.

– Mamie?

– Mhm – przyznała niechętnie. – Spotykamy się u niej wszyscy w każdą środę.

– A więc poświęciłaś dla mnie rodzinną kolację? Bardzo mi przykro. Mogłaś powiedzieć, że jesteś zajęta.

– Prawdę mówiąc, wolałam przyjść tutaj...

– Jeśli chcesz, umówimy się kiedy indziej...

M.C. uśmiechnęła się do niego.

– Michael proponował nawet, byśmy przyszli razem. Michael to mój brat – dodała, widząc jego zdziwienie.

– Chętnie się z tobą wybiorę.

– Nie wiesz, na co się porywasz. Nie życzyłabym tego najgorszemu wrogowi.

– No to przynajmniej miałbym materiał do następnego monologu – zauważył.

– Nawet dziesięciu. Ale poza tym mogłabym cię już nigdy więcej nie zobaczyć. Żaden z moich chłopaków nie przetrzymał próby rodzinnej kolacji w moim domu.

– Zatem musisz mi o tym opowiedzieć – poprosił szczerze zainteresowany.

M.C. roześmiała się i skinęła głową.

– Niech będzie.

Naprawdę świetnie im się rozmawiało. Ona opowiadała o wszystkich członkach swojej rodziny, a on to komentował, czasami zmuszając ją do tego, żeby spojrzała na pewne sytuacje z innego punktu widzenia. Ani się obejrzała, kiedy obsługa poinformowała ich, że zamykają.

Oboje wstali i ruszyli niechętnie do wyjścia. Noc była ciepła i wyjątkowo ciemna. Lance odprowadził M.C. do samochodu.

– To było bardzo miłe spotkanie – powiedziała.

– Dawno się tak nie ubawiłam.

– Cieszę się. Szkoda, że już zamykają.

– Ja też żałuję – przyznała.

– Nie zastrzelisz mnie, jeśli cię pocałuję?

– Zastrzelę, jeśli tego nie zrobisz.

Cóż, nie miał wyboru. Zrobił to czule i delikatnie, a kiedy ją puścił, M.C. poczuła, jak bardzo drżą jej kolana.

– Nie jesteś głodna? Przecież nie jadłaś kolacji.

Zupełnie o tym zapomniała.

– Jeszcze jak.

– Możemy pójść do mojego ulubionego baru. Mam też pizzę Mama Riggio w lodówce.

– To produkt moich braci – wyjaśniła.

– Więc może jednak wybierzesz rodzinną kolację? – zapytał ze śmiechem. – Pizza jest naprawdę świetna.

M.C. zawahała się. Doskonale wiedziała, czego powinna się wystrzegać, jednak dzisiaj pragnęła o tym zapomnieć.

– Niech będzie pizza. W końcu rodzina jest najważniejsza.

ROZDZIAŁ TRZYDZIESTY CZWARTY

Środa, 15. marca 2006
godz. 21.30

Kitt siedziała sama przy komputerze. M.C. wyszła z pracy parę godzin wcześniej, bo umówiła się na randkę. Z „zabawnym facetem", jak go określiła. Większość osób wyszła dzisiaj o czasie, czyli o szóstej trzydzieści. Zwykle w środy nie działo się nic szczególnego, więc nie było sensu przesiadywać po godzinach.

Poświęciły z M.C. większą część dnia na przejrzenie wielu zamkniętych spraw. Zaczęły od 2001 roku, kiedy to Morderca Śpiących Aniołków uderzył po raz pierwszy, i szukały aż do ostatnich miesięcy.

Nic jednak nie zwróciło ich uwagi. Nierozwiązane sprawy to zazwyczaj porachunki gangów, zabójstwa prostytutek, zabójstwa osób o nieustalonej tożsamości, na ogół bezdomnych. Nic z tego, co przeglądały, nie pasowało do seryjnego mordercy. Nic też nie odpowiadało jego sposobowi działania.

Właśnie dlatego Kitt zdecydowała się przejrzeć materiały z poprzednich lat. Przyszło jej do głowy,

217

że być może morderca chciał się przed nią pochwalić wcześniejszymi zbrodniami.

Kitt spojrzała na zegar. Bolała ją szyja, ramiona i plecy. Oczy piekły niemiłosiernie.

Chciała już wrócić do domu.

Tylko po co? Żeby pooglądać telewizję? Nie mogła nawet zajrzeć do jakiegoś baru uczęszczanego przez kolegów, bo nie miała na tyle silnej woli. Ktoś namówiłby ją na drinka, może nie umiałaby odmówić...

Znowu spojrzała na ekran. Jeszcze pół godziny, potem da sobie spokój. Przy odrobinie szczęścia będzie tak wyczerpana, że od razu zwali się do łóżka i zaśnie. W razie czego zawsze ma te tabletki na sen, które dostała od lekarza.

Spojrzała na kolejny wpis. Trzeci kwietnia 1999 roku. Marguerite Lindz. Osiemdziesiąt dwa lata. Pobita ze skutkiem śmiertelnym.

Kitt zmarszczyła brwi. To była druga staruszka zakatowana na śmierć. O pierwszej czytała parę minut wcześniej.

Zaczęła przeglądać kolejne strony, aż w końcu znalazła tę, o którą jej chodziło. Szóstego lutego 1999 roku. Rose McGuire. Siedemdziesiąt dziewięć lat. Pobita ze skutkiem śmiertelnym.

Wzięła głęboki oddech, starając się powstrzymać podniecenie. Niewielki związek z morderstwami dzieci. Czy istniało prawdopodobieństwo, że sprawcą był ten sam człowiek?

Zaczęła przeglądać kolejne strony i znalazła jeszcze jedną starszą osobę. Janet Olsen. Zabito ją dokładnie tak samo jak poprzednie.

Trzy staruszki. Mogło być ich więcej, chociaż instynkt podpowiadał jej, że to wszystko. Zaczęła więc poszukiwania ogólnokrajowe, a kiedy program szukał odpowiednich danych, poszła po papiery tych trzech spraw. Wracając, kupiła w automacie dietetyczną colę i rogalik. Natychmiast rozerwała celofan i włożyła rogalik do ust.

W końcu położyła papiery na biurku i zaczęła wolno przeżuwać. Jednocześnie spojrzała na opakowanie od rogalika: utwardzone tłuszcze roślinne, barwniki, aromat identyczny z naturalnym. M.C. miała rację. Nie powinna jeść tego świństwa. Pełno w nim tłuszczu i skrobi, za to zero białka.

Ugryzła jeszcze kęs. Od jutra zacznę się zdrowo odżywiać, postanowiła.

Wróciła do komputera i spojrzała na ekran. Wyszukiwanie zostało zakończone, ale nie znaleziono żadnych podobnych przypadków.

To znaczyło, że były tylko trzy takie morderstwa. Tak jak w przypadku śpiących dziewczynek.

Kitt usiadła przy biurku i zaczęła przeglądać papiery pierwszej ofiary. Janet Olsen. Siedemdziesiąt pięć lat. Pobita na śmierć w swoim własnym domu. Żadnych śladów napastowania seksualnego. Nie stwierdzono też, by coś zginęło.

To samo dotyczyło dwóch pozostałych ofiar. Wszystkim trzem morderca zakleił usta taśmą.

Kitt wypiła parę łyków coli. Prowadzący śledczy stwierdził, że te morderstwa są powiązane, ale nie mógł znaleźć niczego, co łączyłoby ofiary. Na miejscu zbrodni nie znaleziono żadnych śladów, w końcu śledztwo umorzono.

Kitt wyjęła zdjęcia z miejsca przestępstwa. Były nieprzyjemne, pełne krwi. Morderca pobił staruszki tak brutalnie, że miały zupełnie zmasakrowane

twarze. Lśniąca taśma klejąca wyglądała grotes-
kowo na ich zdeformowanych ustach.

A więc zakleił im usta dopiero po śmierci!

Kitt odstawiła colę i spojrzała jeszcze raz na
zdjęcia. Nie mogła się mylić. Mordercy nie chodziło
o to, żeby uciszyć ofiary...

Wstała i zaczęła krążyć po pokoju. Porówny-
wała ze sobą dwa typy morderstw. Staruszki miały usta zaklejone taśmą, dziewczynki – uszmin-
kowane.

Usta! Dlaczego właśnie usta są dla niego takie
ważne?

Kitt wcale się nie dziwiła, że nikt nie doszukał się
związku między tymi dwoma seriami morderstw.
Różnice były zbyt duże, można wręcz powiedzieć
uderzające. Inny sposób uśmiercania ofiar, inna
kategoria wiekowa. Staruszki katował, małe dziewczynki tylko „usypiał”...

Oczywiście istniały też podobieństwa. Dotyczyło
to przede wszystkim liczby ofiar, poza tym we
wszystkich przypadkach morderca zajmował się
ofiarami, a zwłaszcza ich ustami, nigdy też nie
znaleziono absolutnie żadnych śladów na miejscu
przestępstwa.

Nagle coś ją tknęło. Zapisała daty trzech starszych morderstw, a następnie zajrzała do policyjnego kalendarza.

Morderstwa staruszek miały miejsce co osiem
tygodni. Jak w zegarku.

Morderstwa dziewczynek co sześć...

Wyglądało na to, że mają do czynienia z pedan-
tem, w dodatku psychopatycznym tchórzem, który
lubi wyżywać się na słabszych.

Popatrzyła na zdjęcia staruszek, a potem stanęły jej przed oczami zdjęcia dziewczynek. Zacisnęła z wściekłości zęby.

Trzęsąc się ze złości, wzięła komórkę, a następnie teczkę z papierami naśladowcy. Wyjęła z niej listę numerów, spod których dzwonił Orzeszek. Za każdym razem były inne, więc zapewne wyrzucał komórki i zdobywał nowe. Jednak może jeszcze nie zdążył...

Kitt wybrała jego numer pod wpływem impulsu, nie dbając o to, że łamie w ten sposób przepisy. Chciała powiedzieć skurwielowi, co o nim myśli. Wyrzucić z siebie cały nagromadzony gniew.

Po chwili jej życzenia się spełniły.

– Dzwonisz do mnie, Kiciu? Jestem zaszczycony.

– Właśnie siedzę w pracy i podziwiam twoją robotę. Dzwonię, bo muszę ci powiedzieć, że na myśl o tobie chce mi się rzygać.

– Wiem, to boli.

– Małe dziewczynki i staruszki! I z tego jesteś taki cholernie dumny?!

– Więc je znalazłaś... – wyrwało mu się.

To on zabił te kobiety!

– To nie było trudne. Wystarczyło poszukać całkowicie bezbronnych ofiar...

– Uważaj...

– Więc to właśnie robisz? Wyszukujesz ofiary, które nie mogą się bronić... I ty to nazywasz zbrodnią doskonałą?!

– Bo to są zbrodnie doskonałe. Posłuchaj...

Przerwała mu, chociaż wiedziała, że nie powinna tego robić. Było jej wszystko jedno.

– Jesteś żałosny! I ty uważasz się za nieomylnego?

– Ścigacie mnie od lat i nie możecie złapać. Jestem od was lepszy – mówił z gorączkowym pośpiechem. – Imbecyle! Idioci!

– Tchórz! Wybierasz ofiary, które nie mogą się bronić. Małe dziewczynki i staruszki. Kto będzie następny? Kaleki?

– Zamknij się!

– Znęcanie się nad paralitykiem może być nawet zabawne. Taki ani nie ucieknie, ani nie odda. Właśnie to cię kręci, prawda?

– Więc chcesz, żebym wybrał kogoś zdrowego i sprawnego? – spytał drżącym głosem.

– Tak, choćby mnie. No co, podejmiesz grę?

– Kto wie... – urwał na chwilę. – Chciałabyś, żebym to zrobił, co? Nie zależy ci na życiu...

Kitt chętnie przyznałaby mu rację, ale oczywiście nie mogła tego zrobić.

– Najwyraźniej wolisz zabijać bezbronnych...

– No, nieźle. Prawie ci się udało mnie rozzłościć – powiedział, a w jego głosie pojawiło się rozbawienie. – Prawdę mówiąc, byłoby lepiej dla ciebie, gdybyś nie żyła. Nie masz już męża ani dziecka... Nie masz nic...

– Nie, mam misję do spełnienia. Chcę cię zobaczyć za kratkami.

– Nie, Kiciu. Tak naprawdę zależy ci na tych dziewczynkach...

Miał rację. Cholera! Teraz to on był górą.

– Na pewno spodoba ci się w więzieniu. Inni więźniowie wprost przepadają za mordercami dzieci. Na każdym kroku dają im dowody swojej sympatii – szydziła.

On jednak nie połknął przynęty.

– Może jednak powinienem podjąć grę. W twoim świecie pojawiła się pewna mała dziewczynka, za którą nie przepadasz. Czy zdecydujesz się ją chronić? – zawiesił głos.

Kitt poczuła, że ma gęsią skórkę.

– Powiedz, kto zabija te dziewczynki, ty skurwielu! Gadaj albo rozerwę cię na strzępy!

Zaśmiał się uradowany.

– Dzięki za telefon. Bardzo lubię z tobą rozmawiać. No i uważaj na te dziewczynki, nie spuszczaj ich z oka.

– Ty skurwysynu! Zobaczysz, jak cię dorwę...

– Na razie. Zadzwoń jeszcze kiedyś.

ROZDZIAŁ TRZYDZIESTY PIĄTY

Czwartek, 16. marca 2006
godz. 9.00

M.C. siedziała przy biurku i patrzyła w przestrzeń, myśląc o wczorajszym spotkaniu z Lance'em. Przespała się z nim! I to na pierwszej randce! Na miłość boską, czyżby postradała rozum?

Nie, nawet nie miała czasu tego przemyśleć. Lance ją zaskoczył. Można powiedzieć, że zdobył ją przebojem. Był tak zabawny i miły, że nie potrafiła mu się oprzeć.

M.C. skrzyżowała nogi, przypominając sobie wczorajszą noc. Nigdy nie przypuszczała, że można jednocześnie śmiać się i mieć orgazm. I że jest to takie przyjemne. Niczym eksplozja, która pobudza wszystkie zmysły. Lance drażnił się z nią potem trochę z powodu jej zachowania, ale nie robił tego złośliwie, po prostu żartował.

– Znalazłam je.

M.C. spojrzała na koleżankę, powoli wracając do rzeczywistości. Kitt stała obok, przyciskając do piersi parę teczek.

– Co się stało? – spytała. – Okropnie wyglądasz.

– Nie spałam całą noc – wyjaśniła Kitt.

– W ogóle?

Koleżanka potrząsnęła głową.

– Nieważne. Znalazłam inne ofiary Mordercy Śpiących Aniołków.

M.C. dopiero teraz zainteresowała się papierami. Najchętniej wyrwałaby je Kitt i od razu zaczęła przeglądać.

– Jesteś pewna?

– Całkowicie.

– Dzieci?

– Nie, sama zobacz. – Kitt podała jej teczki.

M.C. otworzyła pierwszą i zaczęła czytać, a w tym czasie Kitt krążyła po pokoju.

– Chyba się mylisz, sposób działania jest zupełnie inny – powiedziała M.C., kręcąc głową.

– Na początku też tak myślałam, ale zwróć uwagę na zbieżności.

– Powinnaś się była przespać.

– To nie ma znaczenia. Posłuchaj, mamy tu trzy morderstwa, tak jak przy sprawie Śpiących Aniołków. Poza tym to jakby gra przeciwieństw.

– To znaczy? – spytała zaintrygowana M.C.

– Sama pomyśl. Stare – młode, brzydkie – piękne, zabite we śnie – brutalnie pobite... Zabijał staruszki dokładnie co osiem tygodni, a dziewczynki co sześć. No i jeszcze ta taśma, którą zaklejał ofiarom usta po śmierci. Dziewczynkom malował usta!

– Po śmierci? – powtórzyła M.C. – Ciekawe. Warto się tym zająć.

Kitt oparła się o jej biurko i spojrzała na nią z góry.

– To on. Przyznał się do tego.

– Dzwonił do ciebie?

– Wiedziałam, zanim mi o tym powiedział – mruknęła Kitt. – To prawda, ofiary bardzo się różnią, ale widać tu ten sam sposób działania, ten sam chory umysł.

M.C. zmrużyła oczy.

– Pytałam, czy do ciebie dzwonił.

– Myślałam o Sydneyu Dale'u – ciągnęła Kitt. – Chętnie bym z nim znowu pogadała. Może złożymy mu jeszcze jedną wizytę, dobrze? Zobaczymy, czy uda nam się coś z niego wyciągnąć.

M.C. odchyliła się na oparcie krzesła. Kitt najwyraźniej unikała pytań na temat swojej rozmowy z mordercą, za to bardzo chciała wyjść z pracy. Ciekawe dlaczego?

Postanowiła nie drążyć na razie tego tematu.

– Sprawdziłam Dale'a w naszym komputerze. Jest czysty.

Kitt pokręciła głową.

– Trudno, żeby ktoś doszedł do takiego majątku i nie pobrudził sobie rąk – stwierdziła.

– To prawda, ale w tym przypadku brakuje nam dowodów.

– Nie ufam mu. Choćby dlatego, że zatrudnił Todda, a potem próbował nas oszukać. Dlaczego?

– Po prostu się przestraszył, kiedy okazało się, że Todd siedział za pedofilię. Nic o tym nie wiedział.

Kitt przysiadła na krawędzi biurka.

– A jeśli o tym wiedział i mimo to go zatrudnił?

M.C. domyśliła się, do czego zmierza koleżanka, i wyciągnęła rękę.

– Daj spokój! Myślisz, że Dale mógł zatrudnić Todda, żeby odwrócić od siebie podejrzenia? Na wypadek, gdyby udało nam się połączyć ze sobą te morderstwa?

– Właśnie, znalazł sobie kozła ofiarnego. To sposób stary jak świat. Nie podoba ci się moja hipoteza!

– Dale jest poważanym obywatelem i biznesmenem. Pewnie uchodzi za dobrego parafianina...

– Tak jak Ted Bundy. I Dennis Rader – zaczęła wymieniać seryjnych morderców, którzy cieszyli się dużym szacunkiem w swoim środowisku. – Pamiętaj, nasz facet jest sprytny i potrafi kłamać. Warto ponownie porozmawiać z Dale'em.

– Czy Schmidt znalazł coś w „Fun Zone"?

– Nie.

M.C. spojrzała na koleżankę. Miała jej wiele do zarzucenia, jednak zapał Kitt był zaraźliwy. Cóż, ona też chciałaby popchnąć śledztwo do przodu.

– Jesteś zmęczona – zauważyła. – I chyba wypiłaś za dużo kawy.

– Czy to przestępstwo?

– Nie. Ja też potrzebuję kofeiny. – Podeszła do ekspresu. – Zaraz jedziemy.

M.C. zaproponowała, że poprowadzi, i Kitt przyjęła tę propozycję z ledwie ukrywaną ulgą. Przeszły więc do terenówki M.C., która stała na podziemnym parkingu, i ruszyły w drogę.

– Jesteśmy same, możesz mi już powiedzieć – rzuciła M.C.

Kitt od razu domyśliła się, o co jej chodzi.

– To nie on do mnie dzwonił, ale ja do niego. Z mojej komórki.

Urwała, wiedząc, że M.C. musi przetrawić tę informację.

– Jak tego dokonałaś? – spytała.

– Po prostu wybrałam ostatni numer, z którego dzwonił – oparła Kitt.

M.C. zamilkła. To było bardzo ryzykowne posunięcie, o trudnych do przewidzenia konsekwencjach. W najlepszym przypadku Kitt dostałaby naganę.

– Czy ten telefon przeszedł przez Centralne Biuro Śledcze?

– Nie.

– Ktoś przy tym był?

– Nie.

Światła się zmieniły i M.C. ruszyła powoli.

– Więc ta rozmowa nie jest zarejestrowana?

– Niestety – odparła z westchnieniem Kitt.

– Do licha, dobrze wiesz, że to niezgodne z przepisami! A w dodatku musimy teraz polegać wyłącznie na twojej pamięci! Co ty sobie wyobrażasz?

– Prawdę mówiąc, zrobiłam to pod wpływem emocji. Zobaczyłam zdjęcia tych staruszek i wpadłam we wściekłość. Postanowiłam zaryzykować i... opłaciło się.

– Cholera! – warknęła M.C. – No dobra, co jeszcze ci powiedział?

– Niewiele, ale chyba już wiem, co go kręci...

– Czyli nie pozyskałaś żadnej konkretnej informacji!

– Wiem, co zrobić, żeby ze mną dłużej rozmawiał. Mogę spróbować raz jeszcze...

M.C. pokręciła głową.

– Oby ci się udało. – Spojrzała na nią podejrzliwie. – Piłaś?

– Nie, ani kropli. Przecież ci przysięgłam.

M.C. zrozumiała, że Kitt chce dotrzymać przysięgi. Nie wiedziała tylko, czy na pewno jej się uda. Skoro nie umiała trzymać na wodzy emocji...

– Ma obsesję na punkcie zbrodni doskonałych – dodała po chwili Kitt. – I jest z nich bardzo dumny.

Tak, tylko z kolei Kitt miała obsesję na jego punkcie. Zaczęła traktować śledztwo jak prywatną rozgrywkę, a to było wyjątkowo niebezpieczne. Łatwo się potknąć, a nawet stoczyć.

M.C. zatrzymała się na kolejnych światłach.

– Bierzesz to za bardzo do siebie!

– Mam do tego dystans...

– Czy aby na pewno?

Kitt oblała się rumieńcem.

– Udało mi się go sprowokować. Oskarżyłam go o to, że jest tchórzem i powiedziałam, żeby poszukał sobie silniejszej ofiary.

Ktoś z tyłu zatrąbił. M.C. zauważyła, że zapaliło się zielone światło, i ruszyła z piskiem opon.

– Miałaś na myśli siebie?

– Tak.

– Połknął przynętę?

Wahała się przez chwilę, a potem potrząsnęła głową.

– Nie. Tylko się rozzłościł. Twierdził, że do zbrodni doskonałej musi mieć doskonałą ofiarę.

– Chodzi o to, że nie kieruje się w ich doborze emocjami?

– Tak uważa. – Pochyliła się w stronę koleżanki. – Żaden seryjny morderca nie zabija dla intelektualnej satysfakcji. Chodzi tylko o to, żeby odkryć jego motywy.

M.C. skręciła w Riverside Drive, która prowadziła do Brandywine Estates.

– Dobrze. Wkurzyłaś go. Przyparłaś do muru, a on zaczął ci grozić. Co powiedział?

– Skąd wiesz, że mi groził?

– To naturalna reakcja.

Kitt milczała przez chwilę.

– Groził, że zabije dziewczynkę, z którą jestem emocjonalnie związana – mruknęła. – Trafił jak kulą w płot, bo w moim życiu nie ma nikogo takiego...

Zajechały przed dom Sydneya Dale'a i M.C. się zatrzymała. Nie wysiadła jednak, tylko spojrzała na koleżankę.

– Powiedziałaś, że wiesz już, co go kręci, ale on również dowiedział się sporo na twój temat. To bardzo niebezpieczne, Kitt.

ROZDZIAŁ TRZYDZIESTY SZÓSTY

Czwartek, 16. marca 2006
godz. 10.10

Sydneya Dale'a nie było w domu. Zastały za to jego ładną i znacznie od niego młodszą żonę. Kiedy im otworzyła, wciąż miała na sobie jedwabną piżamę. Skierowała je do biura męża w Strathmore Professional Complex przy Mulford Road.

Już miały odchodzić, ale Kitt spojrzała jeszcze na nią i spytała:

– Co może nam pani powiedzieć o Derricku Toddzie?

W jej oczach pojawił się jakiś dziwny błysk.

– O kim?

– Pracował u państwa parę lat temu. Zajmował się ogrodem i basenem.

Kobieta pokręciła głową.

– Wyszłam za Sydneya niedawno – odparła i ziewnęła. – Musiałybyście panie zapytać jego poprzednią żonę.

– A gdzie możemy ją znaleźć?

– Nie mam pojęcia. Sydney będzie wiedział.

Wsiadły do samochodu i Kitt spojrzała na koleżankę.

– Jest tak młoda, że musiała być nastolatką, kiedy Todd tu pracował.

M.C. zmarszczyła brwi.

– Ciekawe, ile żon miał ten Dale?

– I czy każda następna była młodsza od poprzedniej...

Resztę drogi odbyły w milczeniu. W końcu zaparkowały koło biurowca i wysiadły.

– Mogę z nim porozmawiać? – spytała Kitt.

M.C. zawahała się, ale w końcu skinęła głową.

– Proszę bardzo, skoro ci zależy...

Sekretarka była młodą i atrakcyjną blondynką, podobnie jak nowa żona Dale'a. Być może tak właśnie je sobie wybierał.

Jak przypuszczały, Dale nie ucieszył się na ich widok.

– Powiedziałem już wszystko, co miałem do powiedzenia w tej sprawie – zaczął obcesowo bez powitania.

– Chciałyśmy zadać panu jeszcze kilka pytań na temat Derricka Todda.

– Ale dlaczego? Przecież go zwolniłem. Nie wiem, co jeszcze mógłbym zrobić.

– Dlaczego zatrudnił pan w sali zabaw dla dzieci człowieka, który siedział za pedofilię?

– Już to wyjaśniłem.

– Tak, ale niezbyt przekonująco.

– Czy mam zadzwonić po prawnika?

– Proszę, jeśli uważa pan to za konieczne. – Kitt zrobiła przerwę, żeby mógł się zastanowić. Kiedy nie sięgnął po słuchawkę, powiedziała: – Chcemy wiedzieć, dlaczego kazał pan kierownikowi zatrudnić Todda bez sprawdzenia jego przeszłości.

Dale rozłożył ręce.

– Nigdy nie wydałem takiego polecenia panu Zubie. Po prostu źle mnie zrozumiał.

– Problem polega na tym, że jego wersja wydarzeń brzmi bardziej przekonująco.

Dale wydął wargi.

– To nie mój problem.

– Obawiam się, że jednak pański – wtrąciła M.C. – Bo jeśli coś podejrzanie wygląda, podejmujemy ten trop. Jesteśmy jak psy gończe, panie Dale.

– Chcecie mnie zastraszyć?

– Skądże. Po prostu informujemy pana o postępach w śledztwie.

– Musimy porozmawiać z pańską byłą żoną – dodała Kitt. – Czy może pan podać nam jej nazwisko i adres?

– Czy to naprawdę konieczne?

– Obawiam się, że tak. – Kitt postukała długopisem w notatnik.

Spojrzał na recepcjonistkę, a potem wskazał swoje biuro. Kiedy tam weszli, zamknął starannie drzwi.

– Dałem Toddowi tę pracę, bo ona kłamała.

– Kto taki, panie Dale?

– Moja córka. To właśnie ona go oskarżyła. Przez nią poszedł siedzieć.

Kitt przypomniała sobie ładną blondynkę w bmw.

– Mówi pan o Sam?

– Nie, o Jennifer. Mieszka z matką.

– Skąd pan wie, że skłamała? – spytała M.C.

– Znalazłem jej pamiętnik. – Skrzywił się z obrzydzeniem i M.C. po raz pierwszy poczuła do niego coś w rodzaju sympatii. – Właśnie rozwodziłem się z jej matką. To był dla nas bardzo trudny okres. Dziewczynki strasznie to przeżywały i Jen wymyśliła całą tę historię, bo miała nadzieję, że to nas powstrzyma. Poza tym nie chciała rozstawać się z Sam.

– Nie udało się?

– Nie. Żona ode mnie odeszła.

– Pańska była żona?

Skinął głową.

– Wiem, co sobie myślicie. – Spojrzał na nie.
– To widać. Ale ja naprawdę kochałem żonę i nie chciałem rozwodu. To ona mnie zostawiła i odeszła z innym.

Kitt nie skomentowała tego, chociaż zrobiło jej się głupio, że tak źle go oceniła. M.C. postanowiła raz jeszcze włączyć się do rozmowy.

– Nie jesteśmy tu po to, żeby pana osądzać, panie Dale. Chodzi nam tylko o informację, jak to się stało, że Derrick Todd dostał pracę w „Fun Zone”.

– Właśnie – potwierdziła Kitt. – I dlaczego nie pojechał pan do prokuratora okręgowego, kiedy dowiedział się pan prawdy? Mogliby go wcześniej wypuścić...

Dale pokręcił głową.

– Bałem się konsekwencji...

Kitt zmarszczyła brwi. Dale był tchórzem, skoro zależało mu bardziej na reputacji niż na sprawiedliwości. Bez wahania zaakceptował fałszywe oskarżenia, nie naprawił błędu.

– Czy Todd zna prawdę?

– Powiedziałem mu, że nie wierzę Jen. I zaproponowałem pracę. Był mi wdzięczny.

No tak, nie miał wyboru. Niewielu pracodawców zatrudniłoby pedofila.

Kitt przypomniała sobie Todda. Jego złość i obraźliwe zachowanie wobec policji. Miał ku temu sporo powodów... Na pewno uparcie zapewniał ich o swej niewinności, a mimo to poszedł do więzienia. To musiało być piekło, pedofile byli zawsze workami treningowymi współwięźniów, strażnicy też za nimi nie przepadali.

A teraz stracił pracę i w dodatku podejrzewano go o morderstwo...

Nic dziwnego, że był taki zły i zgorzkniały. Zapewne jeszcze długo będzie chował urazę do policji, społeczeństwa i całego świata.

– Czy ma pan ten pamiętnik? – spytała M.C., której pewnie to samo chodziło po głowie.

Zawahał się, a potem skinął głową.

– Tak, w sejfie bankowym. Zatrzymałem go na wszelki wypadek.

– Właśnie nastąpił taki wypadek, panie Dale. Proszę go przywieźć do prokuratora, a my poinformujemy o wszystkim Derricka Todda, a także jego prawnika.

Zrobił markotną minę i skinął głową.

– Dobrze.

Już wychodziły, ale Kitt spojrzała jeszcze w jego stronę.

– A tak swoją drogą, gdzie pan był szóstego i dziewiątego tego miesiąca?

Dale zmarszczył brwi.

– Nie pamiętam, ale Nancy na pewno zna odpowiedź na to pytanie.

Znowu przeszli do recepcji, gdzie sekretarka sprawdziła obie daty w jego kalendarzu. Szóstego nie było go w mieście, bo wyjeżdżał w interesach. Dziewiątego wzięli z żoną udział w przyjęciu na rzecz Burpee Museum, a po północy pojechali do domu.

– I ma pan świadków?

Po raz pierwszy był wyraźnie wstrząśnięty jej pytaniem.

– Oczywiście!

Pożegnały się z nim i przeszły do wozu M.C. Kiedy do niego wsiadły i zapięły pasy, Kitt spojrzała na koleżankę.

– Wierzysz mu?

– Niestety, tak.

– To stawia Todda w zupełnie nowym świetle.

– A my znowu zabrnęłyśmy w ślepą uliczkę.

– Dzięki, że mi o tym przypomniałaś – rzekła z przekąsem Kitt. – Ale nie jest tak źle. Moim zdaniem „Fun Zone" to klucz do rozwiązania sprawy.

M.C. przekręciła kluczyk w stacyjce.

– To może być przypadkowa zbieżność.

– Jednak chwilowo nie mamy innego tropu.

Przejechały w milczeniu parę przecznic. Kiedy zatrzymały się na światłach na skrzyżowaniu Riverside i Mulford, Kitt zerknęła ciekawie na koleżankę.

– A jak tam twoja wczorajsza randka?

– To zbyt osobiste pytanie.

– O, widzę, że było nieźle.

M.C. spojrzała na nią poirytowana.

– Skoro tak twierdzisz...

– Z kim się umówiłaś? – spytała jeszcze. – Z tym Lance'em, który szukał cię na posterunku?

– Tak. Zadowolona?

M.C. najwyraźniej chciała zakończyć ten temat, co pobudziło jeszcze ciekawość Kitt.

– Poszłaś z nim do łóżka, co?

– Słucham?!

– Widzisz, jestem niezłym psychologiem.

– Raczej wścibską plotkarą.

– Skoro tak twierdzisz... – Kitt zawiesiła głos. – Obiecuję, że nikomu o tym nie powiem.

W samochodzie znowu zapanowała cisza. W końcu, kiedy dojechały na miejsce, M.C. westchnęła ciężko.

– No dobrze, poddaję się. Jak się domyśliłaś, że z nim spałam?

– To proste. Kiedy zobaczyłam cię dziś rano w pracy, siedziałaś wpatrzona w przestrzeń i uśmiechałaś się do siebie.

– Nieprawda!

– Ten uśmiech wszystko mi powiedział.

M.C. otworzyła usta, żeby zaprotestować, ale zaraz je zamknęła.

Kitt zaśmiała się lekko.

– Jakie to milutkie.

– Nie przepadam za tym słowem.

– Było ci dobrze, co?

To nie było pytanie, ale M.C. i tak postanowiła odpowiedzieć.

– Lance jest bardzo fajny. I to wszystko, co mam w tej sprawie do powiedzenia. – Zerknęła na Kitt. – No i co teraz robimy?

– Jeśli idzie o ciebie, to proponowałabym zrezygnować chwilowo z seksu i lepiej poznać partnera. No ale może jestem staroświecka.

– Bardzo dziękuję za radę, jednak chodziło mi o śledztwo.

– Pogadajmy z szefem. Trzeba mu przekazać najnowsze informacje.

– I co dalej?

– Sama nie wiem.

– To się nazywa rzeczowa odpowiedź.

– No to co radzisz? Poza tym może Sal na coś wpadnie.

– Przede wszystkim zruga cię za tę rozmowę.

Tak, znowu nie posłuchała rozkazu. Chciała dobrze, ale wiedziała, że Sal nie będzie pobłażliwy.

– Sal wcale nie musi o tym wiedzieć – rzuciła.

– A jak wyjaśnisz fakt, że powiązałaś Mordercę Śpiących Aniołków z zabójcą staruszek?

– Wystarczy, że o tym mimochodem napomknę.

Minęła chwila, zanim do M. C. dotarło znaczenie tych słów.

– Chyba zwariowałaś, jeśli sądzisz, że będę z twojego powodu kłamać! – wybuchnęła.

– Wcale nie musisz.

– Nawaliłaś, Kitt, i teraz musisz ponieść konsekwencje.

– Nie zgadzam się z tobą. Dobry policjant powinien robić to, co dyktuje mu instynkt. Nawet jeśli przy okazji złamie przepisy.

– Co takiego? Posłuchaj, zależy mi na tej pracy. Jeśli spotkamy się z szefem, będę musiała powiedzieć wszystko, co wiem.

– Wobec tego pogadam z nim sama.

– Bzdura! – Wjechała do podziemnego parkingu i zatrzymała wóz. – Uważaj, Kitt, bo coraz bardziej brniesz w kłamstwa.

Otworzyła drzwi, ale Kitt złapała ją za rękę.

– Myślisz, że zrobiłaś mądrze, wskakując mu do łóżka?

– To nie ma nic wspólnego z tą sprawą.

– Po prostu posłuchałaś instynktu, chociaż doskonale wiesz, że być może będziesz tego żałować...

– To moja prywatna sprawa, nie porównuj jej ze śledztwem.

– Nie ma żadnej różnicy. Cały czas chodzi o nasze życie. Staramy się robić to, co uważamy za słuszne, kierując się instynktem...

– Więc kieruj się nim dalej. Ciekawa jestem, jak skończysz.

ROZDZIAŁ TRZYDZIESTY SIÓDMY

Czwartek, 16. marca 2006
godz. 15.40

Obserwował dziewczynkę w czasie zabawy. Była doskonała. Doskonalsza od innych.

Tylko dlaczego? Spojrzał na nią raz jeszcze. Miała włosy koloru pszenicy i była ładna, ale te poprzednie też były śliczne.

Chodziło o to, że będzie mógł w ten sposób ukarać Kitt. Groził jej. Ostrzegał, żeby uważała na bliskie jej osoby.

Poza tym chciał z nią wygrać. I to za wszelką cenę.

Wiedział, że krzywdząc małe dziewczynki, krzywdzi też Kitt, która w dodatku poczuje się odpowiedzialna za śmierć tej małej.

Zabawne, kiedy już zdecydował, jak ją ukarze, przestał się na nią gniewać. Tak, to prawda, obraziła go. Rzuciła mu wyzwanie. Teraz jednak był w stanie potraktować to wyłącznie w sportowych kategoriach. Nic osobistego.

Pochylił się na ławeczce, czując lekki powiew wiatru na twarzy. Biedna Kicia. To będzie dla niej prawdziwy cios. Czy w ogóle zdoła się z tego podźwignąć? Czy znowu zacznie pić? A może sięgnie po swój pistolet.

Jeden strzał, a ból raz na zawsze zniknie.

Chciałby, żeby zdecydowała się na takie rozwiązanie. Przecież tyle już wycierpiała. Ale z drugiej strony miał nadzieję, że podejmie walkę.

Trochę mu imponowała, bo była niesamowicie twarda. Podnosiła się po kolejnym ciosie, chociaż inni już dawno poszliby na dno.

Jaka szkoda, że tak czy tak czeka ją śmierć.

ROZDZIAŁ TRZYDZIESTY ÓSMY

Czwartek, 16. marca 2006
godz. 18.20

M.C. stanęła przy kuchennym oknie. Odgrzewała w mikrofalówce resztki z wczorajszej kolacji. Melody specjalnie przyjechała z Benem, żeby pogadać. Oczywiście chłopca bardziej zainteresowały ciasteczka w kształcie zwierzątek, którymi zaraz się zajął. Natomiast one mogły spokojnie porozmawiać. M.C. dowiedziała się, że u matki komentowano przede wszystkim jej nieobecność i tajemniczą randkę.

Rozległ się brzęczyk i M.C. wyjęła talerz z cannelloni. Postawiła go na stole, ale nie miała ochoty na jedzenie. Denerwowało ją to, co działo się z Kitt. Najpierw zgodziła się nie informować szefa o pijackim wybryku partnerki, a teraz w dodatku miałaby kłamać? Ciekawe, czego jeszcze zażąda od niej Kitt?

W końcu M.C. nie poszła na spotkanie z szefem. To był drobiazg, ale doskonale zdawała sobie sprawę, że Sal zwrócił na to uwagę. Poza tym wcale nie była pewna, jak należało postąpić.

Tak, Kitt złamała przepisy, ale z drugiej strony postąpiła bardzo odważnie. No i czegoś się jednak dowiedziała. To było bardzo ryzykowne posunięcie.

M.C. nie miała żyłki do hazardu. Zawsze starała się postępować zgodnie z przepisami. Wiedziała, że inaczej nie może liczyć na awans.

Tak, marzyła o szybkim awansie, dlatego nie chciała podejmować zbyt wielkiego ryzyka. Wiedziała, że jeśli będzie czujna i ostrożna, może zajść bardzo daleko.

Zadzwonił dzwonek, a ona przez moment myślała, że to znowu kuchenka. Dopiero po chwili zorientowała się, że ktoś dzwoni do drzwi. A potem jeszcze raz. Zanim otworzyła, wyjrzała przez wizjer.

Zobaczyła Briana Spillarego.

Uchyliła drzwi.

– Brian? Co tutaj robisz?

– Mogę wejść?

Zawahała się, ale potem otworzyła drzwi. Brian wszedł do środka.

– Coś się stało?

– Muszę z kimś pogadać. Z kimś, komu mogę ufać.

Boże, to jakaś epidemia, pomyślała. Cóż, ale warto pogadać z nim o Kitt. Przecież tych dwoje kiedyś razem pracowało.

Uśmiechnęła się do niego.

– Tak się składa, że ja też. Chcesz kawy?

– A nie masz czegoś mocniejszego?

Jakie to typowe dla Briana! Nie powinien przesadzać z alkoholem.

– Chcesz piwa?

– Jasne.

Poszedł za nią do kuchni. Kiedy stanął w drzwiach, opierając się o framugę, przypomniała sobie dawne lata. Nie były to złe wspomnienia, ale ten rozdział swego życia uważała za definitywnie zamknięty.

– Coś tu wspaniale pachnie – zauważył.

– To cannelloni mojej mamy – wyjaśniła.

Chciała mu nawet zaproponować, żeby się poczęstował, ale bała się, że niewłaściwie odczyta ten gest.

Podała mu piwo, ale bez szklanki. Brian wolał pić wprost z butelki. M.C. była pewna, że w jego przypadku ma to znaczenie falliczne, bo Brian zawsze bardzo przejmował się swoim fiutem.

– Dzięki – powiedział, biorąc butelkę z długą szyjką.

Ich palce się zetknęły i M.C. szybko cofnęła dłoń.

– Ty nie pijesz? – zdziwił się po chwili.

– Nie, nie mam jakoś ochoty.

Popatrzyła na butelkę.

– Ivy wyrzuciła mnie z domu.

– Kiedy?

– Dwa dni temu.

– Bardzo mi przykro – powiedziała szczerze. Żal jej było Briana, chociaż wiedziała, że małżeństwo z nim musiało być prawdziwym wyzwaniem. – Może uda ci się załagodzić sytację. Przecież mieliście już kilka kryzysów.

– A może ja nie chcę wracać – mruknął. – Jest tyle innych kobiet.

Byli małżeństwem od ponad dwudziestu lat. Wychowali troje dzieci, a on mówi teraz o innych kobietach? Trudno się dziwić jego żonie.

– Chciałeś ze mną o czymś porozmawiać – zauważyła.

– O nas.

– Daj spokój – mruknęła zdenerwowana. – Nie mam czasu na głupstwa.

Brian złapał ją za ramię.

– Możesz mnie posłuchać?

– Brian...

– Zawsze żałowałem, że się rozstaliśmy...

M.C. starała się panować nad sobą.

– No proszę, żona cię wyrzuciła, a ty nagle zapałałeś do mnie miłością...

– Bo to prawda!

Pokręciła z niesmakiem głową. Miała dosyć jego nieodpowiedzialnego, szczeniackiego zachowania. Zaczęła żałować, że w ogóle wpuściła go do domu.

– Łączył nas tylko seks.

– Ale było fajnie.

– Powinieneś dorosnąć, Brian.

Zrobił dwa kroki w jej stronę, zachwiał się.

– Będzie mi przykro, jeśli okaże się, że nic do mnie nie czujesz.

Cholera, jest pijany. Dlaczego nie zauważyła tego wcześniej?

– Powinieneś już chyba iść.

– No, nie bądź taka!

Próbował ją chwycić, ale mu umknęła. Była w poważnych tarapatach. Brian był starszy rangą. Poza tym wszyscy w pracy go lubili i miał duże wpływy. Mógł jej niewątpliwie zaszkodzić.

– Spotykam się z kimś – oznajmiła.

– Przecież to nie musi być od razu miłość – rzucił z obleśnym uśmieszkiem. – Możemy się tylko zabawić. To jak?

– Nie jestem zainteresowana. Proszę, idź już.

M.C. dotarła do drzwi wyjściowych i chwyciła klamkę, a Brian złapał jej dłoń.

– Z kim się spotykasz? Chyba nie z tym głupawym komikiem z baru?

– Właśnie z nim, jeśli chcesz wiedzieć.

– I co ty w nim widzisz? – zapytał z wyrzutem.

– Mogę się przy nim pośmiać, odprężyć... Puść moją rękę, Brian.

– Ale nie jest tak dobry jak ja, prawda?

– Tak, jesteś najlepszy. Według ciebie.

Uśmiechnął się i już chciał ją objąć, ale uderzyła go kolanem prosto w krocze. Jęknął głucho i zgiął się wpół.

– Przepraszam, Brian, ale nie dałeś mi wyboru. Uważaj, bo następnym razem będzie gorzej.

ROZDZIAŁ TRZYDZIESTY DZIEWIĄTY

Czwartek, 16. marca 2006
godz. 23.00

Kitt czuła się trochę głupio, że musi sama pójść do szefa. Sal zwracał uwagę na takie szczegóły i zapewne zastanawiał się nad nieobecnością M.C. Kitt nie miała jednak wyrzutów sumienia. Szef nie wtrącał się zwykle do tego, co robili jego podwładni. Może tylko czasami, kiedy udało mu się wpaść na jakieś ciekawe rozwiązanie.

To, czego nie wiedział, nie mogło go zdenerwować czy też przeszkodzić w śledztwie.

Tak jej się przynajmniej wydawało.

Nie winiła M.C., w końcu sama zaproponowała jej takie rozwiąznie. Gdyby sprawa wyszła na jaw, z pewnością również M.C. poniosłaby konsekwencje, a przecież nie kryła się ze swoimi ambicjami.

Jednak jeśli uda im się rozwiązać tę sprawę i złapać zarówno Mordercę Śpiących Aniołków, jak i jego naśladowcę, to M.C. z pewnością na tym skorzysta. I co z tego, że sukces zostanie osiągnięty, bo Kitt złamała przepisy.

Wszyscy by na tym skorzystali. A już najbardziej dzieci...

Siedziała teraz przy stole kuchennym nad rozłożonymi papierami i intensywnie myślała. Sal zgodził się z nią, że morderstwa staruszek przypominają w dużym stopniu te dokonane na dziewczynkach. Nikt tego wcześniej nie zauważył. Było to o tyle dziwne, że sprawami staruszek zajmowali się Brian i sierżant Haas, zaraz przed tym, jak Brian został jej partnerem.

Kitt zmarszczyła brwi. Zaczynała rozumieć tego drania. Chciała go dopaść, nawet gdyby miała to być ostatnia rzecz, jaką zrobi w życiu.

Wstała i zaczęła się przeciągać. Dopiero teraz poczuła, jak bardzo zesztywniały jej mięśnie. Zrobiła kilka wymachów, pokręciła głową.

Poczuła się nieco lepiej i ruszyła na mały spacer po pomieszczeniu.

Trzy staruszki zostały pobite ze skutkiem śmiertelnym. Zwłoki były zmasakrowane, a jednak na miejscu zbrodni nie znaleziono żadnych śladów. Jedna mieszkała w domu, gdzie wszyscy lokatorzy byli emerytami, druga w bloku, trzecia we własnym domku. Wszystkie były samotne. Zbrodnie nie miały podłoża seksualnego czy rabunkowego. Brakowało świadków i śladów.

Podeszła przygnębiona do stołu. Kiedy ktoś zadzwonił do drzwi, spojrzała na kuchenny zegar. Było już po jedenastej. Trochę za późno na wizytę.

Przez wizjer zobaczyła Danny'ego. Wyglądał na zmęczonego i spiętego.

– Cześć, Danny – powiedziała, otwierając drzwi.

– Co tutaj robisz?

– Mogę wejść?

– Jasne. – Przesunęła się, żeby mógł wejść do ciasnego holu, a następnie zamknęła drzwi na zasuwę. Skinęła głową w stronę kuchni. – Mam świeżą kawę.

Poszedł za nią, ale nie chciał nic pić.

– To dla mnie za późno – wyjaśnił.

Nalała sobie kawy, świadoma, że Danny cały czas ją obserwuje.

– Ręce ci drżą – zauważył.

– Pewnie od kawy – powiedziała z uśmiechem.

– Więc może już nie powinnaś więcej pić?

– Mam jeszcze masę roboty. Potrzebuję kofeiny.

– Martwię się o ciebie, Kitt.

– O mnie? Dlaczego?

– Jaki dziś dzień?

Popatrzyła na niego i nagle dotarło do niej, że nie ma pojęcia.

– No, jaki? – zapytała.

– Czwartek!

No tak, zapomniała przyjść na spotkanie Anonimowych Alkoholików.

– Przepraszam, miałam tyle pracy... Zupełnie zapomniałam...

Danny odstawił jej filiżankę i wziął Kitt za ręce.

– Kiedy ostatnio do ciebie dzwoniłem, byłaś pijana, prawda?

Chciała zaprzeczyć, ale gdyby to zrobiła, byłoby to jeszcze gorsze niż samo picie.

– Tak.

– A dziś nie przyszłaś na spotkanie naszej grupy!

– Po prostu zupełnie wyleciało mi to z głowy. To nie było celowe działanie...

Danny milczał. Wystarczyło jednak spojrzeć na jego minę, by wiedzieć, co sobie pomyślał.

– To przypadek – zapewniła go. – Będę uważać, żeby to się już nie powtórzyło.

– A czy nie mówiłaś tak samo, zanim znowu sięgnęłaś po butelkę? – spytał cicho.

Kitt pokręciła głową.

– To co innego... Widzisz, Joe... Jego narzeczona ma dziecko... Dziesięcioletnią dziewczynkę...

W oczach Danny'ego pojawił się żal.

– Bardzo mi przykro...

Danny, podobnie jak pozostali członkowie grupy teraupetycznej, wiedział o niej wszystko. Czego się boi i dlaczego zaczęła pić. Objął ją teraz, a ona oparła głowę na jego ramieniu.

Nagle zrozumiała, że jest bardzo zmęczona.

– Poczułam się fatalnie – powiedziała z westchnieniem. – Jakby mnie zdradził.

Danny głaskał ją miarowo po plecach.

– Chce zastąpić Sadie tą... tą dziewczynką, a ja... ja nie umiem tego zaakceptować... Nie mogę nawet myśleć o tym, że będą mieszkać wszyscy razem, tak jak my kiedyś.

– Tak, ale picie niczego nie załatwi, nie rozwiąże problemu. Uśmierzy ból na jakiś czas, ale potem będzie jeszcze gorzej.

– Wiem, Danny. Obiecuję, że więcej nie będę.

Odsunął się, żeby spojrzeć jej w oczy.

– Jesteś ostatnio w kiepskim stanie. Potrzebujesz wsparcia grupy.

– Nic mi nie jest...

– Nic? Popatrz na siebie. W dodatku znowu sięgnęłaś po alkohol...

– Tak, wiem, ale to się już nie powtórzy. Zresztą mam masę pracy.

Przyjaciel znowu pokręcił głową.

– To też nie jest dobre. Zastępujesz jeden nałóg drugim. Stajesz się pracoholiczką.

– Nie masz pojęcia, jak wygląda praca w policji – rzuciła.

– Możliwe, ale widzę, co się z tobą dzieje. I znam się też trochę na uzależnieniach. – Chciała się od niego odwrócić, ale ją powstrzymał. – Czy w ogóle ostatnio śpisz? Czy jesz coś poza fast-foodami? Wychodzisz do przyjaciół albo do kina?

– Prowadzę dochodzenie w sprawie seryjnego mordercy. Nie mam czasu na przyjaciół czy filmy!

– Cholera jasna! – Zbliżył się do niej i pocałował ją namiętnie.

Kitt odepchnęła go mocno.

– Co ty sobie wyobrażasz?!

– Nie, to nic takiego... – wymamrotał, czerwieniąc się aż po korzonki włosów. – Nic...

Ruszył do drzwi wyjściowych.

– Danny, zaczekaj! Powinniśmy o tym pogadać!

Nie zatrzymał się. Po chwili usłyszała trzask drzwi. Kitt wybiegła za nim aż na werandę.

– Danny, wracaj!

Za późno. Widziała, jak wskoczył do samochodu i po chwili odjechał. Patrzyła za nim, póki nie zniknął jej z oczu.

Wróciła do środka, zamykając za sobą drzwi. Roztarła ramiona, czując, że zrobiło jej się zimno.

Zadzwoni do niego jutro, kiedy Danny przełknie już gorycz upokorzenia.

Do licha, nie chciała stracić przyjaciela! Bardzo ceniła sobie jego przyjaźń, chociaż jako mężczyzna zupełnie jej nie pociągał.

Nagle poczuła się potwornie zmęczona. Czemu myśli o takich głupotach, kiedy ma na głowie to cholerne śledztwo? Musi przecież złapać mordercę.

„Nie, Kiciu, tak naprawdę zależy ci na tych dziewczynkach".

Udało mu się uderzyć w czuły punkt. Znał ją wystarczająco dobrze, by wiedzieć, co ją najbardziej zaboli.

Znowu zaczęła krążyć po kuchni, czując, jak powoli opada z niej zmęczenie, jak wstępuje w nią nowa energia. Umysł zaczął pracować sprawniej, nienazwane jeszcze przeczucia układały się w logiczną całość.

Co on takiego powiedział? Że w jej świecie pojawiła się pewna mała dziewczynka, za którą nie przepadała...

Zatrzymała się gwałtownie. Serce waliło jej jak młotem. Ręce drżały.

Mała dziewczynka w jej życiu.

Przypomniała sobie targi, Joego i jego narzeczoną. I nieśmiałą, jasnowłosą dziewczynkę, która miała na imię Tami. A potem klauna i jego balon.

Do licha, ten psychol wiedział o Tami! Że też wcześniej na to nie wpadła!

Poczuła, jak strach chwyta ją za gardło. Przypomniała sobie przestraszone, brązowe oczka Tami. Musi koniecznie zadzwonić do Joego i ostrzec go. Powinien jak najszybciej porozmawiać z Valerie.

Kitt szybko włożyła buty, narzuciła kurtkę na T-shirt, znalazła kluczyki. Już po chwili otoczyło ją chłodne nocne powietrze. Odetchnęła głęboko i pospieszyła do samochodu.

Z powodu pory dojazd do Highcrest Road zajął jej mniej czasu niż zwykle. Dom był pogrążony w mroku, a pikap Joego stał na podjeździe. Kitt wyskoczyła z wozu i podbiegła do drzwi. Zadzwoniła dwa razy, a potem zaczęła walić pięściami w drzwi.

– Joe, otwórz! To ja, Kitt!

Uderzyła w drzwi jeszcze parę razy, czując narastającą frustrację. W końcu usłyszała jakieś odgłosy dochodzące z wnętrza.

Joe otworzył drzwi, powoli zawiązał szlafrok.

– Kitt, to ty? – spytał niezbyt przytomnie. – Co się...?

– Posłuchaj, Tami jest w niebezpieczeństwie – rzuciła. – Musimy ostrzec Valerie.

– Tami? – powtórzył i zamrugał oczami. Jak zwykle bardzo wolno dochodził do siebie.

– Tak, ten morderca... To przeze mnie.

Gapił się na nią przez chwilę, jakby nic nie rozumiał, potem otworzył szerzej drzwi.

– Jest zimno – powiedział już prawie normalnym głosem. – Wejdź do środka.

Weszła do holu. Poczuła jakiś dziwny zapach. To nie był zapach ich rodziny... Ale przecież nie byli już rodziną.

– Musisz zadzwonić do Valerie. Natychmiast. To bardzo ważne.

– Spokojnie, Kitt. Mówisz, jakbyś oszalała. Przecież ten wariat nawet nie zna Tami.

– Te targi na rzecz Stowarzyszenia Chorych na Białaczkę – wyjaśniła. – Był tam, przebrany za klauna, i sprzedawał balony.

Joe pokręcił głową.

– Przebrany za klauna?

– Tak, do cholery! Widział naszą kłótnię i dał mi różowy balon. A potem dzwonił i pytał, czy mi się podobał.

– Przecież to zupełne wariactwo.

– Masz rację, ale to nie ja zwariowałam. Ten morderca mi groził!

– Tobie?

– Tak, powiedział, że zamorduje kolejną dziewczynkę, bo wie, że mnie to zaboli. Że wybierze taką, z którą jestem związana... Dopiero teraz zrozumiałam, o co mu chodzi.

– Uspokój się, Kitt – powiedział łagodnie, jakby miał do czynienia z dzieckiem.

– Mówił o Tami, rozumiesz? W końcu jestem z nią związana, chociaż nie z własnej woli. Nie znam innych dzieci, więc...

– Kitt, przestań!

Popatrzyła na niego ze zdziwieniem. Joe rzadko krzyczał. Zazwyczaj wykazywał się wręcz anielską cierpliwością.

– Znowu idziesz na dno. Tak jak wtedy – powiedział smutno.

Kitt pokręciła głową.

– Nie, to nie to.

– Przecież widzę. Jesteś wychudzona i masz podkrążone oczy. Pewnie myślisz tylko o tej sprawie. Jak wtedy...

– Nie, nie... Posłuchaj, on mnie śledzi. Chyba był w moim domu. Wie...

– Czy znowu zaczęłaś pić?

– Nie, wiele zmieniło się w moim życiu. Teraz się pilnuję. – Złapała go za rękę. – Wiem, że Tami jest w niebezpieczeństwie i nie chcę, żeby coś jej się stało z mojego powodu.

Ścisnął jej dłoń.

– To nie twoja wina, że Sadie umarła. Nie mogłaś ocalić ani jej, ani dzieci zabitych przez tego potwora.

– Czy ty nic nie rozumiesz? – Potrząsnęła głową. – Nie widzisz, co się dzieje?

– Powinnaś trochę odpocząć.

– Nie mogę. Muszę chronić te dziewczynki. Nie mogę spuścić ich z oczu. Tak powiedział. One mnie potrzebują.

– Kto, na miłość boską? Kto powiedział?

– Morderca.

Joe zacisnął dłonie w pięści.

– A jeśli ja też cię potrzebuję, Kitt?

– Nie chodzi o ciebie, ale o życie tych dzieci. O Tami.

– Miałem nadzieję, że... że dojdziesz do siebie i odzyskasz zdrowe zmysły.

Wszyscy dookoła twierdzili, że wpadła w obsesję i straciła kontrolę nad swoim życiem. Czy oni nie widzą, co się dzieje? Nie rozumieją ogromnego zagrożenia?

Raz jeszcze zaczęła go błagać, żeby zadzwonił do Valerie. Obiecał to zrobić, ale nie uwierzyła mu. W jego głosie wyczuła chłód, a w oczach zobaczyła niechęć i irytację.

Przeszła do wozu, który stał daleko od ulicznych świateł. Już chciała usiąść za kierownicą, kiedy zauważyła, że ktoś porysował jej maskę.

O tej porze?

Przyjrzała się uważniej. Nie, to nie były bazgroły, jakie zwykle zostawiają chuligani. Ktoś napisał:

„Nie spuszczaj ich z oczu".

ROZDZIAŁ CZTERDZIESTY

Piątek, 17. marca 2006
godz. 1.45

M.C. uznała, że jest największą idiotką na świecie. Dochodziła druga w nocy, a ona jak głupia wybrała się do Lance'a. Nie mogła spać. Nie mogła się uspokoić. Wciąż myślała o Kitt, o obrzydliwym zachowaniu Briana i ogólnie o swoim popapranym życiu...

Jedynie kiedy wspominała Lance'a, poprawiał się jej nastrój. Czy nie za bardzo uzależnia się od niego? Przecież właściwie wcale go nie zna. Spotkali się do tej pory zaledwie trzy razy.

Wiedziała, że jest w domu, ponieważ zauważyła na ulicy jego samochód. Jeśli teraz zapuka, to może on zaprosi ją do środka, a może każe jej wracać do domu.

Szczęście jej dzisiaj nie dopisywało, chyba nie powinna ryzykować.

Mimo to zapukała. Najpierw delikatnie, potem nieco głośniej.

Po chwili otworzył drzwi. Z wnętrza dobiegały dźwięki muzyki poważnej. Spokojne i kojące.

– M.C.? – zdziwił się. – Co tu...?

– Prawdę mówiąc, sama nie wiem.

Nie otworzył drzwi i nagle przyszło jej do głowy, że może ma gościa. Wyglądał tak, jakby przed chwilą wstał z łóżka. Włosy miał zmierzwione, koszulę zapiętą na dwa guziki... Na myśl o tym zrobiło jej się niedobrze.

– Powinnam był zadzwonić – stwierdziła, cofając się. – Przepraszam za najście.

– Nie wygłupiaj się. – Wciągnął ją do środka i przytulił do siebie. – Ładnie pachniesz.

Nie, chyba jednak jest sam, pomyślała, zarzucając mu ręce na szyję.

– Dzięki.

Pocałowała go, a potem przeszli dalej. Już przy pierwszej wizycie uderzył ją swojski wygląd tego wnętrza. Większość kawalerów nie miała bibelotów i obrazów, ale Lance był inny.

Teraz jednak wydawał się smutny.

– Miałeś zły dzień? – spytała.

– Raczej kiepski wieczór.

– Nie chcieli się śmiać?

Zrobił taką minę, jakby go uderzyła. Podniósł nawet dłoń do policzka.

– Co takiego? – spytała zaniepokojona.

– Nie, nic – powiedział, biorąc ją za rękę.

Poprowadził ją do sypialni, gdzie zaczęli się kochać. Ale tym razem żadne z nich się nie śmiało.

W ogóle nic nie mówili.

Lance tłumił jej jęki ustami i dłońmi, a ona pozwoliła mu pić rozkosz ze swoich ust. Potrzeba krzyku narastała w niej niczym drugi orgazm. To było niezwykłe erotyczne doznanie.

A kiedy w końcu zaczęła krzyczeć, nie mogła przestać.

Oboje padli na łóżko, próbując złapać oddech.

– To było niczym trzęsienie ziemi – szepnął.

– Tak, naprawdę niezwykłe. – Przytuliła się do niego z uśmiechem.

– Jesteś głodna?

M.C. pokręciła głową.

– Nie, tylko śpiąca i szczęśliwa.

– Jak prawdziwa królewna. Ale wcześniej zachowywałaś się jak Gburek – rzucił, robiąc aluzję do krasnoludka z „Królewny Śnieżki". – Jeszcze chwila i znowu się przemienisz. W kogo tym razem?

– Chcesz powiedzieć, że mam zaburzenia osobowości?

– Tak jak wszystkie kobiety – stwierdził.

Uszczypnęła go, aż krzyknął i podskoczył.

– Ale przy okazji jestem też policjantką i mam pistolet. Radzę o tym pamiętać...

Lance'owi udał przestrach, a ona przysunęła się do niego bliżej.

– Miałam dziś ciężki dzień – przyznała z westchnieniem.

– Chcesz mi o tym opowiedzieć?

Przez chwilę zastanawiała się, a potem pokręciła głową.

– Raczej nie.

– Więc co chcesz robić?

Spojrzała na niego znacząco.

– Jestem otwarta... na propozycje.

Okazało się, że Lance ma ich całe mnóstwo. I to naprawdę bardzo interesujących.

M.C obudziła się, doskonale wiedząc, co ją wyrwało ze snu.

Lance wstał z łóżka.

Leżała, nasłuchując. Nie było go w łazience ani w kuchni. Chociaż mieszkanie nie należało do niej, doskonale orientowała się w jego rozkładzie. Wynikało to zapewne z jej nawyków zawodowych, chociaż nigdy się nad tym nie zastanawiała. Słyszała odgłosy dobiegające z innej części mieszkania, ale nie wiedziała dokładnie z której.

Wyślizgnęła się ostrożnie z łóżka i wzięła glocka, którego położyła przy łóżku. Wcześniej jednak włożyła majtki i koszulkę.

Przeszła cichaczem do holu. Zobaczyła, że Lance stoi nagi przed oknem i wygląda na ulicę. Kiedy na nią spojrzał, miał wyjątkowo smutną minę.

– Co się stało? – spytała.

– Nie mogłem spać – odparł i spojrzał z lekkim uśmiechem na pistolet. – Nie przesadzasz?

– Po prostu jestem ostrożna. – Odłożyła broń na kanapę. – Powiesz mi, czemu nie możesz zasnąć?

– Szczerze?

– Tak chyba będzie najlepiej.

Wziął głęboki oddech, a ona zaczęła szykować się na najgorsze. Czyżby chciał zakończyć ten krótki związek?

Nie byłby pierwszym facetem, który uznałby znajomość z nią za pomyłkę. To już się zdarzało.

– Obawiam się, że za bardzo cię polubiłem.

M.C. nie spodziewała się takiej odpowiedzi, dlatego gwałtownie zamrugała i zrobiła głupią minę.

– To znowu jakiś żart?

– Nic podobnego.

Podeszła do niego i spojrzała mu prosto w oczy. Od razu zrozumiała, że mówi poważnie.

O dziwo, przeraziło ją to bardziej, niż gdyby dał jej kosza. I co dalej? – pomyślała. Czy powinna odważyć się na poważny związek?

Bardzo tego pragnęła.

Uśmiechnęła się do niego.

– Ja chyba też za bardzo cię lubię.

– Naprawdę? – Popatrzył jej w oczy, jakby chciał sprawdzić, czy nie żartuje. – Wobec tego szkoda czasu na sen.

Hm, święta prawda.

Z sypialni dotarł do niej przenikliwy sygnał jej komórki. Szybko tam pobiegła, chwytając po drodze pistolet. Telefon o tej porze mógł oznaczać tylko jedno. Spojrzała na wyświetlacz. Rzeczywiście dzwoniono do niej z pracy.

Przeraziła się, że naśladowca ponownie wyruszył na łowy.

Zaczęła modlić się w duchu, żeby to nie była prawda. Poczuła dłoń Lance'a na ramieniu.

– Nie odbieraj.

– Nie mogę. – Cofnęła się trochę, a telefon znowu zadzwonił.

– Słucham, Riggio.

– Następna dziewczynka, pani porucznik.

O Boże...

Dyżurny podał jej adres. M.C. ubrała się szybko i ruszyła do drzwi. Lance poszedł za nią. Patrzył na M.C., marszcząc czoło.

– Muszę jechać – wyjaśniła.

– Naprawdę? – Wyglądał na bardzo rozczarowanego.

– Przykro mi.
– No, tak. Rozumiem.
– Zginęła kolejna dziewczynka.
– Co mogę dla ciebie zrobić?
– Myśl o mnie ciepło...
– Będę myślał o tobie cały czas.
Pocałowała go mocno na pożegnanie i wyszła.

ROZDZIAŁ CZTERDZIESTY PIERWSZY

Piątek, 17. marca 2006
godz. 5.20

Kiedy M.C. dotarła na miejsce, zauważyła taurusa Kitt. Zaparkowała obok i wysiadła z wozu. Zerknęła jeszcze na słowa wyskrobane na masce samochodu koleżanki: „Nie spuszczaj ich z oczu". Co to, do licha, ma znaczyć?

Kitt siedziała na schodach domu.

– Co się stało z twoim wozem?

– To Orzeszek. Zostawił mi informację – odparła wypranym z emocji głosem Kitt.

– Kiedy?

– Niedawno. Zauważyłam to koło północy.

M.C. chciała spytać, co Kitt robiła na dworze tak późno, ale stwierdziła, że to nie jej sprawa.

– Co to znaczy?

Tamta wzruszyła ramionami.

– Nietrudno się domyślić. Mam strzec małych dziewczynek. Nie wolno mi spuszczać ich z oczu. Bo jeśli nie, to...

M.C. doskonale wiedziała, co się wtedy stanie.

– To nie twoja wina, Kitt.

Koleżanka uniosła głowę. Miała zaczerwienione oczy.

– To już trzecia.

M.C. westchnęła.

– Byłaś w środku?

– Tylko na chwilę.

– Pani porucznik – zwrócił się do M.C. mundurowy policjant, stojący przy wejściu.

– Tak, słucham?

Podał jej zeszyt.

– Może się pani wpisać?

W ogóle nie zauważyła jego obecności. Minęła go, jakby był powietrzem.

– Tak, oczywiście. Przepraszam.

Wpisując się, spojrzała na inne nazwiska. Byli tu już Sal i sierżant Haas. Wyglądało na to, że tym razem jest tu więcej funkcjonariuszy niż zazwyczaj. Nie zdziwiłaby się, gdyby przyjechał sam komendant policji.

– Jakieś szczególne spostrzeżenia?

– Poinformowałem już o wszystkim porucznik Lundgren.

– Dobrze, dziękuję.

M.C. spojrzała w stronę Kitt.

– Nic ci nie jest?

– Porzygałam się w krzaki.

– Słucham?

– No, zwymiotowałam. – Odgarnęła włosy i M.C. zauważyła, że wygląda naprawdę źle. – Co zrobisz? Powiesz o tym szefowi, żeby wycofał mnie ze śledztwa?

– A muszę?

– Daj mi spokój!

M.C. nie wiedziała, co powiedzieć. Milczały przez chwilę, a potem Kitt chrząknęła.

– Ofiara różni się od pozostałych. Jest brunetką. Ma bardzo ciemne włosy. I brązowe oczy.

– Brunetką? – M.C. nie bardzo zrozumiała. – Czy to znaczy, że zmienia zwyczaje?

– Albo chce skierować nas na fałszywy trop. Dać nam do myślenia... Chyba wie, że depczemy mu po piętach.

Kitt wstała. W mdłym świetle latarni jej zmęczenie było jeszcze bardziej widoczne.

– Czy wszystko poza tym wygląda jak zwykle?

Koleżanka skinęła głową.

– Z tego co widziałam, to tak. Ta sama koszula nocna, szminka, ułożenie rąk... Dostał się do środka przez okno i udusił ofiarę.

– Jakieś ślady?

– Nie sądzę. – Kitt wzięła głęboki oddech. – Jej matce wydawało się, że coś usłyszała, i zajrzała do jej pokoju.

– O której to było?

– Koło czwartej. Od razu do nas zadzwoniła.

– A ojciec?

– Odszedł od nich sześć lat temu.

– Jest podejrzany?

– Raczej nie. Jego żona przyjęła to z ulgą. Powiedziała, że nawet nie wystąpiła o alimenty.

– Jak nazywa się ofiara?

– Catherine Webb, a jej matka ma na imię Marge. Jest u niej przyjaciółka. – Kitt włożyła ręce do kieszeni kurtki. – Nie sądzę, żeby poprzestał na trzech ofiarach.

– Trudno powiedzieć – mruknęła M.C., ale Kitt sprawiała takie wrażenie, jakby jej nie usłyszała. Bez reszty pogrążyła się w ponurych rozmyślaniach.

Weszły do domu. Wnętrze było skromne, ale czyste i gustowne. Domek był niewielki, akurat na dwie osoby.

W saloniku na kanapie siedziały dwie kobiety i M.C. od razu domyśliła się, która z nich jest matką Catherine. Pani Webb spojrzała jej w oczy, zanim M.C. zdążyła odwrócić wzrok. To spojrzenie było jak policzek. Zanim zrozumiała, co się dzieje, Marge zerwała się ze swego miejsca i chwyciła ją za ramię.

– Pozwoliłaś na to! – zawyła i ścisnęła ją mocniej. – Ale ona ma brązowe oczy, nie niebieskie!

Mary Catherine nie mogła wydobyć z siebie głosu. A nawet gdyby mogła, nie wiedziałaby, co powiedzieć.

– Daj spokój, Marge – łagodziła przyjaciółka, która podeszła do niej i objęła ją ramieniem.

– Nie, nie! – wykrzyknęła histerycznie kobieta. – On zabił moje dziecko!

Przyjaciółka pociągnęła ją mocniej i pani Webb w końcu puściła jej ramię. M.C. patrzyła na nią z niemym żalem, a ona, szlochając, przytuliła się do przyjaciółki.

M.C. poczuła nagle, że cała drży. Nie mogła oddychać. Kiedy w końcu wciągnęła powietrze do płuc, sprawiło jej to ból. Czuła się winna temu, co się stało.

Dopiero teraz zrozumiała, skąd bierze się obsesja Kitt i jej nieustanna, gorączkowa potrzeba działania. Za wszelką cenę chciała złapać mordercę.

– Zrobię wszystko – mruknęła.

– Słucham? – powiedziała zdziwiona Kitt.

– Zrobię wszystko, by dorwać tego skurwiela. I nie dbam o przepisy...

Kitt położyła dłoń na jej barku.

– Masz rację – przyznała. – Masz rację...

ROZDZIAŁ CZTERDZIESTY DRUGI

Piątek, 17. marca 2006
godz. 11.20

Kitt siedziała przy biurku i patrzyła na swoje notatki. Lubiła je robić na małych samoprzylepnych karteczkach. Wyglądały wtedy jak puzzle. Mogła je dowolnie przekładać, nie tracąc z oczu poszczególnych fragmentów.

M.C. siedziała po drugiej stronie biurka pogrążona we własnych myślach. Musiały odbyć długie spotkanie nie tylko z Salem i sierżantem Haasem, ale też z samym szefem, który przez bite czterdzieści minut wypytywał je o szczegóły prowadzonego śledztwa.

Szef nie chciał się pogodzić z tym, że to nie Derrick Todd jest mordercą. Za bardzo pasował do jego teorii. Któż bardziej nadaje się na kozła ofiarnego niż facet skazany za pedofilię, który w dodatku pracuje wśród dzieci? Nalegał, żeby jeszcze raz go przesłuchały. Aresztowanie podejrzanego na pewno uspokoiłoby nieco mieszkańców Rockford.

Nieważne, że Todd nie popełnił tych zbrodni.

Kitt wzięła karteczkę z imieniem i nazwiskiem Todda i zmięła ją w dłoni. Nie chciała się nim zajmować, choćby dlatego, że nie mógł popełnić tej ostatniej zbrodni, gdyż wciąż siedział w więzieniu za naruszenie warunków zwolnienia.

Dobrze, że go nie wypuszczono, choć było to tylko kwestią czasu. Dale zgodnie z obietnicą przywiózł jej pamiętnik córki, a ona przekazała go prawnikowi Todda.

Zadzwonił telefon na jej biurku i Kitt podniosła słuchawkę.

– Porucznik Lundgren, słucham?

– Bardzo mi przykro z powodu ostatniego aniołka – usłyszała znajomy głos.

Kitt strzeliła palcami, chcąc zwrócić na siebie uwagę M.C., a potem wskazała karteczkę z napisem: „Telefony Orzeszka". Koleżanka skinęła głową i zadzwoniła do Centralnego Biura Śledczego. Potem zapisała dokładną godzinę rozpoczęcia rozmowy: 11.41.

– To ty? – spytała Kitt.

– Czy ją zabiłem? Nie, Kiciu.

– Myślisz, że ci uwierzę? Zwłaszcza po tym ostrzeżeniu...

– Mam nadzieję, że nie zniszczyłem ci wozu. Po prostu dopadła mnie twórcza wena.

– Czy to twórcza wena kazała ci wybrać tym razem ciemnowłosą dziewczynkę?

– Przecież ci mówię, że jej nie zabiłem. – Zniżył głos do szeptu: – Wybrałbym kogoś, na kim ci bardziej zależy... Kogoś, kogo chcesz chronić...

Tami!

– Więc powiedz, kto to robi!

– No co ty, chcesz zepsuć całą zabawę?

– Mam dosyć tych głupich gierek!

Roześmiał się, wyraźnie zadowolony.

– Nie lubię się z tobą kłócić. Pogódźmy się.

– Powiedz mi, kto zabija te dziewczynki, a będziesz moim najlepszym kumplem. Przecież chodzi nam o to samo. Chcemy powstrzymać naśladowcę.

– Tak, dobrana z nas para – mruknął wyraźnie ukontentowany. – Skrzywdzili nas ludzie, którzy powinni nas kochać. Zdradzili nas. Ograbili z radości i tego, co nam się należało.

Kitt postanowiła pójść za ciosem

– Ale nadal walczymy, prawda?

– Tak, walczymy...

– Więc pomóż mi. Bardzo proszę.

On jednak zignorował jej błagania.

– Jak to jest, pochować własne dziecko?

– Nie chcę mówić o córce. Wolę pogadać o naśladowcy.

– Ale teraz ja zadaję pytania, Kiciu. Jeśli odpowiesz, ja być może... odpowiem na twoje.

Kitt z trudem panowała nad podekscytowaniem. Spojrzała na zegarek i na jej zmęczonej twarzy pojawił się lekki uśmiech.

– Przecież nikt nie zna się na śmierci lepiej niż ty. Powinieneś wiedzieć, jak to jest, kiedy ktoś umiera... Po śmierci Sadie czułam się zupełnie pusta. Chciałam po prostu umrzeć. Myślałam nawet o samobójstwie.

– Dlaczego tego nie zrobiłaś? – spytał z wyraźnym ożywieniem.

– Sama nie wiem – odparła szczerze. – Może alkohol był takim rozłożonym na raty samobójstwem... Dążeniem do samozagłady.

– Ale przestałaś pić – powiedział niemal oskarżycielsko.

– Dzięki ludziom z AA. – Pomyślała o Dannym i zrobiło jej się przykro. – Ci ludzie przypomnieli mi, że nie tylko ja cierpię.

– I że Sadie nie chciałaby, żebyś to zrobiła?

Urwała, zupełnie zbita z tropu. Skąd on mógł to wiedzieć?

– Tak – odparła po chwili.

M.C. napisała na kartce: 11.43

Jeszcze tylko trzy minuty.

W ich pokoju pojawili się inni policjanci, w tym sierżant Haas i Sal. Wszyscy mieli nadzieję, że tym razem namierzą rozmówcę.

– Myślisz, że tak dobrze mnie znasz? – spytała, chcąc podtrzymać rozmowę.

– Tak – odparł bez wahania.

– Na ile dobrze?

– Chyba nie chcesz, żebym wyjawił ci wszystkie tajemnice, co?

– Czemu nie? Przecież ja zdradziłam ci swoje. Będziesz moim partnerem?

– Partnerem? – powtórzył ze śmiechem. – Dobrze. Świetna myśl. Bardzo cię lubię, chociaż zawaliłaś sprawę.

– A czy dalej będziesz mnie lubił, kiedy cię w końcu dorwę?

I znowu ten śmiech.

– Może nawet bardziej. Jednak nigdy do tego nie dojdzie.

– Jesteś pewny?

– Tak.

Spojrzała na koleżankę, która wyciągnęła dwa palce.

– Dlaczego?

– Bo jestem od ciebie lepszy. Przykro mi, ale to prawda. Jestem lepszy od was wszystkich.

– Dobrze, przyjmuję wyzwanie – powiedziała z mocą.

– Chcesz ze mną walczyć nawet teraz, kiedy jesteś w takiej godnej pożałowania sytuacji? Kiedy jesteś taka zagubiona? Wiesz, coraz bardziej cię podziwiam.

– Nie czuję się zagubiona.

– Czuję się taka zagubiona – zaczął cytować. – Jakby nic już nigdy nie mogło mi pomóc. Czasami zastanawiam się, czy z tym wszystkim nie skończyć, ale powstrzymuje mnie myśl o Sadie. Boję się, że gdybym popełniła samobójstwo, nie mogłybyśmy być razem na tamtym świecie.

Kitt poczuła, że robi jej się niedobrze. Rozpoznała własne myśli, które teraz wykorzystał potwór w ludzkim ciele.

To był fragment jej pamiętnika.

A więc był w jej domu. Może nawet kilka razy...

Kitt zebrała siły, żeby ukryć ból i rozgoryczenie. W tej chwili myślała tylko o tym, żeby przechytrzyć Orzeszka.

– Byłeś w moim domu i czytałeś mój pamiętnik. Myślisz, że to w porządku?

Nie przejął się jej słowami. Usłyszała syk zapalniczki i głęboki oddech, jakby zaciągał się głęboko papierosem.

– Ostrzegłaś dziewczynkę, z którą jesteś związana? – spytał.

– Nie jestem związana z żadną dziewczynką.

Mlasnął, niezadowolony z odpowiedzi.

– No i kto tutaj uprawia głupie gierki, Kiciu?

– Wcale z tobą nie pogrywam.

– Wszyscy w coś gramy. Życie jest jedną wielką grą. I wszyscy chcemy wygrać.

– Nie, życie to nie jest żadna gra.

– Chętnie bym z tobą podyskutował na ten temat, ale kończy mi się czas.

– Nie, zaczekaj. Przecież obiecałeś!

– Powiedziałem: „być może". Nie nazwałbym tego obietnicą.

– To niesprawiedliwe! Odpowiedziałam na wszystkie twoje pytania.

– Życie nie jest sprawiedliwe. Na razie.

Kitt bez odkładania słuchawki spojrzała na M.C., która uniosła kciuk.

– Mamy go!

– Sześć wozów – polecił Sal. – Wszyscy policjanci mają włożyć kamizelki kuloodporne. I bez żadnych szaleństw. – Obrócił się w stronę White'a i Allena. – Pojedziecie z Kitt i M.C.

Wszyscy wybiegli z budynku. Zanim jeszcze dojechali pod wskazany adres, dowiedzieli się, że jest to niewielki blok z dwunastoma mieszkaniami. Kiedy zatrzymywali samochody, w centrali już sprawdzano mieszkańców.

Policjanci z bronią w ręku okrążyli budynek. Kitt skoczyła w stronę policjanta dowodzącego grupą.

– Legitymujcie absolutnie wszystkich, którzy stąd wychodzą.

Ruszyli we czwórkę do środka. Na klatce schodowej paliła się słaba żarówka, która nie była w stanie oświetlić wszystkich zakamarków. Odruchowo przywarli do ścian. Wiedzieli, że Orzeszek dzwonił z tego budynku, ale nie znali dokładnego adresu.

– Stróż zwykle mieszka na parterze – powiedziała Kitt. – Jeśli w ogóle jest tu jakiś stróż.

Kitt szła z M.C. po jednej stronie korytarza, a White i Allen po drugiej. To one pierwsze znalazły mieszkanie stróża. Miał około sześćdziesiątki, wielki brzuch i spaloną słońcem twarz. Kitt zwróciła też uwagę na jego wielkie, białe dłonie oszpecone nagniotkami. W mieszkaniu był włączony telewizor. Mężczyzna oglądał serial, który ona też kiedyś bardzo lubiła.

– Jestem porucznik Lundgren – przedstawiła się, pokazując mu odznakę. – A to jest porucznik Riggio. Chcemy zadać panu parę pytań.

Mężczyzna spojrzał niepewnie na ich pistolety i kamizelki kuloodporne.

– Czy wszystkie mieszkania są zajęte? – spytała M.C.

– Poza dwoma – odparł stróż. – Lokatorzy wyprowadzili się parę tygodni temu, bo zalegali z czynszem. Założę się, że szukacie tego wariata z 310.

– Dlaczego?

– Przyłapałem go na tym, jak oglądał zdjęcia dzieci.

– Dzieci?

– No, pornosy. Myślałem, że się porzygam. Bogu dzięki, że moje dzieciaki są już dorosłe. Ostrzegłem wszystkich lokatorów, którzy mają dzieci.

Pedofil. Może notowany? Obiecujące.

– Jak się nazywa?

– Brown. Buddy.

– Wie pan, czy jest teraz w domu?

– Nie mam pojęcia. Chyba z tydzień go nie widziałem. Przychodzi i wychodzi o różnych porach, jak to wariat.

Zadzwonił telefon komórkowy M.C. Odebrała go, odsuwając się trochę od drzwi. Po chwili zakończyła rozmowę.

Kitt spojrzała w jej stronę.

– Nasi?

– Mhm. Oni też zwrócili uwagę na tego Browna. Jest na zwolnieniu warunkowym.

– To pedofil?

– Nie, siedział za kradzież i pobicie. Sprawdzają też innych mieszkańców, ale na razie niczego nie znaleźli.

– Czuję, że to Brown. – Podziękowała stróżowi za informacje. – Niech pan zamknie się teraz w domu, tak będzie bezpieczniej. Damy znać, kiedy będzie pan mógł wyjść.

Kitt była prawie radosna. Chyba po raz pierwszy od bardzo dawna.

– Jego mieszkanie jest tam dalej, po prawej.

Ruszyli we czwórkę do mieszkania numer 310. Kitt zabębniła w nie pięścią.

– Policja! Otwierać!

Ze środka dobiegł do nich odgłos tłuczonego szkła.

– Wchodzimy! – krzyknął White i kopnął w drzwi.

Wpadli do środka z wyciągniętą bronią. Pod nogi skoczył im czarny kot. Poza tym w mieszkaniu nikogo nie było. Nie chowając broni, przeszukali wszystkie pomieszczenia. W kuchni leżało zepsute jedzenie. Na brudnej kanapie znaleźli telefon komórkowy. Brown musiał go zostawić, kiedy uciekał.

Kitt włożyła lateksowe rękawiczki i sprawdziła ostatni numer, pod który dzwoniono.

To był numer policji!

Sprawdziła inne. Było ich bardzo dużo. Któryś z nich mógł okazać się pomocny.

M.C. stanęła obok i zajrzała jej przez ramię.

– Powiedziałam White'owi i Allenowi, żeby sprawdzili pozostałych mieszkańców.

Kitt skinęła głową.

– Domyślił się, że go namierzyliśmy, i uciekł – powiedziała. – Dzwonił właśnie z tej komórki.

– Zaraz przekażę tę informację. Może jest gdzieś blisko. Wyślę policjantów, żeby przeszukali teren. Nie zdążył chyba uciec daleko.

– Ma samochód?

– Forda escorta. Stoi przed blokiem.

– Trzeba go sprawdzić.

M.C. przytaknęła, a potem zmarszczyła brwi.

– Zauważyłaś, że nie ma tu kuwety?

Kitt spojrzała ze zdziwieniem na koleżankę. Jakoś nie przyszło jej to do głowy.

– Nie ma też misek dla kota.

– Nic dziwnego, że uciekł, jak tylko otworzyłyśmy drzwi. Biedactwo!

– To zastanawiające...

– Co takiego?

– Kot podwórzowy w mieszkaniu. Ciekawe, dlaczego nie uciekł wraz z Brownem?

– Dobre pytanie. Ten kot chyba należał do Browna i już jakiś czas tu siedział – stwierdziła Kitt.

– Tak, to widać...

W mieszkaniu unosił się potworny smród kocich ekskrementów.

– Dobra, chyba powinnyśmy stąd zmykać. Niech zajmie się tym ekipa techniczna.

– Jasne – mruknęła M.C.

Kiedy zadzwoniła po techników, Kitt zaczęła szperać w stojącej w sypialni szafie. Na jej dnie znalazła pudełko po butach i zajrzała ciekawie do środka.

Poczuła, jak żołądek podchodzi jej do gardła. W pudełku leżały pożółkłe wycinki z gazet. Wszystkie dotyczyły tego samego – Mordercy Śpiących Aniołków. Tego pierwszego.

Położyła dłoń na żołądku, który zaczął się powoli uspokajać, a następnie przejrzała wycinki. Pamiętała dokładnie opisane w nich wydarzenia. W niektórych była wymieniana jako oficer prowadzący śledztwo.

Na wszystkich jej nazwisko było zaznaczone żółtym markerem.

– M.C., chodź, zobacz.

Koleżanka zaczęła przeglądać wycinki.

– Wygląda na to, że ktoś się w tobie kocha.

– Ma szczęście, że... – Nagle urwała. Na samym dnie znajdowała się szminka firmy Maybelline. Można było dostać takie pomadki niemal w każdej drogerii na terenie całego kraju.

Kolor nazywał się „delikatny róż".

ROZDZIAŁ CZTERDZIESTY TRZECI

Piątek, 17. marca 2006
godz. 15.50

Policyjny kurator Buddy'ego Browna nie był zachwycony widokiem Kitt i M.C., ale oczywiście niezbyt je to obeszło. Jeszcze jeden zwolniony warunkowo więzień, który wszedł w konflikt z prawem, oznaczał dla niego więcej papierków do wypełnienia, a także niezbyt miłą rozmowę ze zwierzchnikami.

Wes Williams wskazał im krzesła stojące przed biurkiem.

— Nie przypuszczałem, że Brown zrobi coś złego — mruknął. — Niektórzy przestępcy naprawdę lubią więzienie, ale on do nich nie należy.

Czy rzeczywiście ktoś może polubić więzienie? — pomyślała Kitt i zajrzała do notatek.

— Regularnie stawiał się na cotygodniowe spotkania? — spytała.

— Jak w zegarku. Pomijając zeszły tydzień.

— Wtedy nie przyszedł?

— Właśnie.

– I co pan zrobił?

– Zgłosiłem to władzom.

– Nie dostaliśmy informacji, że naruszył zasady zwolnienia warunkowego – zauważyła.

Mężczyzna rozłożył ręce w bezradnym geście.

– Co na to poradzę? Tak działa biurokracja.

– Co może pan nam o nim powiedzieć? – włączyła się M.C.

– To taki facet, który zawsze trafia w nasze ręce. Rozrabiał jako nastolatek, a potem było coraz gorzej. – Zaczął przeglądać papiery. – Napad. Podpalenie. Narkotyki.

– A czy mógłby kogoś zabić? Na przykład jakieś dziecko?

Spojrzał na nią ostro.

– Zabić dziecko? Brown?

– Właśnie.

– Pracuję tu na tyle długo, że nic mnie nie zdziwi, ale według mnie nie byłby do tego zdolny.

– A jak pan ocenia jego inteligencję? – zapytała Kitt.

– Poniżej przeciętnej. Tych naprawdę sprytnych trudno złapać.

– Dlaczego wyszedł wcześniej? – M.C. zadała kolejne pytanie.

– To nic takiego, pani porucznik, po prostu udało mu się przekonać władze więzienia, że nie stanowi już zagrożenia dla społeczeństwa. Poza tym zakłady karne są przepełnione. Trzeba zrobić miejsce dla nowych przestępców...

Tak, Williams z pewnością pracował długo w tym zawodzie. Na tyle, by wszelkie uczucia pokrywać cynizmem.

– Ile razy wychodził warunkowo?

– Dwukrotnie. Wiedział, że jeśli teraz zostanie aresztowany, będzie miał poważne problemy, ale jak mówiłem...

– Nie był zbyt bystry?

– Właśnie. – Spojrzał na zegarek. – Przepraszam, ale jestem umówiony na ważne spotkanie. Czy mogę paniom jeszcze jakoś pomóc?

Obie wstały.

– Nie, dziękujemy. Ale proszę do nas zadzwonić, gdyby przyszło panu coś do głowy.

– Nie sądzę, żeby się ze mną kontaktował, lecz jeśli to zrobi, natychmiast zawiadomię policję.

Już wychodziły, ale Kitt odwróciła się jeszcze i zapytała:

– Przepraszam, nie orientuje się pan, czy Brown miał kota?

– Kota? – Williams spojrzał na nią ze zdziwieniem. – Nie, nie słyszałem. Zaraz, o czymś zapomniałem. Dzwonił do mnie właściciel firmy, która go zatrudniła. Powiedział, że zwolnił Browna, bo nie przychodził do pracy.

– Po tym, jak Brown nie stawił się na spotkanie?

– Dwa dni przed.

Ciekawe.

– Może pan nam podać jego nazwisko?

Williams znowu zaczął przeglądać papiery.

– Chwileczkę... Mam nazwę firmy... O, Lundgren Homes.

ROZDZIAŁ CZTERDZIESTY CZWARTY

Piątek, 17. marca 2006
godz. 16.20

M.C. odezwała się dopiero w samochodzie.

– Lundgren Homes? To ktoś z twojej rodziny?

– To firma mojego byłego męża.

– I co ty na to?

Kitt potrząsnęła głową, zbierając myśli.

– Sama nie wiem.

M.C. wyjechała na ulicę. Ona wiedziała, co o tym myśleć, ale chciała poczekać, aż partnerka trochę ochłonie.

– Musimy z nim porozmawiać.

Kitt skinęła głową.

– Ale najpierw dowiedzmy się, co udało się znaleźć w mieszkaniu Browna. Poza tym White i Allen mogli dowiedzieć się czegoś ciekawego w sąsiedztwie.

M.C. skręciła w główną ulicę.

– Nie wydaje mi się, żeby to Brown był mordercą.

– Myślisz, że jest na to za głupi? – zapytała Kitt z przekąsem.

– Chyba tak. Przecież wiemy, że Morderca Śpiących Aniołków jest bardzo inteligentny i potrafi nad sobą panować. Brown absolutnie nie pasuje do tej charakterystyki.

Kątem oka zauważyła, że Kitt zaczęła masować skronie.

– Poza tym nie jest typem mordercy.

– Jednak znaleźliśmy u niego telefon, z którego ktoś do mnie dzwonił – przypomniała koleżance. – To pewne.

– Racja – zgodziła się M.C.

– Miał też wycinki i szminkę – ciągnęła Kitt. – To go stawia w kręgu podejrzanych.

– Musimy bardzo uważać w tej sprawie.

Wściekła Kitt spojrzała na koleżankę.

– Dobra, powiedz wreszcie do cholery, do czego zmierzasz!

– Jak sądzisz, jaką rolę w tym wszystkim odegrał twój eksmąż?

– Był po prostu pracodawcą Browna.

– A nie wydaje ci się, że za dużo w tej sprawie zbiegów okoliczności?

– Nie chcesz chyba powiedzieć, że to Joe jest mordercą?!

M.C. milczała przez chwilę, a potem mruknęła:

– Nie możemy niczego wykluczyć.

Kitt cała się zjeżyła.

– Od razu mogę ci powiedzieć, że Joe jest jednym z najporządniejszych facetów, jakich znam. Był wspaniałym mężem i ojcem, a poza tym z pewnością nigdy nie skrzywdziłby dziecka. Rozumiesz? Nigdy!

– No dobrze, więc podsumujmy fakty.

– Zabito trzy dziewczynki, i to w taki sam sposób, jak tamte pięć lat temu – zaczęła wyliczać Kitt. – Dzwoni do mnie ktoś, kto się podaje za tamtego mordercę, i oskarża swego naśladowcę o nieudolność. A teraz znaleźliśmy telefon, z którego morderca do mnie dzwonił, należący do przestępcy zatrudnionego w firmie mojego byłego męża. To za mało, żeby oskarżyć Joego!

M.C. nie protestowała, ale miała kilka własnych przemyśleń.

– Buddy Brown był na wolności, kiedy dokonano tych pierwszych morderstw. A potem poszedł do więzienia...

– To by pasowało do naszej teorii – zgodziła się Kitt.

– Właśnie. Przestał mordować, bo siedział za kratkami.

– I tam poznał kogoś, komu się zwierzył – ciągnęła Kitt. – Kogoś, komu zaufał.

– Wiadomo, że jest pewny siebie i arogancki. Lubi się chwalić.

– W końcu zwolniono ich obu. Kumpel Browna zaczął mordować. Kiedy Brown zorientował się, że ma naśladowcę, wpadł we wściekłość.

– Dlaczego po prostu nie zadzwonił na policję i nie doniósł na kumpla? – M.C. pokręciła głową.

Kitt westchnęła ciężko.

– Nie, to nie ma sensu.

– Jest jeszcze jedna możliwość.

– Jaka?

M.C. wjechała na parking policyjny. Obie jednocześnie wysiadły z wozu.

– A jeśli nie ma naśladowcy? – zasugerowała M.C. – Jeśli jest tylko jeden morderca, który próbuje wrobić Browna?

M.C. zauważyła, jak Kitt zagryzła wargi. Pewnie chciałaby obalić tę teorię, ale zabrakło jej argumentów.

– Dobrze, więc powiedz, dlaczego ten facet mówi o naśladowcy?! Dlaczego dzwoni właśnie do mnie?!

– To bardzo ważna kwestia.

– I myślisz, że Joe jest w to zamieszany?

– Wiemy, że stanowi ogniwo łączące cię z tym, który dzwonił. Reszta pozostaje na razie w sferze domysłów.

Weszły do budynku i skierowały się do swego wydziału. Kiedy wychodziły z windy, Kitt zatrzymała się gwałtownie, aż policjant niosący kawę rozlał trochę płynu na podłogę.

– A to skurwysyn!

Kitt przeprosiła zdziwionego policjanta i odciągnęła M.C. na bok.

– To stąd Orzeszek wiedział o Tami. Przez Joego.

– Kto to jest Tami? – spytała zdezorientowana M.C.

– Córka narzeczonej Joego. Pamiętasz, Orzeszek radził, żebym uważała na dziewczynki, na których mi zależy. A poza Tami nawet nie znam żadnego dziecka!

Ruszyła energicznie przed siebie.

– To albo Brown, albo któryś z jego kumpli. Wiedzieli o Tami, bo Brown pracuje w Lundgren Homes. Łatwo im było zdobyć numer mojej komórki, wystarczyło zajrzeć do notesu Joego. Boże, jakie to proste. Joe często wychodzi z biura, a jego asystentka też nie pilnuje papierów. Jest taki ufny.

Zatrzymała się i spojrzała na koleżankę.

– To dlatego ten drań tyle o mnie wie. Wielu z pracowników Joego pracuje u niego od dawna. Wiedzieli o chorobie Sadie, o tym, jak cierpieliśmy, o moim nałogu... Ba, wiedzieli nawet, że mówiliśmy na Sadie Orzeszek!

Kitt obróciła się na pięcie i pomaszerowała do windy.

– Gdzie idziesz?

M.C. dogoniła ją paroma susami.

– Muszę pogadać z Joem. – Spojrzała na koleżankę. – Brown nam uciekł, ale przedtem groził Tami. Jeśli to on jest mordercą, uznał nasz najazd na jego mieszkanie za naruszenie reguł gry. Nie chcę, żeby zemścił się na Tami.

ROZDZIAŁ CZTERDZIESTY PIĄTY

Piątek, 17. marca 2006
godz. 17.35

Joe był w swoim biurze i właśnie szykował się do wyjścia. Wyglądał na zmęczonego. Kitt mogłaby przysiąc, że włosy mu posiwiały, od kiedy widziała go po raz ostatni.

– Cześć – przywitała się.

Zastygł nad papierami, które właśnie zamierzał schować do szafy.

– Kitt? – powiedział, a potem przeniósł wzrok na M.C. – Co się stało?

– To moja partnerka, porucznik Riggio. Chcemy ci zadać parę pytań na temat jednego z twoich pracowników.

– Moich pracowników? Kogo konkretnie?

– Chodzi nam o pańskiego byłego pracownika Buddy'ego Browna.

Joe zrobił poważną minę i wskazał im foteliki dla klientów.

– Słucham? – powiedział.

– Jak długo dla pana pracował?

– Trzy tygodnie.

– Wiedział pan, że niedawno wyszedł warunkowo z więzienia?

– Tak, ale bardzo mu zależało na tej pracy i miał doświadczenie w budownictwie.

– Dlaczego pan go zwolnił? – ciągnęła M.C.

– Bo dwa dni pod rząd nie przyszedł do pracy. Kiedy rozmawiam z tymi ludźmi, nie owijam niczego w bawełnę. Jeśli nawalą, wylatują z roboty. Potrzebuję pracowników, na których mogę polegać.

– Powiedział pan z „tymi ludźmi". Czy to znaczy, że zatrudniał pan innych byłych więźniów?

– Jasne. Wierzę, że trzeba dać im szansę. – Przeniósł wzrok na Kitt. – Co się stało? Co on takiego zrobił?

– Mamy powody przypuszczać, że to on dzwonił do mnie i podawał się za Mordercę Śpiących Aniołków.

Spojrzał na nie z bezbrzeżnym zdziwieniem.

– Morderca Śpiących Aniołków? Nie sądzicie chyba, że Buddy Brown byłby do tego zdolny? – spytał wstrząśnięty.

– Jednak to prawdopodobnie on do mnie dzwonił. Chociaż nie mamy dowodów, że jest mordercą.

M.C. postanowiła włączyć się do rozmowy:

– Obawiamy się, że córka pańskiej narzeczonej może być w niebezpieczeństwie.

– Tami? – Joe spojrzał z przerażeniem na Kitt. – Nie dzwoniłem do Valerie. Myślałem, że zbikowałaś i dlatego widzisz wszędzie morderców...

Sięgnął po słuchawkę. Kitt zauważyła, jak bardzo drży mu ręka.

– Zrobię to teraz...

Kitt powstrzymała go gestem.

– Nie, najpierw my z nią porozmawiamy. Zapewniam, że tak będzie lepiej.

Zawahał się. Nie wiedział, co robić.

– Zaufaj mi – poprosiła.

Skinął głową, a następnie zapisał im telefon i adres Valerie na kartce.

– Jest pielęgniarką. Powinna już skończyć dyżur.

– Dzięki, Joe. – Kitt schowała kartkę do kieszeni kurtki. – Gdyby Brown się z tobą skontaktował, daj nam natychmiast znać.

– Oczywiście. – Popatrzył na nią trochę oszołomiony. – Poproś Valerie, żeby do mnie zadzwoniła. Chcę wiedzieć, że wszystko u niej w porządku. Powiedz, że...

Nie dokończył zdania, a Kitt zastanawiała się, o co mogło mu chodzić. Czyżby miała zapewnić Valerie o miłości Joego?

Nie chciała się do tego przyznać, ale poczuła się zdruzgotana.

ROZDZIAŁ CZTERDZIESTY SZÓSTY

Piątek, 17. marca 2006
godz. 18.10

Valerie Martin mieszkała w małym domku położonym na obrzeżach Springbrook, nieopodal miejscowego uniwersytetu. Chociaż ta dzielnica wciąż cieszyła się dobrą opinią, nie była już tak popularna jak kiedyś. Gdy Valerie im otworzyła, wciąż miała na sobie pielęgniarski fartuch, ale zdążyła już włożyć kapcie. M.C. domyśliła się z jej miny, że poznała Kitt.

Kitt zapewne też to zauważyła, jednak przedstawiła się:

– Cześć, Valerie. Jestem Kitt Lundgren. Była żona Joego.

– Tak, pamiętam, spotkałyśmy się na tej imprezie na rzecz dzieci chorych na białaczkę. – Spojrzała na M.C., a potem przeniosła spojrzenie na Kitt. – Czym mogę służyć?

– To moja partnerka, porucznik Riggio. Przyszłyśmy w służbowej sprawie. Możemy wejść?

– W służbowej? – Szeroko otworzyła oczy. – Czy... czy może coś się stało Joemu?

– Nie, u niego wszystko w porządku – odparła Kitt. – Możemy wejść?

– Tak, oczywiście. – Valerie odsunęła się od drzwi.

Najpierw weszła Kitt, a potem M.C. Wewnątrz było przytulnie i ładnie. Tami siedziała po turecku na dywanie w saloniku i rysowała mazakami. Nawet nie spojrzała w ich stronę, kiedy weszły.

– Przepraszam na chwilę – powiedziała Valerie i zerknęła w stronę kuchni. – Właśnie przygotowywałam obiad.

Przeszły za nią do kuchni, gdzie gotował się makaron na spaghetti. Valerie powróciła do krojenia warzyw.

– Spóźniłam się i chciałam szybko zrobić obiad. Stąd ten strój – wyjaśniła.

M.C. odczytała plakietkę.

– Pracuje pani w Highcrest Hospital? – raczej stwierdziła, niż spytała.

– Tak, na oddziale pediatrycznym.

– Jak długo?

– Od momentu, kiedy skończyłam studium pielęgniarskie.

Kitt zerknęła niespokojnie w stronę saloniku i powiedziała nieco przyciszonym głosem:

– Czy słyszała pani o ostatnich morderstwach dziesięcioletnich dziewczynek?

Valerie przestała kroić warzywa i spojrzała na nie przestraszona.

– Tak.

– Mamy powody podejrzewać, że Tami grozi niebezpieczeństwo.

Nóż wpadł z brzękiem do zlewozmywaka. Valerie pospieszyła do drzwi, żeby sprawdzić, czy z córką wszystko w porządku. Po chwili wróciła i spojrzała na policjantki oczami pełnymi strachu.

– Skąd te przypuszczenia?

Jednak M.C. miała już w zanadrzu własne pytanie.

– Czy zauważyła pani ostatnio coś niezwykłego? Kogoś, kto kręci się w pobliżu domu? Jakiś obcy samochód na ulicy?

Valerie zastanawiała się przez chwilę.

– Nie.

– Proszę jeszcze pomyśleć. Może jednak ktoś tu się kręcił?

– Przepraszam... muszę usiąść. Tylko... – Wyłączyła i odcedziła makaron i dopiero wówczas opadła na kuchenne krzesło.

Siedziała tak ładnych parę minut, z twarzą ukrytą w dłoniach.

– Nie, niczego nie zauważyłam. Nic zupełnie...

– Czy wtedy na targach podszedł do was klaun? – spytała z kolei Kitt. – Sprzedawał balony – dodała, widząc, że Valerie wciąż jest zdezorientowana i nie może się skupić.

– Tami miała balon – odparła po chwili. – Joe jej kupił. Taki różowy.

M.C. spojrzała na koleżankę. Musiała przyznać, że Kitt wspaniale trzyma emocje na wodzy, chociaż musiało być jej bardzo ciężko.

– Proszę mi powiedzieć, co grozi mojej córce – szepnęła błagalnie Valerie.

– Nie mamy jeszcze pewności – rzekła łagodnie Kitt. – Ktoś mi jednak radził, żebym uważała na dziewczynki... z którymi jestem związana. Nie znam innych dzieci poza Tami.

Valerie zacisnęła wargi, ale na jej twarzy pojawił się wyraz ulgi.

– Nie chcemy ryzykować, pani Martin, dlatego prosimy o podjęcie niezbędnych środków ostrożności. Proszę nie zostawiać Tami samej, zwłaszcza w nocy. Proszę spać z córką, dopóki nie złapiemy tego mordercy.

– Tak, oczywiście – powiedziała i pociągnęła nosem.

Nie płakała. Kitt musiała przyznać, że jest bardzo dzielna.

– Sama nie wiem, co bym zrobiła, gdyby coś stało się Tami... – dodała łamiącym się głosem.

– Tak, rozumiem – powiedziała sztywno Kitt. – Proszę się z nami skontaktować, gdy tylko zauważy pani coś niezwykłego.

Valerie odprowadziła je do drzwi. Tym razem dziewczynka spojrzała w ich stronę i uśmiechnęła się nieśmiało. M.C. odwzajemniła uśmiech. Większość dzieci, nie wyłączając jej bratanka, spędzała wolny czas przed ekranem telewizora. Miło było zobaczyć, że nie wszyscy stali się niewolnikami telewizyjnej papki.

Zrobiło się ciemno, więc Valerie zapaliła światło na ganku. Miały już iść, jednak M.C. zdecydowała się zadać jeszcze jedno pytanie, które męczyło ją od jakiegoś czasu.

– Pani Martin, jak pani poznała swojego narzeczonego?

Kitt popatrzyła na nią ze zdziwieniem.

– W szpitalu – odparła kobieta.

– Ale chyba nie na oddziale pediatrycznym?

– Na pediatrycznym. – Valerie uśmiechnęła się lekko. – Joe zabawiał dzieci sztuczkami magicznymi.

– Sztuczkami magicznymi? Jest w tym dobry?

– Tak, jak na amatora.

M.C. zerknęła na Kitt, która zmarszczyła brwi.

– To bardzo miło z jego strony.

– Też tak uważam. Dzieciaki go uwielbiają. Chociaż na chwilę zapominają o chorobie.

– Wciąż to robi?

– Tak, przychodzi do nas co kilka tygodni.

M.C. podziękowała jej i przeszły z Kitt do samochodu. Kiedy wsiadły, spojrzała ze zdziwieniem na swoją partnerkę.

– Twój były mąż jest magikiem?

– Nie, to tylko jego hobby. Zna kilka prostych sztuczek...

– Chodził do szpitala przed śmiercią Sadie? – drążyła M.C.

– Kiedy Sadie była w szpitalu, zabawiał ją w ten sposób, a potem zaczęły przychodzić inne dzieci – wyjaśniła.

M.C. pozostawiła to bez komentarza. Kiedy zapaliła światła i ruszyła, zauważyła, że to samo zrobił kierowca innego samochodu. Nie patrzyła już jednak we wsteczne lusterko, tylko przed siebie.

– Jest ci chyba ciężko – zauważyła. – Przecież to narzeczona twojego byłego męża.

– Jakoś sobie poradzę – odparła Kitt. – Może skupimy się na sprawie?

– Jasne. Ta Martin jest chyba dobrą matką i w dodatku szybko się pozbierała.

Jechały dość prędko. Na drodze nie było dużego ruchu.

– Czy Joe zatrudniał byłych więźniów, kiedy byliście małżeństwem? – spytała po chwili.

Kitt zmarszczyła brwi.

– Najpierw sztuczki, teraz byli przestępcy... O co ci chodzi?

– Coś mi się tutaj nie zgadza.

– Dlaczego? Bo Joe angażuje się w działalność charytatywną?

M.C. tylko potrząsnęła głową. Nie była jeszcze gotowa do konfrontacji.

– Zjesz kolację?

– Nie, dzięki. Jestem skonana.

– Dobrze. W takim razie, umawiamy się jutro rano w pracy?

Kitt przytaknęła, więc M.C. zawiozła ją na policyjny parking, gdzie stał jej wóz, a następnie pojechała do „Mama Riggio", żeby kupić sobie coś na wynos. W końcu jednak zjadła na miejscu. Nawet nie przeszkadzały jej wygłupy braci i to, że kiedy w restauracji pojawił się ktoś ze znajomych, pokazali mu, pewnie po raz setny, wiszące na ścianie zdjęcie z Mary Catherine.

Sama nie mogła pojąć, dlaczego wciąż ich kocha.

Opuściła restaurację i wsiadła do explorera. Ruszyła do domu. Przy wyjeździe zauważyła samochód, który również opuszczał parking. Zmarszczyła brwi. Czyżby ktoś ją śledził?

Jadąc, obserwowała, co dzieje się z tyłu. Kierowca trzymał się od niej w bezpiecznej odległości. W pewnym momencie zwolniła, czekając, aż ją wyprzedzi. Nie zrobił tego, a kiedy przyspieszyła, on również zaczął jechać szybciej.

Zauważyła, że światła zmieniły się na żółte, ale zamiast się zatrzymać, przyspieszyła. Tamten został na czerwonych. Skręciła w najbliższą uliczkę, potem w kolejną i jeszcze jedną. Dopiero kiedy była pewna, że nikt jej już nie śledzi, pojechała do domu.

Położyła się wcześniej, ale nie mogła spać. Wreszcie wstała i stanęła przy oknie. Nie mogła przestać myśleć o wydarzeniach minionego dnia. Zastanawiała się, czy Joe Lundgren jest wspólnikiem Buddy'ego Browna.

Kiedy tak patrzyła na ulicę, zauważyła wolno jadący samochód. To był ford. Taki jak ten, który dzisiaj ją śledził. Widziała go przed restauracją i domem Valerie Martin.

Ktoś chciał znać każdy jej krok.

Kto to był?

Wyszła na ciemną werandę. Widziała stąd dokładnie ulicę i miała nadzieję, że uda jej się rozpoznać osobę siedzącą za kierownicą.

Nie musiała długo czekać. Kiedy kierowca ponownie okrążał jej dom, wyraźnie go zobaczyła i od razu rozpoznała. Był to porucznik Brian Spillare.

ROZDZIAŁ CZTERDZIESTY SIÓDMY

Sobota, 18. marca 2006
godz. 8.10

Kiedy zadzwoniła M.C., Kitt piła już trzecią filiżankę kawy i wciąż walczyła z sennością. Prawie w ogóle nie spała, gdyż przeglądała papiery Browna, próbując dopasować go do swojej układanki. Nic z tego, co przeczytała, nie wskazywało, żeby dysponował jakimiś nadzwyczajnymi umiejętnościami bądź inteligencją. Wsadzono go za kratki tylko dwa razy, chociaż wielokrotnie przyłapano na gorącym uczynku. Miał jednak dobrego adwokata, który umiejętnie stosował różne kruczki prawne.

– No i co tam? – rzuciła do słuchawki, kiedy już się przywitały.

– Znaleźli Browna – powiedziała prosto z mostu M.C. – Ale nie ciesz się zawczasu. Nie żyje.

Kitt potrzebowała chwili, żeby dotarł do niej sens tych słów. Kiedy już oprzytomniała, pospieszyła do łazienki.

– Jak to się stało?

– Wiem tylko, że znaleźli go w Paige Park.

– A to sukinsyn! – Zsunęła spodnie od piżamy i usiadła na sedesie. – Jedziesz tam?

– Na razie muszę się pozbierać. Co to za dźwięk? Robisz siku? To obrzydliwe.

– Musiałam – wyjaśniła i spuściła wodę.

– Do zobaczenia na miejscu.

Dwadzieścia minut później Kitt zatrzymała wóz obok explorera M.C. Paige Park mieścił się na północnych obrzeżach miasta. To właśnie tutaj najczęściej porzucano ciała zamordowanych.

Kitt wysiadła z samochodu, trzymając w dłoni termos z kawą. M.C. stała koło swojego auta, z rękami wbitymi w kieszenie kurtki.

– Fatalnie wyglądasz – zauważyła.

– Ty też nie lepiej.

M.C. uśmiechnęła się ponuro.

– To przez tę cholerną robotę – mruknęła. – Nie można się normalnie wyspać.

Podeszły do mundurowego policjanta i wpisały się do zeszytu. Obie wiedziały, że czeka je ciężka praca, jak zawsze, gdy odnajdowano zwłoki porzucone poza zamkniętym pomieszczeniem. Deszcz i wiatr skutecznie zacierały ślady, dzikie zwierzęta, które coraz częściej zapuszczały się do miasta, też nie ułatwiały sprawy. Natomiast w czasie upałów było najgorzej, bo rozkład ciała postępował błyskawicznie.

Dlatego trzeba było zachować wyjątkową ostrożność i dokładnie sprawdzać wszystkie szczegóły.

– Co tu mamy? – Kitt zwróciła się do policjanta.

– Ciało w rowie, za tymi drzewami. Odkrył je jakiś biegacz, a raczej jego pies. Zabity nazywa się

Buddy Brown. Miał przy sobie portfel z dokumentami i pieniędzmi.

– Ile tego było?

– Jakieś drobniaki.

A więc nie zabito go dla pieniędzy.

– Coś jeszcze?

– Wygląda na to, że zginął gdzie indziej i przywieziono go tutaj.

– No tak.

– Powiadomiłem już ekipę techniczną i urząd koronera – ciągnął policjant. – Mój partner pilnuje ciała.

Skinęły głowami i ruszyły w stronę kępy sosen i buków. Pod nogami szeleściły im liście i sosnowe igły, czasami pękała jakaś gałązka. Tym właśnie morderca próbował zamaskować ciało.

Zaczęły schodzić w dół, do rowu. Mundurowy funkcjonariusz wyciągnął w ich stronę dłoń. Przywitały się z nim i przedstawiły.

– Jesteście panie pierwsze – stwierdził funkcjonariusz.

– Szczęściary z nas, co? – Kitt przykucnęła przy zabitym.

Mężczyzna leżał twarzą do góry na kawałku brezentu. Morderca nie pofatygował się nawet, żeby go zakopać. Po prostu przykrył zwłoki zeschniętymi liśćmi i trawą.

Nie przejmował się tym, że szybko znajdą ciało.

Kitt od razu rozpoznała Browna. Wyglądał, jak na zdjęciu. Miał dwadzieścia parę lat, średnią budowę ciała i brązowe oczy oraz włosy.

Patrzyła na niego i próbowała sobie wyobrazić, jak stał się Orzeszkiem. Facetem, który chwalił się dokonanymi zbrodniami i podkreślał swój perfekcjonizm, który był na tyle arogancki, że rzucił jej wyzwanie.

Jednak Brown wyglądał najwyżej na drobnego kryminalistę.

– Chyba nie żyje już od dłuższego czasu – zauważyła M.C., która również pochyliła się nad ciałem.

Proces rozkładu był rzeczywiście dosyć daleko posunięty.

– Racja.

– Jak myślisz, kiedy go zabito?

Kitt pokręciła głową.

– Trudno dokładnie powiedzieć, ale na pewno wcześniej niż wczoraj.

Co znaczyło, że to nie Buddy Brown do niej dzwonił. A to oznaczało również, że niestety nie on był Orzeszkiem.

– Nie widać krwi ani rany postrzałowej – zauważyła.

Po chwili usłyszały warkot silnika. Kiedy spojrzały w stronę alejki, zobaczyły samochód ekipy technicznej. Najpierw pojawili się Sorenstein i Snowe, a potem anatomopatolog Frances Roselli.

Kitt i M.C. wyprostowały się i pomachały w stronę nadchodzących mężczyzn.

– Co tak późno? – spytała Kitt. – Nie mogliście zwlec się z łóżka?

– Daj spokój, przecież dziś sobota – rzekł z westchnieniem Sorenstein.

Kitt zauważyła, że z wyjątkiem Rosellego wszyscy mężczyźni wyglądają na zmęczonych i mają podkrążone oczy. Fetor, który unosił się nad ciałem, nie ułatwiał im dojścia do siebie.

– Zdaje się, że przesadziliście wczoraj z piciem – zauważyła. – No, ale to już wasz problem.

– Odczep się – burknął Snowe.

– To podejrzany? – spytał Roselli. – Ten zwolniony warunkowo?

M.C. skinęła głową.

– Tak, to on.

Anatomopatolog zaczął oglądać ciało.

– Ktoś skręcił mu kark – stwierdził. – Popatrzcie, jak ma przekrzywioną głowę.

– Myślisz, że to był powód śmierci? – spytała Kitt.

– Po co ktoś miałby przetrącać kark trupowi? – spytał Roselli. – Chociaż z drugiej strony nigdy nic nie wiadomo... Nie takie rzeczy już widziałem.

– Jak sądzisz, od jak dawna nie żyje?

Anatomopatolog milczał przez jakiś czas, jakby coś obliczał w myślach.

– Ostatnio było sucho i dosyć chłodno, to opóźniło proces rozkładu. Moim zdaniem od dwóch do trzech tygodni, ale po sekcji będę mógł powiedzieć dokładniej. – Zerknął na Sorensteina.

Snowe mrugnął do kumpla.

– No co, stary, bierzemy się do pracy?

Sorenstein spojrzał z niesmakiem na ciało.

– Nienawidzę tej roboty.

Kitt i M.C. cofnęły się, żeby im nie przeszkadzać. M.C. zmarszczyła brwi.

Dwa, trzy tygodnie... Trzy tygodnie temu Julie Entzel jeszcze żyła.

– I co teraz? – spytała partnerkę.

– Musimy znaleźć powiązania między mordercą, jego naśladowcą i Buddym Brownem – stwierdziła Kitt.

– I tobą – dodała M.C.

I mną, zgodziła się w duchu Kitt.

ROZDZIAŁ CZTERDZIESTY ÓSMY

Poniedziałek, 20. marca 2006
godz. 8.40

Kitt wróciła do pracy. Przeszła szybko przez hol i skierowała się do windy. Wkrótce była już na drugim piętrze. Miała za sobą pracowity weekend. Po sekcji zwłok Roselli stwierdził, że Brown nie żyje mniej więcej od dwóch tygodni, co oznaczało, że nie mógł być naśladowcą ani do niej dzwonić. Skręcono mu kark, co wymagało od zabójcy nie tylko siły, ale też określonych umiejętności. Ponieważ sekcja nie wykazała, żeby Brown się bronił, morderca musiał go zaskoczyć.

Najprawdopodobniej znał ofiarę.

Uważała, że zabójcą Browna jest Morderca Śpiących Aniołków i że to właśnie on do niej dzwonił. Musiał mieszkać u Browna przez jakiś czas, być może zarówno przed, jak i po zabiciu kumpla. Technicy nie zbadali jeszcze, czy znaleziona u Browna szminka była wykorzystywana przy ostatnich morderstwach. Na analizę czekały też odciski palców zebrane w jego mieszkaniu.

Kitt ziewnęła szeroko. Pomyślała o M.C., z którą przez całą sobotę i niedzielę szukały kumpli Browna z więzienia i sprawdzały, którzy z nich są na wolności. Ciekawe, czy koleżanka jest już w pracy?

Weszła do holu, przywitała się z Nan i podeszła do ekspresu. Sekretarka uśmiechnęła się do niej.

– M.C. jest w pokoju przesłuchań numer jeden – powiedziała. – Właśnie zaczęła.

Kitt spojrzała na nią przez ramię.

– Co zaczęła?

– No, przesłuchiwanie świadka. Jest tam z sierżantem Haasem.

– Świadka? – powtórzyła zdezorientowana Kitt. – W jakiej sprawie?

Tym razem to sekretarka zrobiła wielkie oczy.

– To chyba jasne, że tych ostatnich morderstw!

No tak, przecież nie prowadzą innej sprawy. Co też jej strzeliło do głowy, żeby zaczynać tak wcześnie? I to nie informując o niczym partnerki...

– A tak, oczywiście – rzuciła w stronę Nan i ruszyła z kawą do swego pokoju.

– Kitt? – Sekretarka wyciągnęła w jej stronę kartki z informacjami. – Weźmiesz to teraz czy później?

– Teraz. – Przeszła do kontuaru i włożyła kartki do kieszeni kurtki. – Dziękuję. Zostawię tylko kurtkę i pójdę do pokoju przesłuchań. Gdyby ktoś mnie szukał, mam włączoną komórkę.

Nan skinęła głową.

W wydziale zabójstw znajdowało się pięć pokojów przesłuchań. Wszystkie były małe i zaopatrzone jedynie w niezbędne, przytwierdzone do podłogi meble, okienka i kamery wideo zainstalowane tuż przy suficie.

Kitt zajrzała przez okienko do jedynki. M.C. stała tak, że zasłaniała przesłuchiwaną osobę. Sierżant Haas siedział. Miał spokojną, całkowicie nieprzeniknioną minę.

Kitt postukała w szybkę. M.C. spojrzała w jej stronę, odsłaniając siedzącą nieco dalej osobę.

To był Joe.

Co im wpadło do głowy, żeby go przesłuchiwać? Kitt uważała byłego męża za jedną z najuczciwszych osób, jakie kiedykolwiek spotkała.

Przeniosła wzrok na koleżankę. Jak ona mogła? To nie w porządku, że robiła coś za jej plecami. W końcu to Kitt prowadziła śledztwo!

Ponownie zastukała w szybkę, starając się zapanować nad gniewem. Tym razem cała trójka spojrzała w jej stronę, ona jednak wbiła wzrok w M.C. Nie mogłaby spojrzeć teraz Joemu w oczy.

Nakazała jej gestem, żeby wyszła z pokoju. Gdy tylko M.C. znalazła się na zewnątrz, Kitt oderwała się od szybki.

– A, jesteś – rzuciła M.C. – Musiałam poprosić sierżanta Haasa, żeby cię zastąpił.

– Przestań gadać głupoty. Skąd pomysł, żeby ściągnąć tu Joego bez skonsultowania tego ze mną?

M.C. wzruszyła ramionami.

– Uznałam, że najlepiej będzie działać przez zaskoczenie.

Kitt poczuła, jak krew nabiega jej do policzków.

– Chciałaś zaskoczyć mnie czy Joego?!

– Szczerze? Was dwoje. – Zniżyła głos. – Nie jesteś obiektywna, Kitt. Nadal uważasz byłego męża za chodzący ideał.

– Skąd to przypuszczenie?

– Ignorujesz oczywiste fakty. Twój mąż był pracodawcą Buddy'ego Browna!

– To jeszcze nie czyni z niego mordercy.

M.C. wzruszyła ramionami.

– W czasach waszego małżeństwa nie zatrudniał byłych więźniów. Sama tak powiedziałaś.

– Powiedziałam tylko, że chyba nie. Nie wiem dokładnie.

– Kiedy byliście małżeństwem, nie jeździł regularnie do szpitala, żeby zabawiać dzieci.

– Nie wygłupiaj się. To chyba logiczne, że po tym, co się stało, chciał jakoś pomóc chorym dzieciom. To chyba lepsze rozwiązanie niż... topienie smutku w butelce.

– Powęszyłam trochę w Highcrest Hospital. Trzy miesiące temu kuzynka Julie Entzel spędziła tam trzy miesiące.

– Myślisz, że to Joe jest naśladowcą? – spytała z tak bezbrzeżnym zdumieniem, że w innej sytuacji zabrzmiałoby to komicznie.

– Nie wykluczam takiej ewentualności. Możliwe też, że do ciebie dzwonił.

– Przecież ja go dobrze znam – argumentowała Kitt. – I to od szkoły średniej. Prawie ćwierć wieku byłam jego żoną. Moim zdaniem to wykluczone.

M.C. pochyliła się w jej stronę.

– Niby dlaczego? Wciąż nie dawało mi spokoju, dlaczego morderca wmieszał w to ciebie. Joe by tak zrobił, to logiczne wytłumaczenie...

– Nie dla mnie. – Kitt czuła, że ma zamęt w głowie. – A co z klaunem? Przecież to on dał mi balonik, a nie Joe!

– Tak, ale Joe to widział. – Wyciągnęła rękę, żeby powstrzymać protesty Kitt. – Postanowił to wykorzystać... I tylko nie mów, że poznałabyś go po głosie. Wiesz doskonale, że każdy, kto choć trochę zna się na komputerach, bez trudu rozwiąże ten problem...

Kitt milczała.

– Chciał cię ukarać – ciągnęła M.C. – Za to, że go opuściłaś i zajmowałaś się tylko tą sprawą. Bo bardziej zależało ci na tych dzieciach niż na ratowaniu małżeństwa. Sama tak powiedziałaś.

Kitt odwróciła się od koleżanki. Joe wiedział o niej wszystko. O jej problemach i marzeniach. Ba, na pewno wciąż miał klucze do jej domu...

Nie, to niemożliwe.

– Dzwoniłam do matki Julie Entzel.

Kitt spojrzała na nią przez ramię.

– Jej córka widziała pokaz Joego. Bardzo jej się podobał.

Dobry Boże! – jęknęła w duchu Kitt.

– Chcesz wziąć udział w przesłuchaniu czy wolisz, żeby sierżant Haas cię zastąpił?

Kitt wolno dochodziła do siebie.

– Zaraz, zaczekaj chwilę. Muszę się pozbierać.

M.C. pozostawiła te słowa bez komentarza. Kitt usłyszała po chwili, że partnerka weszła do pokoju przesłuchań. Zamknęła oczy. W głowie miała pustkę. Czy zdobędzie się na obiektywizm podczas przesłuchania Joego?

Czy zdoła spojrzeć mu prosto w twarz?

Zaczęła analizować fakty wymienione przez M.C. Joe był oczywiście związany z Brownem. A także z nią. W dodatku okazało się, że widział jedną z ofiar. M.C. znalazła też dobre wyjaśnienie jego telefonów, no i oczywiście umiałby skorzystać z urządzenia zmieniającego głos.

Być może widział też klauna, chociaż wydawało jej się wtedy, że nie. Mógł zatem wykorzystać to zajście, aby odwrócić od siebie podejrzenia. Kiedy ostrzegła go, że Tami jest w niebezpieczeństwie, opowiedziała mu o klaunie. I o balonie. Nie musiał nawet widzieć całego zdarzenia...

Nie wspomniał też ani słowem o tym, że kupił Tami balon.

Kiedy przypomniała sobie to wszystko, poczuła mrowienie na karku. Jednak człowiek, którego znała i kochała od lat, nie mógł być mordercą. To kiepski argument, rodzina często nie miała pojęcia o ponurych tajemnicach swoich bliskich.

Tak, wszystko jest możliwe, pomyślała.

Kitt wciągnęła głęboko powietrze. Nie podobało jej się, że M.C. zaczęła działać za jej plecami, ale kto wie, czy na jej miejscu nie postąpiłaby tak samo. Teraz powinna wziąć się w garść i przystąpić do rutynowych działań. Owszem, jest blisko związana z podejrzanym, ale to nawet lepiej dla śledztwa.

Weszła do pokoju przesłuchań.

– Ja się tym zajmę – powiedziała.

Sierżant Haas skinął głową i wstał. Wychodząc, ścisnął jeszcze jej ramię. Zaczęła się zastanawiać, czy brał udział w spisku MC. Miała nadzieję, że jednak nie.

– Cześć, Joe – rzuciła, siadając po drugiej stronie stolika.

– Kitt? – Wyczuła ulgę w jego głosie. – Co tu się dzieje?

– Chcemy ci zadać kilka pytań, to wszystko.

– Przecież już to zrobiłyście. Dlaczego musiałem tu przyjść? Mogłem powiedzieć wszystko w moim biurze.

– M.C. woli trzymać się ustalonych procedur.

Tak, Mary Catherine przyjęła w sposób naturalny rolę „złej policjantki".

Kitt uśmiechnęła się do niego, czując się jak oszustka.

– Wszystko będzie dobrze.

– W porządku – powiedział. – Pytajcie. Moi ludzie na mnie czekają.

– Pańska narzeczona mówiła nam, że poznała pana w szpitalu, w którym jest zatrudniona – zaczęła M.C.

– To prawda.

– Co pan robił na oddziale pediatrycznym, panie Lundgren?

Zmarszczył brwi.

– Valerie wam nie powiedziała? Zabawiałem dzieci magicznymi sztuczkami. Poznaliśmy się przy jednej z takich okazji.

– Kiedy zacząłeś tam jeździć, Joe? – włączyła się Kitt.

– Jakiś rok temu. Czułem się samotny... Bardzo brakowało mi Sadie i... – odchrząknął – miałem dużo wolnego czasu. Przypomniałem sobie, jak dzieciom z oddziału Sadie podobały się moje sztuczki, i zaproponowałem zarządom kilku szpitali, że będę urządzać takie pokazy.

– Szpitali? – podchwyciła M.C. – A więc Highcrest nie był jedyny?

– Nie. Występowałem też w Ronald McDonald House i Children Hospital. I w paru hospicjach.

Kitt zauważyła, że M.C. pilnie notuje, by potem sprawdzić podane przez Joego informacje.

– Wygląda na to, że bardzo się pan w to zaangażował. Czy starczało panu czasu na pracę?

– Praca to nie wszystko, pani poruczik. Trzeba też dać coś z siebie innym.

– A co by pan powiedział na to, że spotykał pan w szpitalach ofiary tych ostatnich morderstw?

Joe zrobił zdziwioną minę.

– To jakaś pomyłka.

– Julie Entzel widziała pana występy.

– W Highcrest Hospital – dodała Kitt.

Joe nagle pobladł.

– Nie miałem o tym pojęcia. Widziałem zdjęcia tych dziewczynek w gazetach, ale... ale żadna nie wydała mi się znajoma.

Kitt przypomniała sobie, jak powiedział kiedyś, że nawet nie znał Julie Entzel.

Joe popatrzył na nie niespokojnie, a M.C. postanowiła zmienić temat.

– Może porozmawiamy o Buddym Brownie?

Joe tylko skinął głową.

– Jak to się stało, że pan go zatrudnił?

– Przyszedł do mnie i poprosił o pracę. Potrzebowałem akurat kogoś z doświadczeniem.

– Powiedział, że jest na zwolnieniu warunkowym?

– Tak.

– I to pana nie zniechęciło?

– Ktoś musi zatrudniać tych ludzi – wyjaśnił, wzruszywszy ramionami. – Jak mają wrócić do normalnego życia, skoro nie będą mogli na siebie zarobić?

– Więc uważał pan to za swój obywatelski obowiązek?

Joe zmarszczył brwi.

– Nie myślałem o tym w ten sposób. Po prostu wydawało mi się, że będzie dobrym pracownikiem.

– A gdzie pan był w nocy szóstego, dziewiątego i szesnastego marca?

– Mogę zajrzeć do notesu?

M.C. skinęła głową, a Joe wyjął notes elektroniczny. Włączył go, a potem zaczął systematycznie sprawdzać.

– Dziewiątego byłem u Valerie.

– Całą noc?

Kitt nie spojrzała w bok, chociaż bardzo chciała to zrobić. Poruszyła się tylko niespokojnie na swoim miejscu.

– Normalnie tego nie robię, ale akurat wtedy Tami została na noc u babci.

– A pozostałe noce?

– Byłem u siebie. Wieczorem szóstego jadłem kolację z Valerie i Tami, a szesnastego miałem zebranie Stowarzyszenia Firm Budowlanych.

– O której wrócił pan do domu?

Zastanawiał się przez chwilę nad odpowiedzią.

– W obu przypadkach na pewno koło dziesiątej. – Spojrzał na byłą żonę. – Czy powinienem poprosić o adwokata, Kitt?

Odpowiedziała M.C., co wskazywało, że nie do końca ufa partnerce.

– Ma pan prawo do adwokata. Jeśli uważa pan jego obecność za niezbędną...

Sztuczka, która miała sprawić, by przesłuchiwany uwierzył, że wezwanie adwokata zostanie potraktowane jako okoliczność obciążająca. Kitt też często postępowała w ten sposób.

M.C. wstała.

– Przepraszam, pozwoli pan, że porozmawiam z moją partnerką?

Joe spojrzał z niepokojem na zegarek.

– Ile to jeszcze potrwa?

– Już niedługo.

Popatrzył na Kitt, z nadzieją, że doda mu otuchy. Niestety nie wolno jej było tego zrobić.

– Chcę pogadać z tobą w cztery oczy – poprosił Joe.

Kitt westchnęła ciężko.

– Przepraszam, ale to niemożliwe. Nie teraz.

Powoli zaczęło do niego docierać, co to wszystko znaczy i w jakiej znalazł się sytuacji.

Poczuł się zagrożony.

– Chcę natychmiast zadzwonić do mojego prawnika – powiedział.

M.C. spojrzała ostro na Kitt.

– Oczywiście, proszę skorzystać z naszego telefonu.

– Muszę też zadzwonić do majstra i wydać dyspozycje pracownikom.

M.C. skinęła głową.

– Żaden problem. – Wskazała w stronę drzwi. – Chodźmy, Kitt.

Kiedy znalazły się na korytarzu, M.C. spojrzała na nią ze złością.

– Co to było?!

– Co takiego?

– Dawałaś mu jakieś znaki?

Kitt aż zacisnęła pięści.

– Nie będę się zniżać do odpowiedzi.

– Popatrzył na ciebie, a potem zażądał prawnika. Co to ma znaczyć?

– Tylko tyle, że jest inteligentny i w końcu zrozumiał, co się święci. Pamiętaj, był moim mężem. Myślisz, że nie rozmawiałam z nim o przesłuchaniach? Że nie zna naszych sztuczek?

M.C. otworzyła usta, ale Kitt ją ubiegła.

– Jeśli mamy współpracować, choćby przy tej jednej sprawie, musisz mi zaufać. Myślisz, że to w ogóle możliwe? – spytała, patrząc partnerce prosto w oczy.

Milczenie M.C. przedłużało się. W końcu jednak skinęła głową.

– Spróbuję – mruknęła.

ROZDZIAŁ CZTERDZIESTY DZIEWIĄTY

Poniedziałek, 20. marca 2006
godz. 10.10

M.C. zdecydowała, że musi zaraz wysłać kogoś, by przesłuchał Valerie Martin. Chciała jak najszybciej dowiedzieć się, czy Joe rzeczywiście spędził u niej noc z dziewiątego na dziesiątego marca. Gdyby Valerie nie potwierdziła jego wersji, Joe natychmiast zostałby aresztowany.

W końcu jednak M.C. zdecydowała się pojechać sama do pani Martin. Wzięła ze sobą White'a i poprosiła Kitt, żeby była przy spotkaniu Joego z prawnikiem. Kitt uznała to za dowód zaufania. Zmieniła jednak zdanie, kiedy przypomniała sobie o zamontowanej w pokoju kamerze wideo.

Kitt doskonale rozumiała, że aresztowanie Joego wiele by zmieniło. Teraz to M.C. rozdawałaby karty. I chociaż wydawało się to logiczne i w pełni uzasadnione, nie umiała tego zaakceptować.

Spojrzała na zegarek, zastanawiając się, jaki będzie finał tej sprawy. Jeśli Valerie nie potwierdzi zeznań Joego... Ale i tak M.C. z całą pewnością wystąpi o nakaz rewizji w jego domu i bez trudu go uzyska. Zgromadziła przecież wystarczająco dużo poszlak.

Prawnik Joego jeszcze nie przyjechał, postanowiła więc przesłuchać taśmy z nagranymi rozmowami z Orzeszkiem. Słuchała uważnie, zwracając uwagę na to, jak buduje zdania i dobiera słowa.

Joe tak nie mówił. Można zmienić głos, ale nie składnię i słownictwo.

Zaczęła analizować informacje, które jej przekazał. Orzeszek wiedział o Derricku Toddzie. Wiedział również, jak postępuje śledztwo.

Czy to mógłby być policjant?

To pasowałoby do układanki. Pracownicy wydziału zabójstw sporo wiedzieli o Kitt.

Poza tym Morderca Śpiących Aniołków doskonale znał policyjne procedury. Nie zostawiał żadnych śladów. Umiał dokładnie przewidzieć kolejne posunięcia śledczych.

Oczywiście zdarzało się już wcześniej, że ktoś z policji był seryjnym mordercą.

Zaczęła przesłuchiwać drugą rozmowę. Orzeszek drażnił się z nią, żartował z jej podłego nastroju.

„Nie jesteś dla mnie zbyt miła".

„A niby czemu mam być? Straciłam przez ciebie masę czasu".

„Po tym wszystkim, co dla ciebie zrobiłem...".

Po tym wszystkim, co dla niej zrobił? Czy chodziło mu o jakąś poszlakę, czy może o wspólne życie? A może o jedno i drugie?

– Kitt? – W drzwiach stanął nachmurzony Sal. – Zapraszam do mojego gabinetu.

Poszła za nim.

– Zamknij za sobą drzwi – rzucił jeszcze przez ramię. – Chcę znać najnowsze informacje na temat śledztwa.

– Wiesz już pewnie, że M.C. zdecydowała się przesłuchać Joego. Teraz jest przerwa, bo zażądał prawnika. Ma alibi na dziewiątego marca, M.C. pojechała je sprawdzić.

– Nie chcę, żebyś zajmowała się tą sprawą.

– Tak jest – powiedziała służbiście. – A co będzie, jeśli prawnik pojawi się, zanim M.C. wróci?

– Sierżant Haas zajmie się przesłuchaniem albo sam tam pójdę. Obaj znamy tę sprawę. – Spojrzał na nią łagodniej. – Bardzo mi przykro, Kitt.

– Bo odbierasz mi sprawę? – spytała z goryczą.

– Nie. Doskonale wiesz, o czym mówię.

– Joe nikogo nie zabił.

– Jesteś pewna?

– Oczywiście. I nie tylko ze względu na to, co nas łączyło.

Przez moment patrzył jej w oczy, a potem skinął głową.

– Jeśli okaże się, że Joe jest czysty, znowu przejmiesz sprawę. Na razie nie mam wyboru.

– Rozumiem. – Podeszła do drzwi. – Ale chciałabym badać ślady niezwiązane z moim byłym mężem. Chętnie przejrzałabym jeszcze raz zawartość boksu w magazynie.

– Dobry pomysł. I... mam nadzieję, że nie mylisz się co do Joego.

Podziękowała mu i wyszła. Kiedy znalazła się w swoim pokoju, spojrzała na magnetofon. Nie czuła się na siłach, żeby podjąć dalszą walkę. Potrzebowała rady, wsparcia...

Brian, pomyślała. Tylko on mnie zrozumie.

Ktoś zamknął drzwi do pokoju Briana, choć zwykle były otwarte. Już miała zapukać, kiedy z wnętrza dobiegł ją podniesiony głos M.C.:

– Dość tego! Przestań mnie śledzić!

– Nie rozumiem, o co ci chodzi.

– Kłamiesz. Widziałam cię wczoraj w samochodzie, jak jeździłeś koło mojego domu. Wcześniej też mnie śledziłeś. Nie chciałabym iść z tym do szefa, ale nie dajesz mi wyboru...

– No jasne – mruknął Brian. – Przecież nie chcesz, by się rozniosło, że przeszłaś do wydziału zabójstw, bo wskoczyłaś mi do łóżka!

Kitt usłyszała, jak M.C. wciągnęła głęboko powietrze.

– To kolejne kłamstwo! – niemal krzyknęła.

– Doskonale wiesz, jak szybko roznoszą się tego rodzaju informacje.

Kitt nie wiedziała, że coś ich wcześniej łączyło. Ciekawe kiedy? Czy Brian rzeczywiście użył swoich wpływów, żeby ściągnąć M.C. do ich wydziału?

– Jeśli pojawią się takie plotki, gorzko tego pożałujesz!

– Grozisz mi?

– Myśl sobie, co chcesz. A teraz mnie puszczaj – oświadczyła groźnie.

Kitt cofnęła się. Usłyszała wystarczająco dużo i była zniesmaczona całą sceną.

Drzwi do pokoju Briana otworzyły się gwałtownie, a potem na korytarz wypadła wzburzona M.C. Policzki jej pałały, a oczy ciskały błyskawice.

Na widok partnerki stanęła jak wryta.

– Och, Kitt! Świetnie się składa. Właśnie cię szukałam. – Spojrzała na drzwi do pokoju Briana, a potem znowu na nią. – Pani Martin potwierdziła zeznania twojego męża.

– Byłam tego pewna.

– Ale to nie znaczy, że nie jest winny.

– Wystąpiłaś o nakaz rewizji.

To nie było pytanie, ale M.C. skinęła głową.

– Powinnam go mieć za godzinę.

– Sal odebrał mi tę sprawę. Czasowo.

M.C. pokiwała głową. Albo już o tym wiedziała, albo spodziewała się właśnie takiego obrotu rzeczy.

– Będę cię informować o postępach w śledztwie.

– Dzięki, to dla mnie bardzo ważne.

Kitt popatrzyła jeszcze za nią, a następnie zapukała we framugę drzwi Briana. Rozmawiał przez telefon, ale zaprosił ją gestem do środka.

– Zadzwoń koniecznie. Strasznie tęsknię – powiedział i rozłączył się. Minę miał bardzo nieszczęśliwą.

– Co się dzieje? – spytała.

– Rozeszliśmy się z Ivy. Na jej życzenie.

Brian był świetnym policjantem i przyjacielem, ale Kitt nie chciałaby być jego żoną. Należał bowiem do tych mężczyzn, którzy nigdy nie dorastają.

– Przykro mi. Czy mogę coś dla ciebie zrobić?

Przeciągnął drżącą ręką po twarzy. Dopiero teraz zauważyła, że jego rude włosy mocno posiwiały. Kiedy, do licha, to się stało?

– Raczej nie. To już chyba rzeczywiście koniec.

Ciekawe, czy to z powodu romansu z M.C.? – zastanowiła się Kitt. A może miał na swoim koncie o wiele więcej zdrad?

Brian wstał i zaczął krążyć po pokoju, chcąc się zapewne otrząsnąć z ponurego nastroju.

– Widziałem się właśnie z tą twoją partnerką – poinformował.

Kitt spojrzała na niego, zdziwiona doborem słów.

– Spotkałam ją przy wyjściu.

– Powiedziała mi o Joem.

Dziwne. Bardzo dziwne.

– Naprawdę? Co konkretnie?

– Że jest podejrzany i Sal odsunął cię od sprawy.

– Tylko czasowo – dodała. – Dopóki mają Joego na celowniku.

– Bardzo mi przykro, Kitt. Wiem, jak się czujesz.

– Joe tego nie zrobił!

Brian zaczął szybciej chodzić po pokoju, a potem spojrzał na nią, jakby coś przyszło mu do głowy.

– M.C. była bardzo zadowolona z tego przesłuchania. To dziwne... Myślałem, że dobrze się wam układa.

– Tolerujemy się nawzajem.

Przynajmniej tak jej się do niedawna wydawało.

Brian westchnął ciężko.

– Chciałbym ci dać jedną radę.

– Tak, słucham?

– Uważaj na nią. Jest... bardzo ambitna i zrobi wszystko, żeby dopiąć swego.

Odniosła wrażenie, że kiedy to powiedział, nagle mu ulżyło. Usiadł wreszcie za biurkiem i złożył ręce na piersi.

– Wpadłaś, żeby się wyżalić z powodu Joego czy masz coś jeszcze? – spytał.

– Chciałabym obgadać z tobą pewną teorię.

– Wal śmiało.

– Wiesz, słuchałam moich rozmów z Orzeszkiem i przyszło mi do głowy, że może być policjantem. Co ty na to?

– Poważna sprawa – mruknął i zagryzł wargi.

– Skąd te podejrzenia?

– Odniosłam wrażenie, że doskonale wie, jak się prowadzi śledztwo. A poza tym słyszał o Derricku Toddzie. – Pochyliła się w jego stronę. – Zna nasze ruchy i dlatego ciągle nam się wymyka.

– Ale dlaczego od razu policjant?

– Może to ktoś, kto czuje się skrzywdzony? Może pominięto go przy awansie albo coś w tym rodzaju. – Teraz to ona wstała i zaczęła się przechadzać. – Jest bardzo arogancki i dumny ze swoich zbrodni doskonałych, jak je nazywa. Wydaje mi się, że robienie nas w konia sprawia mu przyjemność.

Brian pokiwał głową.

– Teoretycznie możesz mieć rację, ale nie widzę w tym sensu. Policjanci, którzy czują się pokrzywdzeni, zwykle zaczynają brać łapówki...

Kitt nie zamierzała się wycofać.

– To może być policjant z jakimś poważnym problemem...

– Dlaczego wmieszał w to ciebie?

– Jest kilka możliwości. Może zależało mu na uznaniu koleżanki. Albo... kiedy pojawił się naśladowca, stwierdził, że najlepiej sobie z nim poradzę... Być może uznał też, że jestem do niego podobna. To znaczy, totalnie pokręcona – dodała na koniec.

– Czy ja wiem? – Brian potarł policzek.

Kitt dopiero teraz zauważyła, że jest nieogolony. Poza tym wyglądał, jakby spał w ubraniu.

– Czy ktoś taki przychodzi ci do głowy?

Zastanawiał się chwilę nad tym pytaniem, a potem pokręcił głową.

– Rozmawiałaś o tym z Salem?

– Nie, wolałam to najpierw obgadać z kimś, komu mogę zaufać. – Uśmiechnęła się do niego.

– Doceniam to. – Brian wstał. – Zanim pójdziesz z tym do szefa, pozwól, że to sobie przemyślę. Przejrzę nasze dokumenty i może coś mi wpadnie w oko.

Podziękowała mu, ale nie wyszła. Nagle przypomniała sobie trzy sprawy, które Brian prowadził z sierżantem Haasem.

– Chcę cię jeszcze zapytać o jedną rzecz.

– Jasne.

– W dziewięćdziesiątym ósmym i dziewiątym zajmowałeś się z sierżantem Haasem morderstwami trzech staruszek. Były pobite na śmierć, miały usta zaklejone taśmą. Pamiętasz?

Mina mu zrzedła.

– Jak mógłbym zapomnieć?! To moja największa porażka. Co chcesz wiedzieć?

– Czy te kobiety cokolwiek łączyło?

Brian pokręcił głową.

– Ustaliliśmy tylko, że zabił je ten sam człowiek, to wszystko.

– Morderca Śpiących Aniołków twierdzi, że to on je zabił.

Brian zrobił wielkie oczy.

– Niemożliwe. Działał zupełnie inaczej...

– To prawda, ale można też zauważyć pewne cechy wspólne, jeśli posłużymy się teorią przeciwieństw. – Wyłuszczyła mu dokładnie tę teorię.

– Kiedy go spytałam o te morderstwa, od razu się przyznał.

– Tak, a poza tym też zabił tylko trzy. No i nie zostawił żadnych śladów.

– Właśnie! – potwierdziła, zadowolona, że też to zauważył.

– Wiesz, kiedy szukaliśmy Mordercy Śpiących Aniołków, w ogóle nie przyszło mi to do głowy – powiedział i przeciągnął dłonią po twarzy. – Czuję się jak idiota.

– Nie powinieneś. Gdyby się tym nie pochwalił, też bym na to nie wpadła.

– Jak mogę ci pomóc?

– Czy pamiętasz coś niezwykłego? Może świadków albo jakiś trop, który prowadził donikąd? A może ktoś nie chciał odpowiadać na pytania?

Milczał przez chwilę, starając się przypomnieć sobie szczegóły sprawy, a potem wolno pokręcił głową.

– To była potworna robota. Byliśmy porażeni brutalnością tych morderstw. Szukaliśmy głównie czegoś, co mogłoby łączyć te kobiety, z nadzieją, że to doprowadzi nas do mordercy. – Rozłożył ręce. – Na próżno. Nic z tego nie wyszło.

– Dzięki. Przejrzę jeszcze akta tych spraw. Pozwolisz, że wpadnę, jeśli będę miała jakieś pytania.

Uśmiechnął się do niej blado.

– W każdej chwili.

Kiedy Kitt wyszła, pomyślała, że coś jej tu zgrzyta. Brian zachowywał się jakoś inaczej niż zwykle.

ROZDZIAŁ PIĘĆDZIESIĄTY

Poniedziałek, 20. marca 2006
godz. 15.30

Jak się spodziewała, sędzia wydał nakaz rewizji mieszkania, biura i pojazdów Joego Lundgrena. M.C. wiedziała, że musi się sztywno trzymać przepisów. Jeśli jakiś adres, na przykład filii firmy, został w dokumencie pominięty, nie będzie mogła przeprowadzić tam przeszukania. To samo dotyczyło pojazdów.

Zaczęli od biura. Zabrali stamtąd kartę pracowniczą Browna wraz z informacją o zwolnieniu warunkowym, rachunki telefoniczne, a także główny komputer Lundgren Homes.

M.C. liczyła, że znajdzie może karty, które służyły do doładowania telefonu, z którego dzwoniono do Kitt, albo coś innego, co łączyłoby Browna ze sprawą.

Następnie pojechali do domu Lundgrena przy Highcrest Road. M.C. zastanawiała się, patrząc na okazały budynek, czy właśnie tu mieszkali oboje z Kitt. Wiele wskazywało na to, że tak. Chociażby rodzinne zdjęcia, które znalazła na kominku w salonie. Wszystkie pochodziły z okresu przed śmiercią Sadie. Z wielu uśmiechała się do niej szczęśliwa, wyluzowana Kitt.

Była wtedy jeszcze matką i żoną. Jej świat był spokojny i wolny od większych trosk.

Musi przestać myśleć o partnerce i skupić się na śledztwie. Czy Valerie nie miała nic przeciwko tym zdjęciom? Czy nie była z ich powodu zazdrosna?

– Pani porucznik – odezwał się jeden z policjantów, którzy mieli przeszukać pikapa Lundgrena.

– Znaleźliście coś?

– Nie, nic szczególnego. Czy mam zarekwirować samochód?

Chociaż szukali dowodów związanych z zabójstwami dziewczynek, musieli mieć na uwadze, że morderca Buddy'ego Browna potrzebował samochodu, by przewieźć ciało do Paige Park.

– Tak. Czy śledczy White jest z prawnikiem Lundgrena?

Policjant skinął głową.

– Widziałem ich w suterenie przy garażu.

Prawnik wszędzie za nimi chodził, ale Joe Lundgren powiedział, że nie chce brać udziału w rewizji i został na zewnątrz w towarzystwie policjanta.

M.C. spojrzała raz jeszcze na zdjęcia. Coś jej tutaj nie grało. Czy rzeczywiście ktoś taki może być bezwzględnym mordercą? A jeśli pomyliła się co do Joego Lundgrena? Na początku założyła, że chce się zemścić na Kitt. Że jest na nią zły...

Jednak czy w takim wypadku trzymałby jej zdjęcia w salonie, a także, jak widziała, w innych pomieszczeniach?

Owszem, gdyby był bardzo bystrym i wyrachowanym przestępcą. Jednak Joe wydał jej się raczej zagubiony i łagodny.

Nie znaleźli żadnych dowodów jego winy.

M.C. zaczęła myśleć o swojej kłótni z Brianem. Czy Kitt ją słyszała? Oby nie. W przeciwnym wypadku mogłaby wyciągnąć pochopne i z gruntu fałszywe wnioski.

Zastanawiała się, czy powinna się tym przejmować, i stwierdziła, że tak. Nie ufała Kitt, miała wiele zastrzeżeń do jej metod śledczych, jednak zarazem podziwiała ją. Musiała też przyznać, że nieźle im się razem pracuje.

Kiedy wróciła do pracy, było już prawie wpół do szóstej. Zajrzała do Sala, który biedził się nad jakimś raportem.

– Jak ci poszło? – spytał.

– Musimy jeszcze sprawdzić kilka szczegółów, ale chyba nic nie znajdziemy.

– I co dalej?

– Myślę, że można znowu włączyć Kitt Lundgren do śledztwa.

Szef pokręcił głową.

– Czy to dobre posunięcie?

– Nie sądzę, żeby to Lundgren był mordercą.

– A zatem zmieniłaś zdanie.

– Tak, fakty nie kłamią...

Zastanawiał się przez chwilę, bębniąc palcami w papiery.

– Niech zostanie, jak jest, dopóki nie sporządzisz raportu z rewizji – powiedział w końcu. – Nie mogę pozwolić, by w tej sprawie pojawiły się choćby najmniejsze wątpliwości, by padł choćby cień podejrzeń na pracę policji.

– Dobrze. Najpierw zjem kolację, a potem wrócę do pracy – powiedziała z westchnieniem.

Nie zdradziła jednak Salowi, że nie zamierza jeść sama. Przez cały dzień myślała o Lansie i teraz postanowiła go odwiedzić.

Nie dzwoniła, ale po prostu wstąpiła po drodze do chińskiej restauracji, a potem pojechała prosto do niego.

– Cześć – powiedziała, kiedy jej otworzył. – Przywiozłam chińskie żarcie.

– Jesteś prawdziwym aniołem.

Weszła do środka. Zwykle schludny hol, który łączył się z salonem, wyglądał tak, jakby przeszedł przez niego tajfun. M.C. zaczęła oglądać porozrzucane rzeczy. Były tam książki, zdjęcia, jakieś notatniki, zgniecione papiery, a także kubki po kawie, puszki po coli i wielkie pudło po pizzy.

– Przepraszam za ten bałagan, ale pracuję nad nowym numerem – wyjaśnił. – To bolesny proces.

– Wygląda to tak, jakbyś gościł tu cały poprawczak – zauważyła.

– Jeszcze raz przepraszam, ale wiesz, trochę muszę nad tym posiedzieć.

– Chcesz o tym poga...

– Nie, dziękuję – przerwał jej.

Drgnęła, zdziwiona tak gwałtowną reakcją, nic jednak nie powiedziała. Przeszli do kuchni, gdzie panował względny porządek, pomijając brudne naczynia w zlewie. Usiedli przy stole i zaczęli jeść prosto z pojemniczków.

– Przepraszam – mruknął w końcu Lance.

– Za co?

– No, że nie chciałem rozmawiać o mojej pracy. To naprawdę bardzo nieprzyjemna faza i zwykle z nikim się wówczas nie spotykam.

Dotknęła jego dłoni, poruszona tymi słowami.

– Wszystko w porządku?

Lance potrząsnął głową.

– Nie sądzę.

– Dlaczego?

– Bo wydaje mi się, że się w tobie zakochałem.

Tak, pomyślała M.C. Ja też to czuję. Jednak on pierwszy nazwał rzecz po imieniu, wyraził to bez owijania w bawełnę...

Czuła się jednocześnie poruszona i przerażona. Nie bardzo wiedziała, co powinna teraz powiedzieć.

– O czym myślisz? – spytała.

– Że chyba zwariowałem.

– Dlatego, że się zakochałeś czy z innego powodu? – zainteresowała się.

– Dlatego, że się zakochałem – rzekł z westchnieniem. – A w dodatku właśnie w tobie.

– Możliwe, że ja w tobie też – bąknęła.

Popatrzył na nią z uśmiechem, a potem wziął ją za ręce. Przeszli do sypialni, gdzie się kochali. Potem leżeli na łóżku, przytuleni do siebie.

Do M.C. powróciły wydarzenia minionego dnia. Przesłuchanie Joego. Rozmowa z Kitt. Kłótnia z Brianem... Nagle poczuła, jak ścisnął się jej żołądek. Nie wątpiła, że Brian spełni swoje groźby. Sama nie wiedziała dlaczego, ale stał się teraz jakby innym człowiekiem.

– Co się stało? – spytał Lance. – Jesteś spięta.

– Pamiętasz tego faceta z baru? Tego, który się do mnie przystawiał?

– Tak, oślizgły typ.

– Właśnie. Wczoraj zauważyłam, że mnie śledzi.

Lance uniósł się na łokciu i spojrzał na nią z niepokojem.

– Od kiedy?

– Chyba od paru dni. W zeszłym tygodniu przyszedł do mnie pijany, a kiedy dałam mu kosza, zaczął za mną jeździć.

– Czego od ciebie chce?

– Sama nie wiem. To dziwna sprawa. Dzisiaj się z nim ścięłam. Powiedziałam, żeby dał mi spokój.

– I co?

– Nie przyjął tego dobrze.

Lance spojrzał na nią z góry.

– To znaczy?

– Zagroził, że rozpowie, że trafiłam do wydziału zabójstw przez łóżko.

– Jego?

– Mhm.

– Rozumiem, ciebie pogrąży, a sam będzie się chełpił kolejnym podbojem. Boże, co za skurwiel.

– Jest wyższy rangą i ma spory dorobek. Ludzie go lubią...

– Może powinienem z nim pogadać?

Wyobraziła sobie taką „rozmowę" i pomyślała, że Lance skończyłby najpewniej na urazówce.

– Nie, dziękuję, bohaterze. Sama się tym zajmę.

– Powiedz tylko słowo, a pospieszę ci z pomocą.

Pocałowała go i wstała z łóżka.

– Przepraszam, ale muszę lecieć – rzekła z westchnieniem.

– Będziesz jeszcze pracować? – zdziwił się.

Skinęła głową.

– My zawsze jesteśmy na służbie.

– No tak, skoro już zjadłaś, to możesz już iść – zażartował.

Trąciła go ręką.

– Nie tylko zjadłam. Nie pamiętasz?

– Pamiętam – odparł z uśmiechem. – Ale mam ochotę na jeszcze.

Pocałowała go ponownie i zaczęła się ubierać. Po chwili już stała przy drzwiach.

Nagi Lance poszedł za nią.

– Wpadniesz, jak skończysz?

– Nie wiem, ile czasu mi to zajmie. Może zadzwonię, jeśli nie będzie za późno.

– Dzwoń o każdej porze.

M.C. skinęła głową, a potem ruszyła na dwór, otulając się szczelniej kurtką.

ROZDZIAŁ PIĘĆDZIESIĄTY PIERWSZY

Poniedziałek, 20. marca 2006
godz. 18.30

Pomieszczenie, w którym policja przechowywała dowody rzeczowe, znajdowało się w suterenie budynku. Kitt spędziła tam niemal cały dzień, przeglądając rzeczy z boksu, do którego skierował ich Orzeszek.

Skoro przechwalał się, że tak wiele dla niej zrobił, to wśród tych rzeczy kryła się jakaś ważna poszlaka. Gdyby przynajmniej wiedziała, czego ma szukać. A może tylko chciał, żeby zmarnowała trochę czasu i skierował ją w pierwsze lepsze miejsce?

Nie, raczej nie.

Kitt usiadła przygarbiona na stołeczku i zmarszczyła brwi. Nagle uderzyło ją, że wszystkie przedmioty z boksu są kobiece w charakterze. Albo należały do kobiety, albo też zostały przez nią wybrane.

Ciekawe. Przecież cały czas zakładali, że Morderca Śpiących Aniołków jest mężczyzną. Jednak to właśnie kobiety zwykle wybierały dla swych ofiar łagodniejsze rodzaje śmierci, takie jak uduszenie albo otrucie. Starały się unikać „bałaganu". Taką już miały naturę.

Morderca Śpiących Aniołków też nie lubił bałaganu, upiększał ofiary...

Kitt pokręciła głową.

Nie, to był mężczyzna. Jednak naśladowca może być kobietą...

Ta myśl spadła na nią zupełnie nieoczekiwanie. Kitt jeszcze raz spojrzała na zgromadzone tu rzeczy. Orzeszek nie ułatwiał jej pracy. Wolał, żeby sama wysiliła mózgownicę.

Ta teoria miała sens.

Kitt podniosła z podłogi butelkę z wodą mineralną i wypiła parę łyków. Założyli, że boks wynajął mężczyzna, ale przecież mogła to być kobieta. Urzędniczka z magazynu zasugerowała się ich pytaniami, jednak z pewnością nie pamiętała dokładnie tej osoby. Kiedy poprosili ją o opis, tylko wzruszyła ramionami.

Czy to możliwe, że naśladowca jest kobietą? – powtórzyła jeszcze raz w duchu.

– Cześć, Kitt. Widzę, że ciężko pracujesz – usłyszała nagle głos Scotta.

– Co cię tutaj sprowadza? – spytała, udając, że nie dostrzega ironii, z jaką to powiedział.

– Mam dla ciebie prezent. Ludzie z pokoju powiedzieli mi, gdzie cię szukać. Dostaliśmy analizę włókien znalezionych przy Entzel i Vest.

Podał jej raport, najwyraźniej bardzo z siebie zadowolony.

– To włókna TYVEK z kombinezonów firmy Hazmat – dodał.

Kitt zaczęła przeglądać wyniki analizy. Członkowie ekipy technicznej nosili takie kombinezony, żeby nie zanieczyszczać miejsca zbrodni, chociaż pełniły one zarazem rolę ochronną. Można je było kupić wraz z ochraniaczami na buty, kapturami i maskami gazowymi.

– Szary – zauważyła Kitt. – Zwykle są białe. Łatwiej będzie ustalić, skąd pochodzi.

W policji korzystano z białych, ale widziała szare u jednej z ekip interwencyjnych.

– To prawda, ale większość ochraniaczy na buty jest właśnie szarych.

Skinęła głową, a potem dodała:

– Tak, to ma sens. Nosi kombinezon, więc nie zostawia śladów.

– Właśnie. Pomyślałem, że powinienem przyjść z tym do ciebie jak najszybciej.

– Oczywiście. Dzięki, Scott. Pokazywałeś to już może M.C.?

– Jeszcze nie. Chcesz sama to zrobić?

– Lepiej nie. – Wyciągnęła do niego raport. – Czasowo nie prowadzę tej sprawy.

– Tak, słyszałem. – Wbił ręce w kieszenie spodni. – Moim zdaniem to bzdura. Sama jej to przekaż.

Zawahała się, ale w końcu skinęła głową.

– Dobra. Kończysz już?

– Mhm. Miller zaczyna dyżur.

Kiedy wychodził, rzuciła za nim:

– Bardzo dziękuję, Scott.

Pomachał jej jeszcze, a potem zniknął za drzwiami. Patrzyła za nim przez chwilę, przetrawiając najświeższą informację. A więc morderca nosił kombinezon. To potwierdzało jej teorię, że pracuje w policji.

Sprytny z niego skurwiel.

Kitt wypuściła nagromadzone w płucach powietrze. Dopiero teraz poczuła, jaka jest głodna i zmęczona. Nie miała już siły do rozwiązywania kolejnych zagadek.

Pomyślała, że Snowe pojedzie zaraz do baru, żeby coś zjeść i napić się piwa z kolegami. Kiedy ona ostatnio tak spędzała czas? Chętnie pojechałaby razem z nim, czuła jednak, że nie może stracić ani minuty.

Cóż, kupi sobie jakieś chipsy i colę z automatu. Albo zamówi pizzę...

Spojrzała jeszcze na swoją komórkę i zauważyła nową wiadomość. Zmarszczyła brwi, bo nie słyszała sygnału. Ruszyła na górę i jednocześnie wybrała numer M.C., powtarzając w duchu, że musi potem odebrać SMS-a.

M.C. odezwała się niemal natychmiast.

Kitt nie rozmawiała z nią od rana, a teraz, słysząc jej głos, przypomniała sobie słowa Briana na temat aresztowania Joego:

„M.C. była z tego bardzo zadowolona. Uważaj na nią. Jest... bardzo ambitna i zrobi wszystko, żeby dopiąć swego".

– Cześć – powiedziała. – Jak ci idzie?

– Tak jak przypuszczałam – odparła ostrożnie M.C. – Nie znalazłam nic ciekawego.

No tak, przeszukuje rzeczy Joego.

– White już wyszedł?

– Sama odesłałam go do domu. Dzwoniła jego żona. Słyszałam płacz dziecka i jakieś krzyki. Odniosłam wrażenie, że powinien tam jak najszybciej pojechać.

Kitt zaczęła się zastanawiać, czy rzeczywiście się nad nim zlitowała, czy też nie chciała dzielić się z nikim ewentualnym sukcesem. Zganiła się jednak w duchu za te myśli. Wolała zaufać M.C. Wierzyć, że są po tej samej stronie.

– Jesteś w budynku? – zapytała.

– Tak, u siebie. A ty?

– Właśnie tam idę – odparła Kitt. – Mam ciekawe informacje.

Kiedy dotarła do ich pokoju, okazało się, że M.C. zamówiła pizzę. I to największą, z podwójnym serem, a w dodatku, ponieważ było już po godzinach, kupiła sześciopak piwa.

– Co za pizza! – zachwyciła się Kitt. – Masz zły dzień?

Na ustach M.C. pojawił się lekki uśmiech.

– To żart mojego brata. Zamówiłam małą, a dostałam wielką. Zjesz trochę?

– Z przyjemnością. Wprost konam z głodu.

Kitt przysunęła sobie krzesło do jej biurka.

– Siedzisz tu cały dzień? – spytała.

– Prawie. Wychodziłam tylko na chwilę.

Kitt podała jej raport z analizą włókien.

– Przed chwilą myślałam o pizzy.

– Co za wspaniała policyjna intuicja – zażartowała koleżanka. – Co to takiego?

– Analiza włókien znalezionych przy Entzel i Vest – wyjaśniła Kitt, sięgając po kawałek pizzy. – Przeczytaj uważnie.

M.C. zajrzała do środka i zaczęła czytać.

– O, do licha! TYVEK!

– Właśnie.

Po paru minutach M.C. odłożyła raport na biurko.

– Bardzo ciekawe. Jak sądzisz, czy przyjeżdża w kombinezonie, czy też wkłada go, powiedzmy, pod oknem ofiary?

– Moim zdaniem przyjeżdża w nim. Pod oknem nakłada najwyżej kaptur.

– A potem niszczy kombinezon i wszystko, co mogłoby wskazywać na jego udział w morderstwie! – wykrzyknęła M.C. – A to spryciarz!

– Albo spryciara – dodała Kitt.

M.C. pochyliła się w jej stronę.

– Co takiego?!

– Wydaje mi się, że naśladowca może być kobietą – powiedziała z namysłem. Wyłuszczyła partnerce swoją teorię, przypominając na koniec, że morderstwo poprzez uduszenie jest typowe dla kobiet.

M.C. rozsiadła się wygodniej i wypiła parę łyków piwa, a następnie zaczęła bawić się puszką.

– Naśladowca kobietą? Ciekawe...

Kitt spojrzała w stronę drzwi i zniżyła głos:

– Chcę, żebyś zastanowiła się nad jeszcze jedną sprawą. Czy to możliwe, że ten pierwszy morderca jest policjantem?

– Chyba żartujesz? – żachnęła się.

– Bardzo bym chciała – odparła ponuro Kitt. – Ale przesłuchałam taśmy z rozmowami z Orzeszkiem i stwierdziłam, że za dużo wie o śledztwie. Na przykład powiedział mi o Toddzie. Kto jeszcze o nim wiedział?

– Poza nami bardzo mało osób. ZZ, Sydney Dale, no i żona ZZ.

– Właśnie. Ale ponieważ nie prowadzę tego śledztwa, zrobisz z tym, co chcesz.

– Już prowadzisz.

– Pierwsze słyszę.

– A w zasadzie zaczniesz prowadzić, jak z tym wszystkim skończę. – Wskazała komputer Joego i jego notes elektroniczny. – Myślę, że do rana na pewno zdążę.

Kitt spojrzała na nią ze zdziwieniem.

– Sal to zaproponował?

– Nie, ja. Miał wątpliwości, ale go przekonałam.

– Chcesz, żebym ci podziękowała? – spytała rozżalona Kitt.

M.C. spojrzała jej prosto w oczy.

– Wiesz, że musiałam tak postąpić. Należy sprawdzić wszystkich podejrzanych. Zrobiłam, co do mnie należało.

– No i?

– Powiedzmy, że nie uważam go już za głównego podejrzanego.

Kitt skinęła głową, ale wciąż patrzyła na nią podejrzliwie. Przypomniała sobie, co powiedział o niej Brian. Przecież był jej kumplem. Nie miał powodów, żeby kłamać.

– No i jak, Kitt? Chcesz ze mną pracować? – spytała po chwili M.C.

– A czy potrafisz mi zaufać?

M.C. rozłożyła ręce.

– Spróbuję. I zapewniam, że będę informować cię o wszelkich nowych pomysłach i zamierzeniach. – Była to aluzja do tego, jak postąpiła w sprawie Joego.

– No dobrze, wobec tego ja też powinnam być wobec ciebie szczera. Słyszałam twoją kłótnię z Brianem.

M.C. zastygła na swoim miejscu.

– Właśnie tego się obawiałam.

Być może tłumaczyło to jej wielkoduszność. Kitt przypomniała sobie pytanie Briana, skierowane do M.C.: „Grozisz mi?".

Zapewne zdradziła ją mina, ponieważ M.C. wstała i zaczęła krążyć po pokoju.

– Obawiałam się tego, co sobie pomyślisz – mruknęła. – Że źle to zrozumiesz...

– Zrozumiałam tyle, że miałaś romans z Brianem. Zaprzeczasz?

– Nie, nie. To było dawno temu. Zaczynałam dopiero pracę, a on już cieszył się sławą. Był akurat w separacji z żoną... Popełniłam głupstwo – podjęła po chwili M.C. – Musisz zrozumieć, był dla mnie prawie bogiem. Miał olbrzymie doświadczenie, tyle wiedział...

Kitt pamiętała Briana sprzed paru lat. Był wysoki i przystojny. Kobiety go uwielbiały.

– I co?

– Zrozumiałam, że popełniłam błąd, a on wrócił do żony. Nie było z tym żadnych problemów...

– Aż do teraz – dokończyła Kitt.

M.C. zmarszczyła brwi.

– Tak. Zupełnie nie rozumiem, co się stało. Nagle Brian zaczął się do mnie przystawiać, śledzić mnie... To bardzo dziwne.

Kitt musiała jej przyznać w duchu rację. Brian nigdy się tak nie zachowywał, a przecież znała go od lat. To prawda, uganiał się za spódniczkami i nigdy nie był zbyt wierny żonie, ale nie przekraczał pewnych granic...

Co się z nim dzieje? Czy to kryzys wieku średniego i rozpadające się małżeństwo, czy może coś jeszcze?

A może jednak M.C. kłamie?

Czy rzeczywiście powinna mieć się przed nią na baczności, jak radził jej Brian?

– O czym myślisz, Kitt? – spytała M.C.

– Najwyższy czas się zbierać. – Kitt dojadła przed chwilą swój kawałek pizzy. – Padam na nos.

– To wszystko? Nic więcej mi nie powiesz?

Kitt spojrzała jej w oczy.

– Bo nie wiem, co ci powiedzieć. Brian jest moim przyjacielem...

– Obiecałaś, że będziesz szczera.

– Właśnie. Dlatego muszę to sobie przemyśleć.

– Cóż, dobrze – bąknęła M.C. i zamknęła pudło po pizzy.

– M.C.... – Kitt urwała nagle. – Do zobaczenia rano.

Wyszła z pracy z poczuciem, że powinna zrobić coś jeszcze, ale nie wiedziała co. Próbowała być obiektywna i nie stawać po stronie Briana, lecz tak naprawdę teraz nie umiała zaufać żadnemu z nich. Wyszła przed budynek i nagle przypomniała sobie o SMS-ie. Szybko wyjęła komórkę i sprawdziła wiadomość od Briana:

„Kitt, nie uwierzysz, co wyszperałem. Zadzwoń na komórkę".

ROZDZIAŁ PIĘĆDZIESIĄTY DRUGI

Poniedziałek, 20. marca 2006
godz. 20.30

Kitt przeszła do samochodu, starając się zapanować nad podnieceniem. Ta wiadomość mogła oznaczać tylko jedno – Brian znalazł dowód, że ktoś z policji był zamieszany w sprawę. Dopiero kiedy usiadła za kierownicą, wybrała jego numer. Po kolejnym sygnale włączyła się poczta głosowa.

– Cholera, Brian, chcesz mnie wykończyć? Czekam na telefon.

Pół godziny później, kiedy już dotarła do domu, telefon wciąż milczał. Zadzwoniła jeszcze raz, ale z takim samym rezultatem. Po krótkim namyśle zdecydowała się zadzwonić do Ivy. Może pojechał do dzieci albo próbował pogodzić się z żoną?

Jeśli go nie zastanie, spróbuje podzwonić po znajomych. Może gdzieś go znajdzie...

Odebrała jego żona.

– Cześć, Ivy, tu Kitt.

– Cześć. Briana nie ma w domu.

– Mówił mi, że jesteście w separacji. Jak się miewasz?

– Świetnie. Przynajmniej jak na czterdziestoparoletnią kobietę, którą czeka rozwód – dodała z goryczą.

– Naprawdę bardzo mi przykro.

– Mnie też. Żałuję, że nie zrobiłam tego już dawno temu.

– Może się zmieni. Chyba dotarło do niego, że tym razem sprawa jest poważna.

Ivy zawahała się.

– Nie sądzę – mruknęła. – To już trwa tyle lat...

Kitt milczała przez chwilę. Ivy zapewne miała rację. Brian za bardzo lubił kobiety, by zrezygnować z przelotnych romansów.

– On cię kocha – bąknęła.

– Trochę dziwnie mi to okazuje.

Kitt było jej naprawdę żal. Chciała powiedzieć, że przynajmniej ma dzieci, ale dla Ivy nie byłaby to w tej chwili żadna pociecha.

– Nie wiesz, jak mogę go złapać?

– Ma przy sobie komórkę.

– Nie odbiera telefonów. Nie wiesz, gdzie teraz mieszka?

– W tej samej dziurze, w której umawiał się ze swoimi dziewczynami. „Starlight" przy Szóstej Ulicy.

Kitt znała ten hotel i wiedziała, że określenie „dziura" jest w tym przypadku wyjątkowo łagodne. Wynajmowano tam pokoje na godziny.

– Dzięki. Gdyby dzwonił, powiedz mu, że go szukam.

Ivy bez słowa odłożyła słuchawkę.

Kitt sprawdziła numer hotelu „Starlight" i zadzwoniła na recepcję. Brian rzeczywiście wynajmował tam pokój, więc poprosiła recepcjonistę, żeby ją z nim połączył.

Brian nie odbierał. Odłożyła słuchawkę i raz jeszcze zadzwoniła do hotelu.

– Pan Spillare nie odpowiada – poinformowała recepcjonistę. – Czy jest u siebie?

– Trudno mi powiedzieć, proszę pani.

– A czy na parkingu stoi jego samochód?

Mężczyzna westchnął ciężko.

– Nie szpieguję naszych gości. Jeśli martwi się pani o swego starego, niech pani go lepiej pilnuje – wyrecytował i odłożył słuchawkę.

Zadzwoniła po raz trzeci. Recepcjonista odebrał po drugim dzwonku.

– Tu porucznik Kitt Lundgren z policji w Rockford – przedstawiła się. – Muszę skontaktować się z kolegą, porucznikiem Brianem Spillarem. Proszę odszukać jego samochód. To jest polecenie, a nie prośba.

Mężczyzna przyjął obronną postawę.

– Skąd będę wiedzieć, który wóz jest jego? Mamy dużo gości...

– Niebieski pontiac grand – przerwała mu. – Ma pan zapewne jego numer rejestracyjny, więc niech pan to sprawdzi.

Przez moment myślała, że znowu zacznie marudzić, on jednak milczał przez dłuższą chwilę. Słyszała tylko szelest przewracanych kartek.

– Dobrze, proszę poczekać – powiedział w końcu.

Wrócił po pięciu minutach.

– Tak, stoi na naszym parkingu – odezwał się. – Czy mam zrobić coś jeszcze, czy mogę zająć się pracą?

Kitt zignorowała to pytanie.

– Który pokój zajmuje porucznik Spillare?

– Dwieście dziesięć.

Podziękowała mu i przeszła do swego taurusa. Była bardzo niespokojna. Jeśli Brian chciał z nią porozmawiać, dlaczego nie odbierał telefonów?

„Nie uwierzysz, co znalazłem".

Ruszyła przed siebie, próbując stłumić niepokój. Coś jej się tutaj nie zgadzało...

Wjechała na Szóstą Ulicę, myśląc o tym, że Brian być może jest z jakąś kobietą i dlatego wyłączył komórkę. A może wybrał się z kolegą do baru... Jednak policjanci mieli obowiązek odbierać telefony. To była jedna z podstawowych zasad, które obowiązywały w ich pracy. Zdarzało się, że dzwoniono do niej, gdy była w kościele albo w kinie, a także kiedy spała.

Brian wpakował się w kłopoty.

Zatrzymała się przed „Starlight". Wysiadła z wozu i od razu pobiegła na pierwsze piętro. Szybko znalazła pokój numer dwieście dziesięć. W środku grał telewizor.

Zapukała do drzwi.

– Brian, to ja, Kitt.

Kiedy nie odpowiedział, zapukała mocniej. Gdy przekręciła gałkę, okazało się, że drzwi nie są zamknięte.

Z rosnącym niepokojem wyjęła broń i wolną ręką pchnęła drzwi.

Wydała pełen przerażenia okrzyk. Brian leżał zaraz za progiem. Miał puste, niewidzące oczy. Był tylko w spodniach. Strzelono do niego dwa razy. Wokoło było pełno krwi.

Pochyliła się nad nim i drżącą ręką sprawdziła puls. Kiedy nic nie wyczuła, uniosła dłoń do ust.

Chciało jej się wyć z żalu. Opanowała się jednak i wybrała numer wydziału zabójstw. Dyżurna odebrała natychmiast, ale ona potrzebowała trochę czasu, by się pozbierać.

– Tu... tu porucznik Lundgren. Morderstwo... Hotel „Starlight" przy Szóstej Ulicy.

ROZDZIAŁ PIĘĆDZIESIĄTY TRZECI

Poniedziałek, 20. marca 2006
godz. 22.20

M.C. zatrzymała się z piskiem opon przed hotelem. Nie była pierwsza; na parkingu stały już dwa oznakowane policyjne wozy, a także suburban koronera. Wieści o zamordowaniu policjanta rozchodziły się szybko. Zapewne Sal i Haas już tu przyjechali, a pewnie wkrótce pokaże się też sam szef policji.

Zabito przecież oficera. Porucznika z Centralnego Biura Śledczego.

M.C. z bijącym sercem podeszła do drzwi. Zatrzymała się tylko na chwilę, żeby wpisać się do zeszytu i pobiegła dalej.

Kitt zadzwoniła do niej i spokojnym, wypranym z emocji głosem poinformowała o tym, co się stało. Musiała jednak być potwornie zdenerwowana. Przecież przez kilka lat pracowała z Brianem.

Kiedy dotarła na piętro, skierowała się do pokoju, przed którym stała spora grupka policjantów. Nie słychać było rozmów. Wszyscy milczeli ponuro.

M.C. podeszła do mundurowego funkcjonariusza, który pilnował drzwi i pokazała mu swoją odznakę. Kiedy weszła do środka, od razu zauważyła Briana. Musiała przecisnąć się bokiem, żeby nie wdepnąć w krew.

Jeszcze rano widziała go żywego. Był na nią zły, nawet wściekły.

„Jeśli pojawią się takie plotki, gorzko tego pożałujesz!".

„Grozisz mi?".

„Myśl sobie, co chcesz".

Zaschło jej w ustach. Spojrzała na Kitt, która obserwowała poczynania anatomopatologa. Zobaczyła M.C. i podeszła do niej, żeby się przywitać.

– Jak się miewasz? – spytała M.C.

– Kiepsko.

– Naprawdę bardzo mi przykro.

Skinęła głową i spojrzała gdzieś w bok.

– Prosiłam go, żeby zastanowił się, który z naszych ludzi mógłby mieć żal do policji. A potem dostałam wiadomość, która wskazywała, że coś znalazł. Próbowałam się z nim skontaktować, no i w końcu przyjechałam tutaj.

– O Boże! – M.C. zniżyła głos: – Myślisz, że to morderstwo wiąże się z naszą sprawą?

– Tak mi się wydaje. Obawiam się, że Brian musiał jakoś zdradzić się z tym, co znalazł.

M.C. myślała intensywnie.

– Może to jednak przypadek – powiedziała, a potem aż się żachnęła. W tej sprawie nie było żadnych przypadków.

Zamilkły. M.C. rozejrzała się po pokoju. Telewizor był nastawiony na ESPN. Na krześle wisiała kabura z pistoletem Briana. Zamordowano go, kiedy jadł posiłek z McDonalda. Niedojedzony hamburger leżał na łóżku obok pilota. Na podłodze stały dwie butelki piwa z długimi szyjkami, w tym jedna otwarta.

Telefon miał przypięty do paska.

Z korytarza dotarły do nich odgłosy ożywionych rozmów. Ekipa techniczna, pomyślała M.C. Po chwili do pokoju weszli porucznik Sorenstein i sierżant Campo.

Kitt spojrzała znacząco w ich stronę.

– Czy ktoś poza mną słyszał twoją kłótnię z Brianem? – spytała szeptem.

Tak, to był poważny problem. M.C. była wdzięczna, że Kitt o to spytała.

– Chyba nie, ale nie mam pewności.

– Poradzić ci coś?

– Co takiego?

– Ta sprawa śmierdzi na kilometr. Powinnaś od razu pójść z tym do Sala.

M.C. aż skuliła się na myśl, że miałaby komuś opowiedzieć o swoim romansie z Brianem. Zapewne szef wpisze notatkę do jej papierów. Może to nawet zaważyć na dalszej karierze.

– Nie mam mu nic do powiedzenia. To sprawa osobista.

Nie mogły ciągnąć tej rozmowy, bo do pokoju weszli Sal z sierżantem Haasem. M.C. zauważyła, że szef tylko raz spojrzał na ciało, a potem wbił wzrok w podwładne, jakby oczekiwał wyjaśnień.

Czyżby już wiedział?

– Cześć, Kitt. Powiedz mi, jak to się stało.

– Brian zostawił mi wiadomość. Nie mogłam się z nim skontaktować, więc przyjechałam tutaj.

– Do hotelu?

– Tak, są w separacji z Ivy. Dzwoniłam do niej i powiedziała, gdzie mogę go zastać. Leżał w przejściu. Sprawdziłam mu puls i zaraz zadzwoniłam.

Sal skinął głową i obrócił się w stronę anatomopatologa.

– Co możesz nam o tym powiedzieć, Frances?

– Sądząc po śladach prochu wokół rany, morderca stał niecałe pół metra od Briana. – Wskazał drobiny prochu wbite w skórę ofiary. – Nie ma wątpliwości, że strzały były śmiertelne. Pierwszy przebił lewe płuco, drugi trafił w serce. Brian cofnął się po pierwszym strzale i dlatego przy sercu jest mniej prochu.

– Kiedy to się stało?

– Niedawno. Kilka godzin temu. Po sekcji będę mógł powiedzieć dokładniej. – Roselli zdjął gumowe rękawiczki. – Oczywiście natychmiast się tym zajmę.

– Znał mordercę – mruknął sierżant Haas.

– Też tak uważam. – Sal spojrzał na Kitt. – Musiał sam otworzyć drzwi.

Kitt skinęła głową i rozpięła kaburę. Ponieważ to ona znalazła Briana, automatycznie stawała się podejrzana. Podała więc broń przełożonemu. Po strzale, zarówno na samej broni, jak i na rękach strzelającego pozostawały drobiny prochu. Sierżant Haas wziął glocka z rąk Sala, obejrzał dokładnie, a następnie zwrócił Kitt.

– Możesz go na razie zatrzymać.

– Dzięki. – Włożyła broń do kabury. – Jest jeszcze jedna sprawa. – Spojrzała na struchlałą M.C. Nie, nie zamierzała opowiadać o jej kłótni z Brianem. – Chodzi o tę wiadomość, którą mi wysłał. Możemy wyjść na zewnątrz?

Wyszli na korytarz, a ponieważ kręciło się tam sporo osób, przeszli na parking przed hotelem.

– Dziś wieczorem pytałam Briana, czy jego zdaniem Morderca Śpiących Aniołków może pracować w policji – zaczęła bez ogródek.

Sal zmarszczył brwi, a sierżant Haas wciągnął głęboko powietrze.

– A skąd ten pomysł? – zapytał.

Powtórzyła im to, co już wcześniej mówiła M.C.:

– Przesłuchałam swoje rozmowy z Orzeszkiem i uderzyło mnie, że wiedział o Derricku Toddzie i znał procedury policyjne. Ten facet wie, jak przebiega śledztwo i dlatego wciąż nam się wymyka. Bardzo się tym chełpi, jakby chciał w ten sposób coś udowodnić.

– A może tylko interesuje się naszą pracą? Albo pracuje u nas ktoś z jego rodziny?

– Niewykluczone. Ale może też być policjantem albo byłym policjantem, który czuje się pokrzywdzony.

Urwała, czekając na komentarze. Kiedy nie nastąpiły, dodała:

– Brian obiecał sprawdzić papiery naszych ludzi pod tym kątem. – Spojrzała na obu mężczyzn. – A potem przesłał mi SMS-a z informacją, że coś znalazł.

Sal potarł zmarszczone czoło, jakby jeszcze nie chciał pogodzić się z tym, co usłyszał.

– Zachowałaś tę wiadomość?

– Oczywiście.

Sal zaklął i ruszył w stronę budynku.

– Musimy prześledzić każdy krok Briana. Sprawdzić, z kim rozmawiał i co robił. Jeśli rzeczywiście zamordował go policjant, własnoręcznie skręcę mu kark!

ROZDZIAŁ PIĘĆDZIESIĄTY CZWARTY

Poniedziałek, 20. marca 2006
godz. 23.57

Kitt dotarła do domu dopiero koło północy. Wjechała na podjazd, wyłączyła silnik i siedziała chwilę, wsłuchując się w gniewne pomruki burzy. Zapowiadano ją dzisiaj od południa, więc w końcu chyba musiała przyjść.

Jej przyjaciel i partner został zabity.

Zginął przez nią.

Łzy zaczęły spływać jej po policzkach, a ona nie próbowała ich powstrzymać. Płakała coraz gwałtowniej, co jakiś czas pociągając nosem.

Zawsze jej pomagał. Wspierał ją w ciężkich chwilach. Był bardziej jak członek rodziny niż współpracownik.

A teraz została sama.

Zacisnęła usta, myśląc o Ivy. Sal zdecydował, że sam do niej pojedzie, a sierżant Haas zgodził się mu towarzyszyć. Zapewne już tam dotarli.

Przetarła oczy wierzchami dłoni. Po jakie licho z nim gadała? Czemu nie sprawdziła sama swojej hipotezy?

Być może to ona leżałaby teraz w kostnicy zamiast Briana.

Tak byłoby lepiej. I tak nie miała dla kogo żyć.

Mijały minuty, a ona wciąż rozmyślała o tym, co się stało. Powoli jej przygnębienie przeradzało się w złość, co było bardzo zdrowym objawem. Musiała koniecznie dopaść skurwysyna, który to zrobił. Była przekonana, że jest nim Orzeszek znany też jako Morderca Śpiących Aniołków.

Chyba wreszcie wpadła na właściwy trop.

Wyszła z samochodu i podeszła do drzwi. Na werandzie czekał na nią niewielki pakunek. Szara torba ze sklepu. Jakby ktoś z uprzejmych sąsiadów przyniósł coś do jedzenia, a nie zastawszy jej w domu, położył prezent przed drzwiami. Tak zdarzało się zaraz po śmierci Sadie.

Kitt patrzyła na torbę z narastającą wściekłością. Wiedziała, że zostawił ją Orzeszek. Nie musiała nawet do niej zaglądać.

Sukinsyn pewnie był z siebie bardzo dumny.

Wróciła do samochodu, gdzie zawsze trzymała zestaw złożony z lateksowych rękawiczek i worków na dowody rzeczowe. Wzięła też latarkę ze skrytki. Włożyła worki do kieszeni kurtki, a latarkę wetknęła pod pachę. W drodze powrotnej nałożyła rękawiczki.

– Dobra, zobaczmy – mruknęła do siebie.

Otworzyła ostrożnie torbę. W środku znajdował się telefon komórkowy. Był włączony. Czekała na nią wiadomość.

Kiedy go wyjmowała, zauważyła, że coś przyklejono do obudowy. Był to lok blond włosów związany różową wstążeczką.

To włosy jednej z tych dziewczynek, pomyślała. Serce zaczęło jej bić mocniej. Próbowała się uspokoić. Zastanawiała się, czy są to włosy zamordowanej dziewczynki czy może przyszłej ofiary.

A jeśli Orzeszek znowu próbował ją okpić?

Kitt odkleiła ostrożnie lok i wraz ze wstążką i taśmą włożyła do torby. Następnie otworzyła telefon. Należał do sieci Verizon, z której sama korzystała. Chciała odsłuchać informację, ale poproszono, żeby podała hasło. Zaczęła gorączkowo myśleć: Orzeszek, Kicia, Sadie... Skoro miała ją odebrać, musiało to być coś oczywistego.

No jasne, Aniołki!

Wpisała to słowo i gwałtownie nacisnęła guzik odsłuchiwania:

– Mylisz się. Zbierałem trofea. Oto jedno z nich.

Kitt zaczęła drżeć. Czuła wstręt do tego człowieka. Kiedy telefon zadzwonił, podniosła go do ucha.

– Ty skurwysynu – warknęła.

– A cóż to za słowa w twoich ustach, Kiciu? – powiedział wyraźnie rozbawiony. – Myślałem, że jesteśmy przyjaciółmi.

– Tak – mruknęła, rozglądając się dookoła i próbując przeniknąć wzrokiem mrok. Wiedziała, że gdzieś tu jest, czai się w ciemnościach. – Chodź, pobawimy się.

Orzeszek zaśmiał się nieprzyjemnie.

– Czekałem na ciebie. Gdzie byłaś?

- Przestań udawać. Przecież chcesz się pochwalić, że zabiłeś Briana!

- Nie wiem, o co ci chodzi.

- Raczej o kogo! Porucznik Brian Spillare, ten sam, który prowadził kiedyś twoją sprawę!

Mężczyzna milczał przez dłuższą chwilę.

- Bardzo mi przykro, że zginął.

- I ja mam ci wierzyć, tak? Kłamcy i mordercy? Posłuchaj, czy jesteś policjantem?

Tamten wciągnął gwałtownie powietrze, zaskoczony tym pytaniem, a ona postanowiła kuć żelazo, póki gorące.

- Czy Brian zaczął ci deptać po piętach? A może zadawał za wiele pytań?

- Ja go nie zabiłem, Kiciu. Musisz poszukać gdzie indziej.

Udawał obojętność, ale Kitt dosłyszała drżenie w jego głosie. Ciekawe dlaczego? Jeśli rzeczywiście nie zabił Briana, nie powinien się przejmować ani jego śmiercią, ani oskarżeniami Kitt.

A może nie on zabił Briana, ale jest policjantem?

- No, po staruszkach i dziewczynkach przyszła kolej na policjantów...

- To nie ja – powtórzył. – Zadzwoniłem z innego powodu.

- Więc po co ten telefon? Musisz się bez przerwy chwalić? Po co? Dlaczego mnie dręczysz?

- Chcę pogadać. Bez świadków. Żebyś mogła zrozumieć... – dodał drżącym głosem.

Zaśmiała się na tę myśl.

- Co niby mam zrozumieć? Że jesteś tchórzem, który morduje bezbronne dziewczynki i staruszki?!

- Uważaj...

– Dlaczego miałabym uważać? Pamiętaj, nikt nas nie słucha. – Obróciła się w stronę ulicy. – No chodź, zmierzymy się.

– Uspokój się. Przecież to już histeria.

– A ty jesteś potworem. Odpierdol się.

– Nie jestem potworem. – Usłyszała syk płomienia, a potem głęboki wdech, kiedy zaciągał się dymem. – Nie czuję przyjemności, kiedy zabijam. Nie jestem taki, jak te zwierzęta, które lubią nurzać się we krwi...

– Więc dlaczego to robisz?

– To rozrywka intelektualna. Taka jak szachy albo gra w policjantów i złodziei. Wy mnie gonicie, ja uciekam.

– Ale przy szachach nikt nie umiera.

– Po prostu stawka jest wyższa.

Kitt pomyślała o zabitych dzieciach i ich rodzinach. O zmasakrowanych staruszkach. Wydała pełen obrzydzenia jęk.

– Te dziewczynki w nic z tobą nie grały.

– Oczywiście, że nie, Kiciu. To my jesteśmy graczami – powiedział to takim tonem, jakby musiał coś wytłumaczyć niezbyt rozgarniętej osobie.

– W nic z tobą nie gram i nigdy nie grałam.

– Grałaś i grasz w dalszym ciągu. Za pierwszym razem ja byłem górą.

– Chodzi ci o to, że nie poniosłeś kary?

– Że was przechytrzyłem. Że byłem lepszy od całej policji.

– A jeśli cię złapię, to ja wygram? – upewniła się.

– Tak. – Zrobił przerwę. – Oboje chcemy wygrać, ale ja mam nad tobą przewagę.

– Dlaczego?

– Bo w przeciwieństwie do ciebie nie jestem emocjonalnie zaangażowany w tę sprawę.

Kitt w duchu musiała przyznać mu rację. Jego w ogóle nie dręczyły wyrzuty sumienia. Nie zastanawiał się, czy wyrządził komuś krzywdę. Jakby różnica między złem a dobrem w ogóle nie miała dla niego znaczenia.

To powodowało, że jeszcze trudniej było go złapać.

– Zabijanie to nie gra.

– Dla ciebie – rzekł cicho. – Właśnie dlatego mam nad tobą przewagę.

– Czy jesteś naśladowcą?

Chwilę zwlekał z odpowiedzią.

– Nie.

Zabrzmiało to zdecydowanie. Był z nią szczery. Zdawał sobie chyba sprawę z jej stanu ducha. A zatem mieli do czynienia z dwójką morderców. I nawet nie wiedzieli, gdzie ich szukać, od czego zacząć.

Nie poradzi sobie z tą sprawą...

Nie, musi być silna!

– Poddajesz się, Kiciu?

Znał ją tak dobrze, że nawet wiedział, o czym myśli. A może nie tak trudno było zgadnąć?

– Nigdy się nie poddam! – warknęła.

– Przykro mi. Zdaje się, że ciężko ci pogodzić się z przegraną, co?

– I tak straciłam już wszystko, na czym mi zależało.

– Ale masz jeszcze własne życie. Pewnie boisz się śmierci.

Przypomniała sobie Sadie i uśmiechnęła się.

– Śmierć nie jest końcem, tylko początkiem...

– Więc po co walczysz o życie? – spytał łagodnie. – Dlaczego tak się wściekasz, kiedy kogoś zabijam?

– Bo życie jest dobre. Jest darem od Boga i nikt nikomu nie powinien go odbierać.

– Proszę, co za wzniosłe i uduchowione słowa.

– Czyje to włosy?

– Przecież robiliście badania DNA.

– Czy chodzi o którąś z tych pierwszych dziewczynek?

– Tak.

– Czy wiesz, kim jest twój naśladowca?

– Tak.

Kiedyś się z nią drażnił, teraz jednak odpowiadał na wszystkie pytania. Widocznie chciał przenieść „grę" na wyższy poziom, a także bardziej zacieśnić ich związek.

Najwyraźniej uważał bowiem, że coś ich łączy.

– Podaj mi nazwisko – powiedziała, próbując ukryć podekscytowanie. – Zajmę się nim albo nią i zostaniemy sami.

– Nią? – spytał z wyraźnym ukontentowaniem.

– Czy właśnie tego miałam się domyślić na podstawie rzeczy z magazynu? Że to kobieta?

– Nie, ale miło mnie zaskoczyłaś... Do tej pory nie miałem okazji podziwiać twoich zdolności dedukcyjnych.

A więc w tych rzeczach kryło się coś jeszcze. Musi to dokładnie rozważyć.

– Nazwisko – powtórzyła. – Podaj mi nazwisko, a zostaniemy sami. Mnie to odpowiada. A tobie?

– Czegoś takiego nie dostaje się za darmo.

– Czego chcesz?

– Ciebie, Kitt. – Domyśliła się, że w tym momencie się uśmiechnął. – Chcę cię lepiej poznać.

– No to przestań się ukrywać. Jestem tu sama.

– Nie, Kiciu, wiem, jak wyglądasz. Chcę poznać twoje myśli. Twoje najskrytsze pragnienia. I to, czego się boisz.

– Przecież już wiesz – zauważyła.

– Chcę wiedzieć więcej. Opowiedz mi o swoim małżeństwie.

– Małżeństwie? – powtórzyła zbita z tropu.

– Jak poznaliście się z Joem?

Zupełnie się tego nie spodziewała. Chciał przeniknąć przez jej warstwę ochronną. Chciał uczynić ją bezbronną...

Pragnął ją zniszczyć.

Chyba znowu domyślił się, co jej chodzi po głowie, bo rzucił:

– Powinnaś to zrobić dla tych dziewczynek...

Dzieci. Aniołki. Jego karta przetargowa...

– Dobrze, pytaj, sukinsynu.

– Jak się poznaliście?

– W szkole średniej. Joe był o klasę wyżej.

– Ale jak do tego doszło?

Takie pytania zaraz po przesłuchaniu Joego wydały jej się bardzo dziwne.

– Trudno o większy banał – odparła i mimo wszystko na jej ustach pojawił się lekki uśmiech.

– Wpadł na mnie, a ja upuściłam książki. Pomógł mi je zebrać i właśnie wtedy – poczuła, że drży – zauważyłam, że ma najbardziej niebieskie oczy, jakie w życiu widziałam.

– I tak po prostu zakochałaś się w nim?

– Tak po prostu.

– Miłość od pierwszego wejrzenia. Jakie to miłe!

Nie ukrywał ironii. Naprawdę uważał ją za naiwną i śmieszną.

– Wcale tak o tym nie myślałam. Dopiero teraz, z perspektywy czasu tak to wygląda.

– Dlaczego zakochałaś się w Joem? Z powodu tych oczu?

– Joe jest miły i łagodny. – Znowu uśmiechnęła się do siebie. – Najspokojniejszy facet, jakiego znam. A poza tym lubi i szanuje ludzi. Potrafi ich zrozumieć, nie ocenia nikogo zbyt pochopnie.

– To prawie święty! Pierdolony święty!

– Mieliśmy te same marzenia – ciągnęła, nie zważając na jego słowa. Nagle zrozumiała, że musi to wszystko powiedzieć i to nie ze względu na dobro śledztwa.

Chodziło o nią.

Ta rozmowa działała na nią terapeutycznie.

– I mieliśmy takie same poglądy – dodała. – Na wszystko, co naprawdę ważne: miłość, rodzina, wiara...

Kiedy to mówiła, zaczęły jej się przypominać różne rzeczy. Dobre, takie, o których nie myślała od lat. Jak wspaniale potrafili spędzać razem czas, jak się kochali, jak zaczynali odnosić pierwsze sukcesy, a potem cieszyli się z narodzin córki. Jak Joe trzymał ją za rękę, kiedy lekarz powiedział, że Sadie ma białaczkę...

Pogrzebała te wspomnienia, ale one powróciły. Dlaczego pozwoliła, by złe wspomnienia przyćmiły te dobre?

Znowu rozległy się pomruki burzy, tym razem znacznie bliższe. Liście zaszeleściły na drzewach. Kitt lekko zadrżała.

– No i co? – spytał morderca. – Kiedy to wszystko się zmieniło?

– C...co? – rzuciła zaskoczona.

– Dzieliłaś z nim marzenia i przekonania. Kiedy to się zmieniło? Kiedy zaczęliście się od siebie oddalać?

– Po śmierci Sadie – odparła bez namysłu. – Straciłam wiarę. Uznałam, że życie jest puste, bezsensowne...

– Tak, życie jest okrutne. Słabi nie mają w nim szans – mruknął. – Ci wszyscy idealiści prędzej czy później ponoszą klęskę.

– Nie, to nieprawda! – zaprotestowała.

– Tak, Kiciu?

– Byłam głupia, że się poddałam i zaczęłam pić. – Gorące łzy spływały jej po policzkach. – Odwróciłam się od miłości...

– Chyba się porzygam.

Kitt pociągnęła nosem i uśmiechnęła się lekko. Nie było sensu zaprzeczać, wciąż kochała Joego i bardzo za nim tęskniła.

Powiedziała o tym Orzeszkowi, a ten tylko się zaśmiał.

– Nie przypuszczałem, że jesteś taką idiotką. Przecież Joe zamierza ożenić się z inną. Już cię nie kocha...

– Tylko głupiec nie przyznaje się do miłości. – Pierwsze krople deszczu spadły jej na głowę. Wiedziała, że za chwilę rozpęta się ulewa, ale wcale się tym nie przejmowała.

– Jak uważasz – rzucił szyderczo.

– Teraz ty – przypomniała. – Kim jest naśladowca? Powiedz.

– Przyjrzyj się uważnie ofiarom. One ci to powiedzą...

– Nie! Przecież...

Nie zdążyła skończyć. Rozłączył się, a ona dopiero teraz zauważyła, że stoi w strugach deszczu. Złapała torbę i przebiegła na werandę. Cała drżąca wpatrywała się w ciemność. Orzeszek znowu ją wykiwał. Dostał, co chciał, a nie dał jej nic w zamian.

Sama doskonale wiedziała, że powinna się uważnie przyjrzeć ofiarom i wszelkim śladom pozostawionym na miejscu zbrodni.

Otworzyła drzwi i weszła do ciemnego domu. Dopiero teraz uświadomiła sobie, że nie zdjęła jeszcze rękawiczek.

Zacisnęła pięści, ale chciało jej się śmiać. Orzeszek oszukał ją, ale za to wygrała z własną słabością.

Ta rozmowa przyniosła jej ulgę i spokój.

I przebudziła uśpioną miłość.

Pomyślała o Joem i podeszła do telefonu. Musi go przeprosić. Za dzisiaj i... za wszystko.

Musi go błagać o wybaczenie.

Spojrzała z niechęcią na przenośny aparat. Nie, powinna to zrobić osobiście.

Wyjrzała na dwór i stwierdziła, że rozpadało się na dobre. Co jakiś czas niebo rozświetlała błyskawica. To była pierwsza wiosenna burza.

Kitt wzięła kluczyki ze stolika przy drzwiach, zamknęła dom i ruszyła biegiem do samochodu.

ROZDZIAŁ PIĘĆDZIESIĄTY PIĄTY

Wtorek, 21. marca 2006
godz. 00.30

Jechała ostrożnie, ponieważ strugi deszczu dosłownie zalewały przednią szybę. W końcu jednak zatrzymała się na podjeździe Joego, wyskoczyła z wozu i pobiegła do drzwi.

Z powodu burzy gwałtownie obniżyła się temperatura. Kitt poczuła, że ma skostniałe ręce i nogi i cała drży.

Nie przejmowała się deszczem i zimnem. Myślała tylko o Joem i o tym, co sobie dzisiaj uświadomiła. Musiała podzielić się tym z byłym mężem, nawet jeśli nic z tego nie wyniknie.

Popełniła błąd, poważny błąd.

Zadzwoniła, a potem zaczęła walić do drzwi.

– Joe! To ja, Kitt! – krzyknęła.

Nic, cisza.

– Joe. Otwórz!

Najpierw zapaliło się światło w środku, dopiero potem na werandzie, nad jej głową. Joe wyjrzał na zewnątrz, a ona odetchnęła z ulgą.

– Muszę z tobą porozmawiać – powiedziała.

– Teraz? O tej porze? – spytał zdziwiony i zaspany.

– Tak – odparła. Nagle uświadomiła sobie, jak musi wyglądać. Była przemoczona i podekscytowana, Joe patrzył na nią z niekłamanym zdumieniem.

– O tej sprawie?

Sprawie? No, tak, nic dziwnego, że tak pomyślał. Najpierw go przesłuchiwano, potem musiał uczestniczyć w rewizji.

– Nie, chodzi o mnie – odparła, czując, że znowu zaczyna płakać. – Chciałam... chciałam cię przeprosić za to, że cię odepchnęłam po śmierci Sadie. Potrzebowałeś mnie, a ja zasklepiłam się w swoim cierpieniu...

Zaczęła szlochać. Joe odsunął się od drzwi i wpuścił ją do środka, a potem... przytulił ją do szerokiej piersi.

Kitt powoli się uspokajała.

– Przepraszam – powiedziała, cofając się w końcu o dwa kroki.

– W porządku – mruknął, przyglądając się jej uważnie.

– Nie płakałam po śmierci Sadie, rzuciłam się w wir śledztwa. W dodatku zaczęłam pić.

– Dlaczego mi o tym mówisz?

– Bo zrozumiałam, że powinniśmy byli wspólnie stawić temu czoło.

– To już przeszłość.

– Nie, Joe. Ja wciąż cię kocham...

Przez dłuższy czas patrzył na nią zaskoczony. Zastanawiała się, co teraz czuł. Radość czy wściekłość? Smutek?

A może po tym wszystkim, co przeszedł, jedynie pustkę? Może było mu wszystko jedno?

Potrzebował chwili, żeby zrozumieć, co powiedziała. Zrobił krok w jej stronę i wziął ją za rękę.

– Wszystko będzie dobrze, Kitt. Ja też cię nadal kocham.

Kitt poczuła kolejne łzy na policzkach. Rzuciła się w jego stronę i przytuliła mocno.

– Przepraszam, nie powinnam...

– Chodź – powiedział i poprowadził ją do łazienki. Dał jej gruby ręcznik i szlafrok frotté. – Weź ciepły prysznic i porządnie się wytrzyj. Zaczekam na ciebie.

Skinęła głową. Czuła się dziwnie w tych znajomych ścianach. Zdjęła ubranie i weszła pod prysznic. Rozkoszowała się strugami ciepłej wody. Dopiero teraz zrozumiała, jak bardzo jest zziębnięta. Szybko jednak doszła do siebie.

Po kąpieli wytarła się dokładnie i włożyła szlafrok Joego, który był na nią trochę za duży.

Joe siedział na łóżku, z twarzą ukrytą w dłoniach.

Podeszła do niego ze ściśniętym gardłem i przyklękła obok. Spojrzał na nią.

Czy to możliwe, że płakał?

Ale dlaczego? Czy z radości, czy z żalu?

Dotknęła jego policzka, a potem delikatnie go pocałowała. Po chwili ich usta się spotkały i oboje poczuli, jak bardzo siebie pragną.

Kochali się szybko i zachłannie, jakby długo czekali na ten moment.

A potem leżeli w milczeniu na łóżku, tuląc się do siebie. Kitt po raz pierwszy od śmierci Sadie czuła całkowity spokój. Przywarła twarzą do boku Joego i wciągnęła w nozdrza znajomy zapach.

Pogładził ją po włosach.

– Powiedz, dlaczego przyjechałaś – odezwał się.

Przypomniała sobie Briana. A potem rozmowę z tym psychopatą.

– Chyba nie powinnam ci mówić. Jeszcze nie teraz.

Uniósł się na łokciu i spojrzał na nią z góry.

– Dlaczego?

– Bo to by wszystko zepsuło. – Poczuła, jak ścisnęło ją w gardle, więc chrząknęła. – Chciałabym tak leżeć przy tobie całą wieczność.

Kiedy to powiedziała, zrozumiała, jak źle i fałszywie musiały zabrzmieć w jego uszach jej słowa.

Zaczęła się zastanawiać, czy kiedykolwiek odzyska Joego.

ROZDZIAŁ PIĘĆDZIESIĄTY SZÓSTY

Wtorek, 21. marca 2006
godz. 8.10

Następnego ranka obudził ją zapach smażonego bekonu. Odetchnęła głęboko z zamkniętymi oczami. Słynna jajecznica Joego. Tego też bardzo jej brakowało.

Otworzyła oczy. Przez zasłony do sypialni wdzierało się słońce. Jak zwykle po burzy wstawał ładny dzień. Pomyślała, że chętnie zostałaby w łóżku. Często im się to zdarzało, kiedy jeszcze byli małżeństwem. Mogli odpoczywać, kochać się... Czasami wstawali dopiero koło pierwszej.

Uśmiechnęła się na to wspomnienie i usiadła na łóżku. Włożyła majteczki, a następnie podeszła do komody. Joe zawsze trzymał T-shirty w drugiej szufladzie od dołu.

Okazało się, że nie zmienił przyzwyczajeń. Wyjęła niebieski i zanurzyła w nim twarz. Był miękki i pachniał Joem.

Włożyła go, a potem przeszła boso do kuchni.

Joe delikatnie mieszał jajecznicę. Wszędzie stały brudne naczynia, a na blacie leżały skorupki od jajek. Zawsze robił duży bałagan przy gotowaniu.

– Dzień dobry – powiedziała.

Spojrzał na nią przez ramię i uśmiechnął się.

– Już wstałaś? Myślałem, że podam ci śniadanie do łóżka.

– Dziękuję, Joe. – Przeciągnęła dłonią po twarzy. – I tak zaspałam. Powinnam już być w pracy.

Nalał jej kawy, a potem wrócił do mieszania. Jajecznica smażyła się na wolnym ogniu. Właśnie wtedy była najlepsza.

– Spałaś tak głęboko, że nie miałem serca cię budzić.

Dawno nie czuła się tak wypoczęta. Teraz z przyjemnością napiła się kawy.

– Wciąż uważasz, że śniadanie jest najważniejszym posiłkiem?

– Jasne. – Wskazał jej dłonią miejsce przy stole. – Siadaj.

Posłuchała go i spojrzała na fajansowe talerze z geometrycznym wzorkiem w żółte i czarne pasy. Kupiła je razem z Sadie. „Są jak pszczoły!" – powiedziała wtedy córka.

Kiedy się rozwiedli, Kitt po prostu się wyprowadziła. Nie chciała niczego, co przypominałoby jej dawne życie.

Ze ściśniętym sercem zaczęła wodzić palcem wzdłuż wzorów. Teraz poczuła, że potrzebuje tego wszystkiego, co ją kiedyś otaczało. Tych wspomnień.

Zauważyła, że Joe patrzy w jej stronę.

– To Sadie je wybrała – stwierdziła.

– Pamiętam.

– To też kupiła. – Wskazała solniczkę i pieprzniczkę w kształcie Myszki Miki i Psa Pluto. – W Disneylandzie...

– Wszystko pamiętam, Kitt.

Powiedział to takim tonem, że nagle zabrakło jej powietrza. Nie mogła na niego spojrzeć. Sama nie wiedziała, czego się boi, ale łajała się w duchu za swoje tchórzostwo.

Joe nałożył jej jajecznicy. Były w niej grzyby, cebula i ser, a chrupiący bekon leżał na oddzielnym talerzyku.

– Chcesz bekonu? – spytał.

– No jasne!

Nałożył dwa duże plastry i podsunął pieczywo. W czasie śniadania nie rozmawiali o niczym ważnym: o jedzeniu, pogodzie, wspólnych znajomych. Dopiero kiedy skończyli, Joe spojrzał na nią łagodnie i spytał:

– Powiesz mi teraz, dlaczego przyjechałaś?

Nagle powróciły do niej wydarzenia poprzedniego dnia. Przypomniała sobie zabójstwo Briana i telefon od Orzeszka. Jego pytania dotyczące ich związku.

– A śniadanie i seks nie wystarczą?

Joe pokręcił głową.

– Nie żartuj. Przecież... – Urwał i wstał od stołu. Postawił brudny talerz w zlewie i spojrzał na nią z góry.

– Wiesz, co się stało, Kitt. Ile przez ciebie wycierpiałem. Najpierw straciliśmy Sadie, a potem zupełnie się ode mnie odsunęłaś...

– Rozumiem.

Joe potrząsnął głową.

– Nic nie rozumiesz! Nie wiesz, jak strasznie się czułem, obserwując twój upadek. Tak bardzo cię potrzebowałem, a ty mnie odpychałaś...

Przytłoczyło ją poczucie winy. Chciała się bronić, ale sama nie wiedziała, jakich argumentów użyć.

– Bardzo długo żałowałem tego, co się stało – ciągnął. – A potem poczułem złość. Tak wielką, że zaczęła mnie przerażać...

Nigdy wcześniej o tym nie mówił. Nigdy tego nie zauważyła. A może była tak zajęta sobą, że nie chciała zauważyć.

Jej wczorajsze marzenia związane z Joem wydały jej się śmieszne.

W nocy wszystko było jasne i proste – kochała go, a on ją. Teraz jednak zrozumiała, jak bardzo skomplikowane i trudne były ich relacje.

– Musiałeś mnie znienawidzić – rzekła z westchnieniem.

Milczał chwilę.

– Odkryłem, że miłość od nienawiści dzieli naprawdę cienka linia...

Kitt pokiwała głową.

– Nie mogę powiedzieć nic więcej poza tym, że jest mi przykro.

– Mnie też jest przykro.

Pochyliła się jeszcze bardziej nad stołem i swoim pustym talerzem, który przypominał jej o Sadie. Nawet gdyby nie było im dane szczęśliwe zakończenie, cieszyła się, że jednak odbyli tę rozmowę.

Teraz przynajmniej wiedziała, co czuje. I mogła znowu kochać.

– Brian nie żyje – odezwała się po chwili. – Zamordowano go wczoraj wieczorem.

– O Boże, Brian?

– Nie wiem dlaczego, ale uważam, że to ma związek z morderstwami dziewczynek.

Joe podszedł do stołu i usiadł ciężko na swoim miejscu. Wyglądał na zupełnie zdezorientowanego.

– Poza tym dzwonił do mnie człowiek, który podaje się za pierwszego mordercę – ciągnęła. – Wiesz, tego sprzed lat. Ten ostatni ma być tylko jego naśladowcą – dodała wyjaśniająco. – Kazał mi o tobie opowiedzieć. O tym, jak się poznaliśmy. O naszym małżeństwie... W zamian obiecał, że poda mi nazwisko naśladowcy.

– I podał?

– Nie, ale podsunął kolejny trop.

– A ty przyjechałaś tutaj?

– Tak. W czasie tej rozmowy zrozumiałam, jak bardzo mi na tobie zależy. I jak bardzo cię skrzywdziłam – dodała z wyraźnym trudem.

Teraz to ona musiała wstać. Wyjrzała przez okno do ogrodu, z którego zniknęła huśtawka, a potem zaczęła się przechadzać po kuchni.

– Zawsze wiedziałam, że cię kocham. – Obróciła się w jego stronę. – Ale za bardzo cierpiałam, żeby dać ci to odczuć. I wydawało mi się, że tak już będzie zawsze.

– A teraz?

– Pamiętasz, jak na targach powiedziałeś mi, że chcesz zacząć nowe życie? Ja też muszę spróbować. Zapomnieć o bólu...

Chwycił ją za rękę, mocno ścisnął. Przypomniało jej się, jak rozmawiali z lekarzem Sadie. Joe też brał ją wtedy za rękę, żeby dodać otuchy.

367

– Wiesz, że nie chodzi tylko o nas dwoje – powiedział.

Pomyślała o Valerie i jej dziecku.

Minęło zbyt wiele czasu, by mogli wrócić do tego, co było kiedyś.

Kitt ścisnęła jego dłoń.

– Czy zdołasz mi wybaczyć?

– Już to zrobiłem – odparł.

ROZDZIAŁ PIĘĆDZIESIĄTY SIÓDMY

Wtorek, 21. marca 2006
godz. 9.20

Gdzie jest Kitt? – pomyślała po raz kolejny M.C. i znowu spojrzała na zegarek. Koleżanka się spóźniała. Spodziewała się, że partnerka przyjedzie wcześniej, zważywszy, co się stało wczoraj.

W wydziale panowała przygnębiająca atmosfera. Zamordowano policjanta.

M.C. mało dzisiaj spała i to z kilku powodów. Gdy tylko zamykała oczy, stawał jej przed oczami martwy Brian. A potem przypominała sobie, że miał nie tylko żonę, z którą był w separacji, ale również dzieci. Poza tym martwiła się z powodu ich ostatniej kłótni i nie wiedziała, czy informować o niej zwierzchników.

W dodatku zaczęła się bardziej bać. Jeśli morderca jest policjantem, to obie z Kitt narażają się na wielkie niebezpieczeństwo. A zwłaszcza Kitt...

Zadzwoniła do niej do domu i na komórkę, ale Kitt nie odebrała telefonu. To co najmniej dziwne...

M.C. zaczęła bębnić palcami w blat biurka. Czyżby wczoraj za dużo wypiła i teraz musiała to odespać?

W końcu parę dni temu sięgnęła po alkohol, kiedy okazało się, że Joe będzie miał pasierbicę. Czy zabicie kolegi nie wywołało jeszcze większej traumy? Zwłaszcza że Kitt z pewnością czuła się częściowo odpowiedzialna za śmierć Briana.

Wpadła w złość, kiedy pomyślała o zapijaczonej Kitt, leżącej gdzieś na kanapie czy łóżku.

– Cholera – mruknęła do siebie i zaczęła chodzić po pokoju.

W końcu postanowiła, że pojedzie do Kitt i osobiście sprawdzi, co się z nią dzieje. Kiedy była już przy drzwiach, zadzwoniła jej komórka. Sięgnęła po nią, nawet nie patrząc na wyświetlacz, przekonana, że to Kitt.

– Porucznik Riggio.

To nie była Kitt.

– Cześć – usłyszała głos Lance'a. – Bardzo za tobą tęsknię.

– Ja też tęsknię – odparła z uśmiechem.

– Myślałem, że jednak zadzwonisz. Czekałem prawie do rana.

– Niestety, miałam tu poważną sprawę.

– A dzisiaj jesteś wolna?

– Trudno mi powiedzieć, ale chyba będę bardzo zajęta. – W drzwiach pojawił się sierżant Haas. – Muszę już kończyć.

Pożegnała się z Lance'em i spojrzała na Haasa.

– Co się stało? – spytała.

– Sal chce z tobą porozmawiać. I to zaraz.

M.C. nie spodobał się jego ton. Był zbyt oficjalny.

– Kitt jeszcze nie ma w pracy...

– Na razie nie jest nam potrzebna.

Kiedy dotarła do gabinetu szefa, zrozumiała, że sprawa jest poważna. W środku był też oficer z wydziału wewnętrznego. Nie musiała już rozstrzygać dylematu, czy opowiedzieć Salowi o kłótni z Brianem. Już o niej wiedzieli.

To Kitt im powiedziała! – przyszło jej nagle do głowy.

Dlatego nie pojawiła się rano w pracy. Dlatego nie odbierała telefonów.

M.C. poczuła się zdradzona. Być może zasługiwała na to po tym, jak potraktowała Joego, ale mimo wszystko miała żal do partnerki.

Zapukała we framugę.

– Wejdź – polecił Sal. – To jest porucznik Peters z wydziału wewnętrznego.

M.C. skinęła głową.

– Poznałam pana porucznika podczas śledztwa w sprawie Caldwella.

– Ma pani świetną pamięć – pochwalił Peters i uśmiechnął się lekko. – Proszę usiąść.

Posłuchała go i położyła dłonie na podołku.

– Czy wie pani, dlaczego chciałem z panią rozmawiać?

Czy powiedzieć prawdę i wyjść na paranoiczkę, czy może zacząć się zgrywać? M.C. wybrała pośrednie rozwiązanie.

– Zapewne z powodu któregoś z prowadzonych przeze mnie śledztw.

– To znaczy?

– Morderstwa małych dziewczynek i śmierć porucznika Spillarego.

– No, niezupełnie – rzucił.

– Obawiam się, że obie sprawy są bardzo trudne – zauważyła. – A z całą pewnością ta pierwsza.

Peters skinął głową.

– Rozumiem. Jak określiłaby pani swoje stosunki z porucznikiem Spillarem?

– Do niedawna uznałabym je za zupełnie dobre.

– Do niedawna? – powtórzył mężczyzna. – Co się zmieniło?

– Porucznik zaczął się do mnie zalecać. A kiedy zdecydowanie odrzuciłam jego zaloty, zauważyłam, że mnie śledzi.

– To jest molestowanie seksualne – zauważył.

– Owszem.

– Dlaczego nie poinformowała pani przełożonych albo wydziału wewnętrznego?

– Wydawało mi się, że sama sobie z tym poradzę.

Spojrzał na nią ostrzej.

– I poradziła sobie pani?

– Jeśli pyta pan, czy zabiłam Briana, to nie, oczywiście, że nie – odparła, próbując zachować spokój. – Ale wczoraj się z nim pokłóciłam.

Sal postanowił włączyć się do rozmowy.

– Dlaczego nie powiedziałaś mi o tym wczoraj wieczorem, M.C.? Przecież było jasne, że ktoś musiał was usłyszeć! I jak to teraz wygląda? Zachowałaś się wyjątkowo głupio...

Miał rację.

A zrobiła jeszcze głupiej, ufając Kitt.

Peters wstał i podszedł do niej. M.C. też wstała. Byli niemal tego samego wzrostu.

– Wydaje mi się, że pani porucznik miała swoje powody, prawda? – spytał.

Spojrzała mu prosto w oczy.

– Jak widzę, jest pan dobrze poinformowany.

– Jeśli nawet usłyszeli ironię w jej głosie, to nie dali tego po sobie poznać. M.C. spojrzała gdzieś w bok.

– Miałam kiedyś romans z Brianem, na początku pracy w policji. To nie trwało długo. Szybko zrozumiałam, że popełniłam błąd. Nie chciałam o tym mówić, właśnie dlatego nie wspomniałam wczoraj o naszej kłótni.

Mężczyźni milczeli przez chwilę.

– Wiesz, że nie byłaś pierwsza – odezwał się Sal.

– I z pewnością nie ostatnia.

Skinęła głową.

– Ale to nie zmienia mojej sytuacji – zauważyła.

– Wykazałam się bezbrzeżną głupotą i wcale nie jestem z tego dumna.

– Czy to prawda, że groziła pani porucznikowi Spillaremu? – odezwał się Peters.

– To raczej on mi groził. Kiedy powiedziałam, że zamelduję o jego zachowaniu zwierzchnikom, zagroził, że opowie kolegom o naszym romansie.

– A co pani na to?

– Żeby uważał.

– To wszystko?

– Tak.

– Nie groziła pani, że go zastrzeli?

– Z całą pewnością niczego takiego nie powiedziałam.

– Czy mogę prosić pani pistolet? Do analizy balistycznej.

Wyjęła glocka z kabury i podała Petersowi. Wiedziała, że każdy pistolet przy strzale pozostawia niepowtarzalne ślady. To samo dotyczyło naboju. Dlatego, żeby dokładnie wszystko sprawdzić, będą musieli wystrzelić z jej pistoletu do napełnionego żelem worka, a następnie porównać kulę z tymi, które utkwiły w ciele Briana.

– Dostaniesz go z powrotem jutro rano – poinformował Sal.

– Jasne. – Spojrzała na obu mężczyzn. – Czy coś jeszcze?

Powiedzieli, że jest wolna, i wyszła z gabinetu Sala. Koledzy już na pewno dowiedzieli się, że wydział wewnętrzny wziął ją pod lupę. Niektórzy patrzyli na nią ciekawie, jakby chcieli sprawdzić, jak się z tym czuje.

M.C. uniosła dumnie głowę i minęła ich bez słowa. Kiedy weszła do swojego pokoju, okazało się, że Kitt dotarła już na miejsce.

– Wróciłaś na miejsce zbrodni? – spytała z sarkazmem.

– Słucham?

– No, w końcu to ja mam kłopoty, co?

– A tak, słyszałam o wydziale wewnętrznym. Jak ci poszło?

M.C. podeszła do jej biurka i spojrzała z góry na koleżankę.

– Gdzie byłaś dziś rano?

Kitt spłoszyła się lekko i spojrzała gdzieś w bok.

– Tak właśnie myślałam. Bardzo ci dziękuję – dodała szyderczo.

Kitt potrząsnęła głową.

– Nie, nic z tego nie rozumiem. Możesz mi wyjaśnić, o co ci chodzi?

– Chciałaś się na mnie odegrać za Joego, prawda? – wściekała się M.C. – Mam nadzieję, że to koniec, bo więcej nie zniosę.

Kitt wstała i spojrzała na nią ze wzgardą. Kiedy się odezwała, w jej głosie zabrzmiał gniew.

– Więc myślisz, że powiedziałam Salowi o twojej kłótni z Brianem?!

– A nie?

– Nie, M.C. Przecież obiecałam ci wczoraj, że tego nie zrobię. Gdybym musiała, najpierw przyszłabym z tym do ciebie.

Była tak oburzona, że M.C. od razu jej uwierzyła.

– Więc kto?

– Ktoś jeszcze musiał was słyszeć. Albo Brian powtórzył komuś tę rozmowę, co jest mało prawdopodobne. – Urwała na chwilę i zmarszczyła brwi.

– Na ile to poważne?

M.C. wzruszyła ramionami.

– Tak średnio. Mają sprawdzić mój pistolet, ale to przecież normalna procedura...

Kitt skinęła głową.

– Wszyscy popełniamy błędy. Ja robiłam jeszcze większe.

– Na pewno bardzo mi to pomoże – powiedziała M.C. tak poważnym tonem, że Kitt musiała się uśmiechnąć.

– Jasne, każdemu się wydaje, że jego problemy są największe. Wiesz, Orzeszek dzwonił do mnie wczoraj i...

– M.C.?

Spojrzały zdziwione na Sala, który rzadko zaglądał do ich pokoju.

– Tak, słucham.

– Twoja broń. – Podał jej glocka.

– Tak szybko?

– Dostaliśmy wyniki analizy kul z ciała Briana. Wystrzelono je z rewolweru firmy Smith & Wesson kaliber 45.

Większość policjantów zrezygnowała z rewolwerów na rzecz pistoletów półautomatycznych jeszcze w latach siedemdziesiątych ubiegłego stulecia. Policjanci korzystali zwykle z broni kaliber 45 firm Glock albo Smith & Wesson.

M.C. schowała broń.

– Stara broń policyjna – zauważyła. – Bardzo ciekawe.

Sal skinął głową.

– Żaden szanujący się przestępca na pewno by z niej nie skorzystał.

– Możemy chwilę pogadać? – spytała Kitt.

Sal spojrzał na zegarek.

– Może później. Mam za moment spotkanie...

– Orzeszek wczoraj do mnie dzwonił. Przy okazji zostawił trofeum. Kosmyk jasnych włosów przewiązany różową wstążką.

Spojrzał ciekawie na Kitt i wskazał dłonią w stronę swego gabinetu.

– Chodźmy – powiedział. – Najwyżej trochę się spóźnię.

ROZDZIAŁ PIĘĆDZIESIĄTY ÓSMY

Wtorek, 21. marca 2006
godz. 10.40

Kiedy znaleźli się w gabinecie Sala, Kitt zdała mu relację z wczorajszej rozmowy, opowiedziała dokładnie o znalezionym telefonie i kosmyku włosów.

– Orzeszek twierdzi, że należały do jednej z pierwszych ofiar. Badania DNA powinny wykazać, o którą dziewczynkę chodzi. Przekazałam włosy do laboratorium, razem z telefonem. Mają je skatalogować i zrobić dokumentację fotograficzną, a potem dokładnie zbadać. Zadałam mu też kilka pytań – ciągnęła Kitt. – Czy jest naśladowcą. Czy go zna. Powiedział, że to nie on, ale wie, kto go naśladuje. Poza tym wydawał się wstrząśnięty informacją o śmierci Briana.

– Myślisz, że mówił szczerze? – spytał Sal.

– Raczej tak. Przecież on uwielbia chełpić się swoimi dokonaniami.

– Jednak Brian był policjantem...

– Wcześniej zabijał dzieci. Nie sądzę, żeby bał się konsekwencji – zauważyła Kitt. – Spytałam też, czy jest policjantem, co chyba wytrąciło go trochę z równowagi, chociaż starał się to ukryć.

Przez moment w gabinecie Sala panowała cisza. W końcu odezwał się sierżant Haas.

– Ale jeśli nie zabił Briana...

– Może zrobił to naśladowca i to on jest policjantem. A może obaj u nas pracują...

Po raz pierwszy przyszło jej to do głowy. Kitt przypomniała sobie też swoją hipotezę, że naśladowca może być kobietą. Ponieważ w wydziale poza nią i M.C. nie pracowały inne kobiety, wcale jej się to nie spodobało.

Sal nie wyglądał na przekonanego.

– A może żaden z nich nie zabił Briana – zasugerował. – Może nie ma to nic wspólnego z tą sprawą.

Spojrzał na Kitt.

– Posłuchaj, chcę, żebyś sprawdziła dokładnie, co robił wczoraj Brian. Od rozmowy z tobą aż do wieczora. Zajrzyj do jego komputera i zobacz, nad czym wczoraj pracował. Chcę też mieć numery, pod które wczoraj dzwonił, i to zarówno z pracy, jak i z komórki. Allen ci pomoże.

– Ja też mam się tym zająć? – spytała M.C.

– Nie, ty pracuj nad sprawą naśladowcy. Zajrzyj do techników, niech przekażą ci informacje na temat komórki, którą Kitt dostała od Orzeszka.

W tym momencie odezwał się służbowy telefon Kitt. Dzwonił Sorenstein. Kitt słuchała przez chwilę, kiwając głową, a potem się rozłączyła.

– Telefon należał do faceta, który podczas weekendu zginął w wypadku. Rodzina nie zauważyła braku komórki. Trudno się dziwić – dodała.

– Wygląda na to, że nie ma problemów ze zdobywaniem cudzych rzeczy. To naprawdę spryciarz – powiedziała M.C.

Sal spojrzał na nią poirytowany.

– Ale jak ten telefon wpadł w jego ręce?

– Może pracuje w drogówce, a może w szpitalu. Mógł go też ukraść nieco wcześniej – wyliczała M.C.

Sal uderzył otwartą ręką w biurko.

– Nie życzę sobie żadnych zgadywanek! Musisz się tego dowiedzieć! I to zaraz!

Sal rzadko wpadał w gniew i podnosił głos. Kiedy to się jednak zdarzało, lepiej było unikać go jak ognia. We troje, łącznie z sierżantem Haasem, zerwali się na równie nogi.

– Tak jest – powiedziała M.C.

Po chwili znaleźli się na korytarzu. M.C. i Kitt przeszły do swojego pokoju.

– Dlaczego dał ci swoje trofeum? – zaczęła się zastanawiać M.C., kiedy emocje trochę już opadły. – Zachowuje się, jakby chciał ci coś udowodnić.

– Bo chyba tak jest – odparła Kitt. – Cały czas mówił o grze. O tym, że jest lepszy, dlatego nas przechytrzył i wygrał.

– A wygrał?

– Na razie rzeczywiście wygrywa – przyznała Kitt, a w jej głosie pojawił się ton bezradności. Przypomniała sobie, co mówił na temat przewagi, którą nad nią uzyskał.

Powiedziała o tym M.C., a ta skinęła głową.

– Więc o to chodzi. Chciał cię zdenerwować. Liczy na to, że przestaniesz jasno myśleć.

Kitt spojrzała w stronę okna.

– Nie wiem, czy tym razem nie przedobrzył...

M.C. przysiadła na swoim biurku, a Kitt zaczęła chodzić po pokoju.

– No dobrze, zastanówmy się, co tu mamy...

– Dwóch morderców – zaczęła wyliczać Kitt – dziewięć morderstw, z czego sześć ofiar to dzieci, a trzy to staruszki.

– Dziękuję za informację – mruknęła M.C.

– A co jeszcze chciałabyś wiedzieć?

– Więcej szczegółów, może jakieś motywy...

– Jesteś zbyt wymagająca.

– Jak każda włoska księżniczka. Pogadaj z moją matką.

Kitt podeszła do swego biurka i usiadła na krześle. M.C. wzięła dużą kartkę papieru i długopis.

– Dobra, co na pewno wiemy o Mordercy Śpiących Aniołków?

– Zabił troje dzieci i przyznał się do zabicia trzech staruszek. Przy czym te morderstwa były zupełnie inne.

– Stanowiły przeciwieństwa? Tak jak yin i yang?

– Właśnie – zgodziła się Kitt, której spodobała się ta metafora. – Poza tym twierdzi, że wybór ofiar traktował jak rozrywkę intelektualną, czyli nie były mu bliskie.

– Jest też dumny ze swoich morderstw. Uważa je za zbrodnie doskonałe.

– Wychodzi więc na to, że mamy do czynienia z facetem, który chce coś udowodnić światu. Że jest lepszy? Bardziej inteligentny niż reszta ludzkości?

M.C. zastanowiła się.

– Zaczekaj, a może chodzi mu raczej o jakąś konkretną osobę?

Kitt poczuła nagłe podniecenie. Dlaczego jej samej nie przyszło to do głowy?

– Może matkę lub ojca? Kogoś, kto go poniżał. – Przypomniała sobie taśmę klejącą na ustach staruszek i szminkę. – Usta! Usta są dla niego szczególnie ważne... Kiedyś, może kiedy był dzieckiem, musiał milczeć i wysłuchiwać obelg. To dlatego reaguje tak nerwowo, kiedy go obrażam...

– A jednak morduje bezbronne osoby – zauważyła M.C.

– Klasyczny przykład wyładowania frustracji.

– A co z naśladowcą?

– Wszystko zepsuł. I właśnie dlatego Orzeszek chce, żebym go złapała. Ale wcale nie ułatwia mi sprawy...

– Bo znowu pragnie udowodnić ci swoją wyższość – podjęła M.C.

Kitt pokręciła bezradnie głową.

– To niezbyt trudne zadanie. – Zamyśliła się. – Wybrał mnie, czyli potencjalnie najsłabszą ofiarę, zauważyłaś?

M.C. nie chciała mówić tego głośno.

– Koniecznie chce wygrać. – Wstała energicznie z biurka.

– A naśladowca?

– Nie ma naśladowcy, Kitt. – Spojrzała jej prosto w oczy. – Wcale nie chodzi mu o te dziewczynki, ale o ciebie.

Kitt nie chciała w to wierzyć, ale nagle wszystkie fragmenty zagadki zaczęły układać się w logiczną całość.

– A ręce... – usiłowała protestować.

M.C. wzruszyła ramionami.

– Nie mają żadnego znaczenia. Chodziło o to, żeby wciągnąć cię do rozgrywki...

Kitt musiała rozważyć ten argument, zwłaszcza że potwierdzały go wszystkie rozmowy, które odbyła z Orzeszkiem.

– Nie zapominaj też o kombinezonach.

– Dowodzą tylko, że jest bardzo sprytny. I wie, jak przebiega policyjne śledztwo.

– Tak, umie nas zwodzić. Wykorzystał Buddy'ego Browna, bo wiedział, że prędżej czy później znajdziemy jego ciało.

Zamilkły na chwilę. M.C. odezwała się pierwsza:

– A co z Brianem? Czy jego też zamordował?

Kitt pokręciła głową.

– Zobaczymy. Pogadam zaraz z Allanem, a potem sprawdzę dokładnie wyniki danych balistycznych. Ustalę, co wczoraj robił Brian. – Spojrzała na zegarek. – Wydaje mi się też, że powinnyśmy sprawdzić raz jeszcze te rzeczy znalezione w boksie.

– Dobrze – zgodziła się bez protestów M.C. i spojrzała na swoje notatki. – Wiemy wszystko na temat dziewczynek, a co ze staruszkami?

– Przejrzałam papiery tych spraw. Brian zajmował się tym z Haasem. Rozmawiałam o tym wczoraj z Brianem.

– Nie chciałabyś pogadać z ich rodzinami i sąsiadami?

– Miałam taki zamiar – przyznała Kitt.

– Właśnie. Skoro wiemy, że zrobił to ten sam facet, może dowiemy się czegoś nowego.

– Zajmiesz się tym?

– Jasne. Możesz mi dać te papiery?

Kitt wyjęła je z szuflady biurka.

– Chyba oszalałam, ale czuję, że zaczynamy mu deptać po piętach.

– Kobieca intuicja?

– Raczej policyjny instynkt.

ROZDZIAŁ PIĘĆDZIESIĄTY DZIEWIĄTY

Wtorek, 21. marca 2006
godz. 11.55

Dawniej stwierdzenie, że zbrodnie odległe w czasie zostały popełnione z użyciem tej samej broni, graniczyło z cudem. Trzeba było porównać dane z miejsca zbrodni, co przypominało szukanie igły w stogu siana.

Zmieniło się to jednak wraz z wprowadzeniem ogólnokrajowego rejestru danych balistycznych. Jak wskazywała nazwa, obejmował on wszystkie morderstwa dokonane w kraju za pomocą broni palnej. System ułatwiał śledztwo, chociaż nadal trzeba było dużo czasu i zaangażowania wielu policjantów, by porównać dane.

Sorenstein siedział właśnie przy komputerze i przeglądał informacje zawarte w rejestrze. Najpierw za pomocą programu określił typ pocisku i broni. Mimo to zostało mu mnóstwo przypadków do sprawdzenia.

– Jak ci idzie? – spytała Kitt.

– Tak, jak można się było spodziewać. Wolno. Na razie sprawdzam morderstwa z naszego stanu, a potem zajmę się innymi, o ile zajdzie taka potrzeba.

Skinęła głową.

– Zadzwoń natychmiast, jeśli coś znajdziesz.

– Jasna sprawa.

– Sal chce, żebym prześledziła wczorajsze ruchy Briana. Masz może wykaz jego rozmów?

– Tak, z telefonu z jego pokoju i z komórki – odparł. – Są na biurku Snowe'a.

– Dzięki. – Kitt wzięła wykazy z biurka kolegi. – To na razie.

Sorenstein nie odpowiedział, pochłonięty sprawdzaniem danych. Wyszła i skierowała się do swego pokoju. Na korytarzu odebrała telefon od dyżurnego. Miała gościa, panią Valerie Martin.

Narzeczona Joego, pomyślała.

Nagle poczuła się winna. Przecież przespała się z Joem. Ciekawe, czy jej o tym powiedział? Może nawet zerwał zaręczyny... A może dowiedziała się tego w jakiś inny sposób?

Nieważne, Valerie na pewno przyszła do niej z pretensjami.

Kitt poczuła, że robi jej się słabo. Mogła walczyć z przestępcami, ale wolała nie rozmawiać z osobą, którą skrzywdziła... Powiedziała jednak dyżurnemu, żeby skierował Valerie na drugie piętro, i przeszła do windy.

Kiedy drzwi się otworzyły, zobaczyła, że Valerie ma na sobie pielęgniarski fartuch. Wyglądała na wstrząśniętą.

– Cześć. Czym mogę służyć? – spytała Kitt.

– Muszę z tobą porozmawiać. To bardzo ważne. A... ale powinnam zaraz wrócić do pracy. Mam mało czasu.

Kitt wskazała jej drogę.

– Chodźmy.

Wpuściła ją do pustego pokoju przesłuchań. Valerie najwyraźniej chciała pogadać z nią w cztery oczy, a w pokoju Kitt nie byłoby to możliwe.

Usiadły. Kitt zastanawiała się, czy nie wyznać jej wszystkiego. Nie powiedzieć, że wciąż kocha Joego i błagać o wybaczenie.

Jednak wstyd dławił jej gardło. Zobaczyła, że Valerie ma na palcu pierścionek zaręczynowy. Zapewne od Joego.

– Sama nie wiem, jak to powiedzieć. – Valerie zacisnęła dłonie.

– Najlepiej po prostu.

Skinęła głową i wzięła głęboki oddech.

– Chodzi o tę noc, kiedy zginęła dziewczynka. Ja... skłamałam.

Kitt nagle stała się czujna.

– Jak to, skłamałaś?

– J... Joe nie był ze mną cały czas – wyznała i spuściła głowę.

Chodziło o tę noc, kiedy zginęła Julie Entzel. Czyżby znaczyło to, że Joe nie ma jednak alibi?

A jeśli Valerie celowo wprowadza ją w błąd?

Kitt starała się nie okazywać żadnych emocji. Prawdę mówiąc, powinna przekazać tę sprawę innemu śledczemu. Nie, to byłoby ponad jej siły.

Chciała się jednak zabezpieczyć, no i musiała dbać o dobro śledztwa.

– Posłuchaj, Valerie, ze względu na to, co masz do powiedzenia, muszę to nagrać i zrobić notatki, dobrze?

Kobieta wahała się przez chwilę, a potem skinęła głową.

– Żebym tylko zdążyła do pracy.

– To nie potrwa długo – zapewniła ją Kitt.

Włączyła wideo i już po chwili siedziała przy stoliku.

– Możesz powtórzyć to, co już zeznałaś?

Valerie spełniła jej prośbę i dodała jeszcze:

– Wciąż myślałam o tym, co mi powiedziałaś, że Tami jest w niebezpieczeństwie. I ciągle miałam przed oczami te dziewczynki z gazet...

– Dobrze, zacznijmy od początku. W szpitalu rozmawiałaś z porucznik Riggio, prawda?

– Tak, w Highcrest Hospital, tam pracuję. Pytała, czy Joe był u mnie dziewiątego marca. Powiedziałam, że tak.

Kitt pochyliła się w jej stronę.

– A teraz chcesz to odwołać?

– Tak. – Spojrzała na swoje ręce, a potem znowu na Kitt. W jej oczach pojawiły się łzy. – Nie powinnam była kłamać. Chciałam chronić Joego...

– Uważasz, że tego potrzebował?

Pamiętała doskonale, że M.C. przesłuchała ją, zanim jeszcze cała sprawa nabrała rozpędu.

– Joe opowiadał mi o jakimś przestępcy, którego zatrudnił. Byłyście u niego i zadawałyście pytania. Był bardzo zdenerwowany...

Valerie zamilkła i pokręciła głową.

– U... uważałam, że Joe nie może mieć nic wspólnego z... z... – Zwiesiła głowę. – Więc skłamałam.

– A dlaczego teraz do mnie przyszłaś?

– Ciągle myślałam o Tami i... innych dziewczynkach... – głos jej się załamał. – Nie mogę tak dłużej.

Uniosła ręce do twarzy, a wówczas zalśnił brylant w jej pierścionku. Był ładny i zdecydowanie większy od tego, który dostała od Joego Kitt. Kiedy się pobierali, byli prawie dziećmi. I tak cieszyli się z tego, że mają własny dom.

Valerie spojrzała na zegarek.

– Jestem pewna, że Joe nie ma nic wspólnego z tą sprawą – powiedziała. – Nie chciałam jednak kłamać. To wszystko.

Kitt skinęła głową i podziękowała Valerie. A potem siedziała jeszcze długo w pokoju przesłuchań, zastanawiając się nad tym, co usłyszała. Coś jej w tym wszystkim nie pasowało...

Spojrzała na wydruki z telefonami Briana. Natychmiast wpadł jej w oko jeden, który znała na pamięć.

Choćby dlatego, że kiedyś był to jej numer.

ROZDZIAŁ SZEŚĆDZIESIĄTY

Wtorek, 21. marca 2006
godz. 12.30

M.C. zaczęła od drugiej ofiary, Rose McGuire, ponieważ starsza pani mieszkała w domu opieki i zapewne wciąż ktoś ją tam pamiętał. Minęło siedem lat. Nie mogła liczyć na zbyt wiele, ale warto było spróbować. Starzy ludzie pamiętają różne dziwne rzeczy. Choćby jakiś drobiazg, który wydawał się wówczas bez znaczenia. Liczyła też na współpracę obsługi. Zapewne zmieniono wówczas system zabezpieczeń w domu, więc dla pracowników był to szczególny okres.

Dom opieki nosił imię Waltona B. Johnsona, milionera z Rockford, który go ufundował. M.C. dowiedziała się o tym od jego dyrektorki. Dom zapewniał opiekę około dziesięciu procentom starszych mieszkańców miasta. Najnowszy pensjonariusz nazywał się Billy Hatfield i wprowadził się tego dnia rano.

Minęli kilka wózków ze starszymi paniami, które miały włosy w różnych kolorach, poczynając od siwych, a na lawendowych kończąc. Jedna przysnęła, dwie gawędziły i pomachały jej ręką, kilka chyba o czymś myślało.

– Na co czekają? – spytała.

Dyrektorka uśmiechnęła się lekko.

– Pan Kenneth, miejscowy fryzjer, pracuje u nas w poniedziałki, ale można się do niego zapisywać już od wtorku od pierwszej – wyjaśniła. – Jak pani widzi, cieszy się dużą popularnością wśród naszych pensjonariuszek.

Dotarły do jej biura. Na drzwiach wisiała tabliczka z napisem: Patsy Anderson, Dyrektor.

Kobieta zaprosiła M.C. gestem do środka. Kiedy obie usiadły, zapytała:

– Czym mogę służyć, pani porucznik?

– Pragnę dowiedzieć się czegoś na temat Rose McGuire.

Uśmiech natychmiast zniknął z jej twarzy.

– Nie chce pani powiedzieć...

– Tak, właśnie. Chodzi mi o tę starą sprawę. Zamierzamy wznowić śledztwo, ponieważ pojawiły się nowe poszlaki.

Kobieta nie wyglądała na zadowoloną, co wcale nie zdziwiło M.C. Jeśli dowiedzą się o tym media, dom opieki będzie miał złą reklamę.

– To było bardzo dawno temu...

– Minęło dokładnie siedem lat.

– Jeszcze tu nie pracowałam. Zatrudniono mnie dopiero w dwa tysiące drugim roku.

– A czy ktoś z obecnego personelu wtedy tu pracował? – zapytała M.C.

Kobieta zmarszczyła brwi.

– Nie mam pojęcia – rzekła z westchnieniem. – Musiałabym sprawdzić dane osobowe.

– Czy mogę o to prosić?

– To zajmie trochę czasu...

– Ile konkretnie?

Dyrektorka westchnęła raz jeszcze, a potem spojrzała na zegar.

– Przygotuję listę najpóźniej na koniec dzisiejszego dnia pracy.

– Będę bardzo zobowiązana.

Kobieta zamyśliła się na chwilę.

– Wie pani, poprzednia dyrektorka przeszła na emeryturę, ale mieszka niedaleko. Na pewno chętnie porozmawia z kimś z policji. Nigdy nie doszła do siebie po tym morderstwie i prawdę mówiąc, między innymi z tego powodu zrezygnowała z pracy... Może zadzwonię, żeby panią z nią umówić?

Dwadzieścia minut później M.C. przywitała się z Wandą Watkins, energiczną starszą panią. Była niska, siwe włosy miała upięte w śliczny kok, a oczy tak duże, że zajmowały znaczną część jej twarzy.

– Dziękuję, że zgodziła się pani ze mną spotkać.

– Cała przyjemność po mojej stronie, pani porucznik. – Zaprosiła ją gestem do środka i zaprowadziła do małego saloniku.

Na oparciu kanapy siedział jeden kot, a drugi rozpierał się na poduszce. Niestety, M.C. miała alergię na kocią sierść i od razu poczuła drapanie w nosie.

– To moje dzieci – wyjaśniła staruszka, ale zaraz przepędziła oba koty z kanapy. – Proszę usiąść.

M.C. usadowiła się jak najdalej od miejsca, na którym spoczywały zwierzęta. Zaraz też wyjęła notes i długopis.

– Jak już mówiłam pani Anderson, chcemy wznowić śledztwo w sprawie Rose McGuire, bo pojawiły się nowe poszlaki.

– Bogu dzięki! – Pogłaskała kota, który zaczął jej się łasić do nóg. – Trudno mi się pogodzić z tym, że morderca wciąż jest na wolności. Rose była taka miła. Wszyscy ją lubili...

Pani Watkins pochyliła się w stronę M.C.

– Nie o wszystkich pensjonariuszkach mogłabym powiedzieć to samo. Niektóre są złośliwe, inne zgorzkniałe. – Uśmiechnęła się lekko. – Doskonale je rozumiem i wciąż kocham.

– Lubiła pani tę pracę, prawda?

– Uwielbiałam.

– Więc dlaczego pani zrezygnowała?

Wahała się chwilę.

– Po tym, co stało się z Rose, nie mogłam dojść do siebie. Ciągle dręczyły mnie wyrzuty sumienia. A ponieważ miałam już prawo do emerytury... – Westchnęła ciężko.

– Oczywiście to nie była pani wina – powiedziała M.C. – Nic pani nie mogła zrobić.

– Tak też sobie powtarzałam, ale wie pani, jak to jest...

M.C. doskonale wiedziała. Pokiwała smutno głową, a potem kichnęła.

– Jak morderca dostał się do środka? Przeglądałam papiery tej sprawy. Drzwi były zawsze zamknięte, trzeba było korzystać z domofonu...

– Później dodaliśmy jeszcze nadzór wideo – wyjaśniła pani Watkins. – Ale widzi pani, niektórzy z naszych pensjonariuszy byli tak mili, że wpuszczali różne „sympatyczne" osoby, chociaż nie wolno im było tego robić. Zwykle dotyczyło to akwizytorów, jednak morderca właśnie tak musiał dostać się do środka.

– A jak jest teraz? – spytała M.C., a potem znowu kichnęła i wytarła nos.

– Przeziębiła się pani? – zafrasowała się pani Watkins. – Może herbatki?

M.C. pokręciła głową.

– Teraz? Nie wiem, ale bezpośrednio po tym morderstwie wszyscy zachowywali szczególną ostrożność. Podejrzewam jednak, że z czasem powrócili do starych przyzwyczajeń...

Miała świetną pamięć. M.C. była bardzo zadowolona, że może z nią porozmawiać, mimo tych piekielnych kotów, które ciągle kręciły się w pobliżu. Kichnęła po raz kolejny i wyjęła następną chusteczkę, w którą wytarła nos.

– A może nalewki? Doskonale robi na przeziębienie.

M.C. potrząsnęła głową.

– Nie, dziękuję. Mam alergię na koty.

– Ojej, jaka szkoda! Sama nie wiem, co bym zrobiła bez moich przyjaciół – powiedziała, ale po chwili wyprosiła koty do innego pomieszczenia.

– Kto znalazł panią McGuire? – M.C. zadała kolejne pytanie.

– Niestety, ja. – Aż się wzdrygnęła na to wspomnienie. – Rose nie zeszła rano na śniadanie, więc do niej zadzwoniłam. Kiedy nie odebrała, po prostu poszłam sprawdzić, co się dzieje. Wzięłam nawet klucz, ale zastałam drzwi otwarte... – Urwała i spojrzała na nią błagalnie. – Czy muszę o tym opowiadać?

M.C. widziała zdjęcia, więc nie musiała słuchać opisu miejsca zbrodni.

– Nie, oczywiście, że nie. A czy pamięta pani dni przed śmiercią Rose McGuire? Czy wydarzyło się wtedy coś niezwykłego?

Zastanawiała się przez chwilę.

– Parę dni wcześniej urządzaliśmy imprezę urodzinową. Pamiętam dokładnie, ponieważ Rose wtedy tańczyła. Nie przypuszczałam, że umie tak ładnie tańczyć.

Urodziny? – pomyślała M.C., czując mrowienie na karku. Julie Entzel i Marianne Vest także były na urodzinach na krótko przed swoją śmiercią.

– A jej walc... – dodała pani Watkins. – Nie to co teraz, na tych dyskotekach. Tylko proszę się nie obrażać.

– Nie, skądże – powiedziała odruchowo, myśląc o czymś innym. Następnie wydmuchała nos w chusteczkę. – Czy to przyjęcie odbyło się na miejscu?

– Tak. Pomijając Boże Narodzenie, było to główne wydarzenie roku.

– Proszę mi opowiedzieć o tym przyjęciu.

– No cóż, były tańce, występy, szampan. – Pochyliła się w stronę M.C. – Bezalkoholowy, ale i tak niektórzy z naszych pensjonariuszy zachowywali się jak podchmieleni.

– A kto występował? – spytała M.C.

– Ee... klaun. Był naprawdę śmieszny.

Klaun?

Cholera! Kitt miała rację.

M.C. pochyliła się w jej stronę.

– Czy mówiła pani o tym detektywowi, który prowadził śledztwo?

– Nie, z całą pewnością nie. Nikt mnie o to nie pytał.

– A jak się nazywał ten klaun?

– Och, nie pamiętam. To przecież tyle lat...

– Czy zatrudniła go pani poprzez jakąś firmę?

Pani Watkins pokręciła głową.

– Nie. Ktoś nam go polecił. Chyba krewny któregoś z pensjonariuszy.

– Czy korzystała pani później z jego usług?

– Nawet próbowałam, ale pewnie zmienił numer telefonu, bo nie mogłam się do niego dodzwonić.

– Czy jego nazwisko może być jeszcze w jakichś dokumentach?

Kobieta wolno pokręciła głową.

– Raczej nie. Sama wyrzuciłam kartkę z jego danymi po tym, jak nie mogłam się z nim skontaktować. Nie sądzi pani chyba, że ten miły klaun...? – pytanie zawisło w powietrzu.

– A rachunek? – M.C. przypomniała sobie, że wiele instytucji przechowuje bardzo długo dokumenty księgowe.

Pani Watkins skinęła głową.

– Ależ tak! Przecież musieliśmy mu zapłacić.

M.C. wstała, z trudem panując nad nerwami. Oczywiście mogła niczego nie znaleźć, ale czuła, że tym razem jest na dobrym tropie.

Podziękowała starszej pani i podała jej wizytówkę.

– Proszę do mnie zadzwonić, jeśli tylko przypomni sobie pani coś jeszcze, na przykład nazwisko tego człowieka... I to o każdej porze. – Podkreśliła jeszcze numer komórki.

Kobieta skinęła głową i odprowadziła M.C. do drzwi. M.C. zorientowała się, że starsza pani chętnie porozmawiałaby z nią dłużej.

Wyszła na dwór i postanowiła natychmiast zadzwonić do Kitt. Sprawdziły oczywiście wszystkich pracowników „Fun Zone", ale nie przyszło im do głowy, żeby zapytać o ludzi z zewnątrz. Musiały też zadzwonić do Olsenów i Lindzów i ustalić, czy ich krewne były na jakichś przyjęciach, na których występował klaun.

Jednak w komórce Kitt odezwała się poczta głosowa.

– Tu M.C. – powiedziała. – Chyba go mamy. Rose McGuire była na przyjęciu, na którym występował klaun. Skontaktuję się z innymi rodzinami, żeby sprawdzić, czy też go pamiętają. Na razie.

ROZDZIAŁ SZEŚĆDZIESIĄTY PIERWSZY

Wtorek, 21. marca 2006
godz. 13.00

Oniemiała Kitt patrzyła na spis telefonów. Brian dzwonił wczoraj wieczorem do Joego. Sprawdziła jeszcze godzinę: siedemnasta dwadzieścia. Zaraz przed tym, jak wysłał jej wiadomość.

Cyfry zaczęły jej się rozmazywać przed oczami. Co to wszystko może znaczyć?

Szukał jej. Chciał się z nią skontaktować, a potem wysłał do niej SMS-a.

Co takiego powiedział dziś Joe? Że linia między miłością a nienawiścią jest bardzo cienka?

Dobry Boże, jak cienka?!

Poczuła, że robi jej się niedobrze. M.C. podejrzewała Joego, a ona nie chciała jej słuchać. Wciąż nie potrafiła uwierzyć, że Joe mógłby kogoś skrzywdzić... Jej Joe?

Ale czy przyszłoby jej wcześniej do głowy, że potrafi kłamać?

Czego jeszcze jej nie powiedział?

Sięgnęła po kalendarze stojące na biurku. Pochodziły z magazynu, do którego skierował ich Orzeszek. Jeden był z osiemdziesiątego dziewiątego, a drugi z dziewięćdziesiątego roku. Oba wydane przez Związek Głuchoniemych.

Na jednym znajdowała się kartka od M.C.: „Zadzwoń. Chyba mam coś ciekawego".

– Cześć, Kitt. Wszystko w porządku?

Spojrzała na Allena, który stał przy jej biurku, patrząc na nią z niepokojem.

Potrzebowała chwili, żeby się pozbierać.

– Tak, tak. A co u ciebie?

– Przeglądałem zawartość komputera Briana. Spędził wczoraj sporo czasu nad starymi sprawami. – Podał jej wydruk. – Niektóre umorzono, inne zakończyły się sukcesem.

Kitt szybko przejrzała papiery. Natychmiast rozpoznała sprawy Marguerite Lindz, Rose McGuire i Janet Olsen. Innych nie znała.

Zwróciła wydruk koledze.

– Mógłbyś sprawdzić, kto zajmował się tymi sprawami, z wyjątkiem tych trzech? – Wskazała je Allenowi. – Zajmę się teraz ludźmi, z którymi Brian się wczoraj kontaktował. Jakbyś coś dla mnie miał, dzwoń na komórkę.

Nie powiedziała mu prawdy, bo chciała lepiej zbadać tę sprawę. Szybko zebrała się i wyszła. Musiała porozmawiać z Joem i zobaczyć, co z tego wyniknie.

Nagle usłyszała sygnał i zobaczyła, że ma wiadomość głosową od M.C. Wahała się przez chwilę, ale uznała, że na razie nie może jej powiedzieć o Valerie. Jeszcze nie teraz.

Przeszła w stronę parkingu, ale telefon zadzwonił ponownie. To był Danny. Nie rozmawiała z nim od czasu, kiedy odrzuciła jego zaloty.

– Cześć, Danny – powiedziała.

– Chciałem porozmawiać o tym, co się stało.

– Przepraszam, ale nie mam teraz czasu.

– A kiedy będziesz miała?

Zmarszczyła brwi.

– Sama nie wiem. Śledztwo nabrało tempa...

– Więc może po spotkaniu naszej grupy?

– Nie wiem, czy będę mogła przyjść. To zależy od...

– Śledztwa? – wpadł jej w słowo. Powiedział to z goryczą i sarkazmem.

– Przykro mi, Danny, ale to moja praca. A w tym przypadku również kwestia życia i śmierci...

– Przepraszam, zapomniałem.

– Ja też przepraszam. Zależy mi na twojej przyjaźni, ale nie ma mowy o romansie...

Myślała, że go udobruchała, ale kiedy się odezwał, w jego głosie zabrzmiał gniew.

– Znam cię, Kitt, i wiem, dlaczego wracasz do picia. Potrzebujesz mnie.

Nagle poczuła mrowienie na plecach i stała się bardziej czujna.

– Muszę już lecieć. Przyjdę na spotkanie, jeśli będę mogła.

Rozłączyła się i wsiadła do samochodu. Pojechała do biura Joego, ale tam go nie zastała. Dzięki informacjom Flo odnalazła go na jednej z budów.

Pojechała tam najszybciej, jak mogła.

– Cześć – powiedział, uśmiechając się na jej widok. Chciał ją pocałować, ale się cofnęła.

Uśmiech natychmiast zniknął z jego twarzy.

– Co się stało?

– Musimy pogadać.

– Tak, jasne.

Rozejrzał się dookoła. Na budowie było pełno robotników.

– Może w moim samochodzie? – zaproponował.

Kitt skinęła głową. Przeszli do pikapu, a kiedy się w nim usadowili, spojrzała na Joego z gniewem.

– Dziś rano była u mnie Valerie – powiedziała, wolno cedząc słowa. – Zeznała, że nie spędziłeś u niej nocy z ósmego na dziewiątego marca.

Joe zmarszczył brwi.

– Nic z tego nie rozumiem.

– Nie masz już alibi. Czy chciałbyś zmienić zeznania?

– Nie! Byłem u niej!

– Ona twierdzi, że nie.

– I ty jej wierzysz?

– Nie chcę, ale...

– Myślałem, że mnie znasz, Kitt.

– To nie ma nic do rzeczy. Prowadzę śledztwo w sprawie seryjnego mordercy – powiedziała drżącym głosem. Być może M.C. miała rację, że postarała się o jej odsunięcie.

Najważniejsze, to zachować obiektywizm.

– A nie przyszło ci do głowy, że zrobiła to, ponieważ jest na mnie zła? Bo dziś rano zerwałem zaręczyny!

– Wciąż miała pierścionek zaręczynowy. Uznałam zatem...

– Że wciąż jesteśmy zaręczeni? Po tym, co się wczoraj stało? Jak mógłbym być taki zakłamany? – Wziął ją za ręce. – Kocham cię, Kitt...

– Więc dlaczego...?

– Bo chciałem zacząć nowe życie. Mieć rodzinę. Myślałem, że Valerie będzie dobrą żoną. Potrzebowała mnie z powodu kalectwa Tami.

Spojrzał jej prosto w oczy.

– Nie sądziłem, że ty jeszcze mnie potrzebujesz – dodał.

– Zawsze cię potrzebowałam. Po prostu za dużo się na mnie zwaliło... – Urwała nagle. – Jakiego kalectwa?

Joe wyraźnie się zmieszał.

– Jakiego kalectwa? – powtórzyła.

– Tami jest głuchoniema. Myślałem, że wiesz.

ROZDZIAŁ SZEŚĆDZIESIĄTY DRUGI

Wtorek, 21. marca 2006
godz. 13.40

Kiedy M.C. po raz drugi tego dnia wychodziła z domu opieki, zadzwoniła jej komórka. W czasie rozmowy z dyrektorką dowiedziała się, że wszystkie dokumenty starsze niż rok przekazywane są do siedziby fundacji w Chicago. Pani Anderson zadzwoniła tam i poprosiła o nazwisko osoby, na którą wystawiono wówczas rachunek. Niestety, musiało to trochę potrwać.

– Porucznik Riggio – powiedziała, przekonana, że to Kitt.

Dzwonił Lance.

– Muszę z tobą porozmawiać – powiedział. – To bardzo ważne.

– Czy coś się stało?

– Tak. To znaczy, nie... Po prostu wciąż myślę o tym, ile dla mnie znaczysz.

– To chyba dobrze. Przynajmniej z mojego punktu widzenia. – Przeszła do swojej terenówki.

– Ale muszę powiedzieć ci coś o mojej przeszłości. Zrozumiem, jeśli potem zmienisz zdanie na mój temat...

Przystanęła i zmarszczyła brwi.

– Co konkretnie?

– Tu chodzi o moją rodzinę.

– Wątpię, czy to zmieni moje uczucia do ciebie.

– Wątpisz, bo nie znasz nikogo z mojej rodziny.

Powiedział to tak grobowym głosem, że aż się roześmiała.

– Cóż, ty też nie znasz mojej rodziny – zauważyła i wsiadła do wozu. – Przepraszam, Lance, ale nie mam czasu. To śledztwo...

– Tylko dziesięć minut – poprosił. – Góra piętnaście.

Spojrzała na zegarek. Jeszcze nic nie jadła i zaczynała ją boleć głowa.

– Muszę coś zjeść – rzuciła. – Może...

– Przyjedź do mnie – przerwał jej. – Zrobię kanapki z szynką.

– A masz majonez i sałatę?

– No jasne, chociaż moja opowieść może ci odebrać apetyt. Moja rodzina jest dosyć dziwna.

– Żadna nie jest chyba dziwniejsza od mojej. Dobra, będę u ciebie za dziesięć minut.

ROZDZIAŁ SZEŚĆDZIESIĄTY TRZECI

Wtorek, 21. marca 2006
godz. 14.20

Kitt potrzebowała czasu, żeby w pełni pojąć to, co przed chwilą usłyszała od Joego. Tami jest głuchoniema? Jak mogła tego nie zauważyć? No cóż, widziała ją tylko dwukrotnie i za każdym razem była zajęta czymś innym. Na targach była wstrząśnięta, bo dowiedziała się o jej istnieniu. Później zdumiało ją, że dziewczynka potrafi się sama ładnie bawić i nie ogląda telewizji.

Tak, to wszystko jakoś się ze sobą łączy, pomyślała.

Przypomniała sobie kalendarze z magazynu. Oba były wydane przez Związek Głuchoniemych. Orzeszek nie kłamał, w boksie rzeczywiście znajdował się klucz do rozwiązania zagadki. Tyle że do tej pory nie potrafiły go znaleźć.

– Co się stało, Kitt? – Joe spojrzał na nią ze zdziwieniem.

– Muszę cię aresztować. Wierzę ci, ale jeśli zachowam się niezgodnie z procedurą, oboje na tym stracimy. Zaufaj mi, proszę.

Joe nie wahał się ani chwili.

– Jasne. Poczekaj, tylko zostawię dyspozycje majstrowi.

Oboje wysiedli z pikapu. Joe podbiegł do swoich ludzi. Przez chwilę rozmawiał z nimi z ożywieniem, a potem wrócił.

– Mam jechać za tobą? – spytał.

– Nie, zostaw tu wóz. Pojedziemy razem.

Pokręcił z niedowierzaniem głową.

– Boisz się, że ucieknę, prawda?

Złapała go za rękę i ścisnęła mocno.

– Wiem, że tego nie zrobisz. Po prostu tak będzie lepiej.

Wsiedli do jej taurusa. Kitt wciąż myślała o tym, czego się dowiedziała. Wiedziała, że kobietom z dziećmi nie jest łatwo znaleźć stałego partnera. Pewnie jeszcze trudniej, jeśli dziecko jest chore.

Czy to możliwe, że Valerie opracowała niezwykle skomplikowany plan, by pozbyć się własnego dziecka?

Ta myśl przyprawiła ją o mdłości. Jednak lata służby nauczyły ją, że ludzie są zdolni do wszystkiego.

Valerie mogła znać Buddy'ego Browna, a jednocześnie pracowała na oddziale, na którym przebywała kuzynka Julie Entzel. Poza tym rzeczy z boksu należały do kobiety, która miała jakiś związek z głuchoniemym. Nagle wszystko zaczęło do siebie pasować.

No i Valerie miała motyw. Chciała być wolna, chciała ułożyć sobie życie osobiste.

– Opowiedz mi jeszcze o Tami – poprosiła, skręcając na główną drogę.

– O co w tym wszystkim chodzi?

– Nie mogę ci powiedzieć. – Zerknęła na niego. – Po prostu mi zaufaj.

Skinął niechętnie głową i zaczął opowiadać:

– Tami nie słyszy od urodzenia, ale zauważono to, dopiero gdy miała prawie dwa lata. Chodzi do szkoły dla głuchoniemych. Potrafi czytać z ruchu warg i zna język migowy. Świetnie się przystosowała, a poza tym to bardzo miłe dziecko...

– A co na to wszystko Valerie?

– Cóż, było jej bardzo trudno. Mąż zostawił ją, kiedy okazało się, że Tami jest głuchoniema. Jak sam powiedział, nie mógł znieść myśli, że będzie musiał wychowywać upośledzone dziecko.

– Chodziła z kimś przed tobą?

– Próbowała. Ale kiedy faceci dowiadywali się o Tami, natychmiast się wycofywali.

– Poza tobą?

– Tak, poza mną – potwierdził, jak zawsze spokojny i miły.

Sadie też stała się w pewnym sensie ułomna. Była osłabiona, po chemioterapii często wymiotowała, żyła w kompletnej izolacji. Jej pokój był tak sterylny, że nawet Kitt źle się w nim czuła.

Zacisnęła dłonie na kierownicy. Tak, to klaun jest pierwszym mordercą, a Valerie postanowiła go naśladować.

Jak, do licha, tych dwoje się spotkało? Czy byli wspólnikami, czy może rywalami?

A może kochankami?

I skąd Valerie wiedziała tyle o pracy policji?

Spojrzała z niepokojem na Joego. No tak, wystarczyło, że Valerie umiejętnie wypytała go o wszystko. Przecież wiedział dużo nie tylko o samej Kitt, ale też o jej pracy.

A więc Valerie musiała współpracować z Orzeszkiem. Boże...

Dlaczego Brian dzwonił do Joego na krótko przed śmiercią? I dlaczego Joe zatrudnił Buddy'ego Browna?

Coś jej w tym wszystkim nie pasowało. Starała się myśleć jasno i oddzielać fakty od własnych uprzedzeń i obaw. Nie, Joe nie byłby zdolny do takiej zbrodni. Znała go od tylu lat... Z całą pewnością nie mógł też być Mordercą Śpiących Aniołków, bo nawet gdyby zmienił głos, i tak rozpoznałaby typowe dla niego sformułowania...

Czy to możliwe, że dzwonił do niej ktoś inny niż Morderca Śpiących Aniołków?

To przypuszczenie wydało jej się nonsensowne. Skąd wiedziałby o tych staruszkach? Skąd znałby szczegóły śledztwa?

Kitt zupełnie pogubiła się we własnych myślach. Nagle zaczęła się bać Joego. Nawet nie sprawdziła, czy miał przy sobie broń, nie zakuła go w kajdanki.

Przecież to był jej Joe...

Zerknęła na niego i uśmiechnęła się z przymusem. Jeśli Joe uwierzy, że mu zaufała, nie będzie próbował uciec.

– Prawie jesteśmy na miejscu – rzuciła.

– Myślisz, że Valerie będzie miała kłopoty?

– Skąd to przypuszczenie?

– Zaczęłaś się dziwnie zachowywać, kiedy powiedziałem, że Tami jest głuchoniema...

Nie mogła zdradzić mu swoich myśli, ale nie chciała też kłamać.

– Nie wolno mi o tym rozmawiać. To by było niezgodne z przepisami. Opowiem o wszystkim Salowi, a on zdecyduje, ile powinieneś wiedzieć.

Zatrzymała samochód na parkingu.

– Gotowy?

Joe chwycił ją za rękę.

– Co tu się dzieje, Kitt?

– Przecież wiesz, prowadzę dochodzenie w sprawie zamordowanych dziewczynek.

Ścisnął ją mocno.

– Czy wciąż mnie kochasz?

Wytrzymała jego spojrzenie, chociaż serce ścisnęło jej się z żalu. Czy wciąż będzie go kochać, jeśli okaże się, że to on jest mordercą lub wspólnikiem mordercy?

– Tak, bardzo – odparła bez wahania.

Puścił ją i wysiadł z wozu. Przed drzwiami dołączyli do nich Sorenstein i Snowe, którzy wracali z lunchu. Poczuła zapach pieczonego kurczaka i frytek i uświadomiła sobie, że od dawna niczego nie jadła.

– Cześć, Kitt – powitał ją Snowe i spojrzał na Joego. – Jestem Scott Snowe, chyba już się znamy.

– Tak, jestem Joe Lundgren. Były mąż Kitt.

Uścisnęli sobie dłonie. Sorenstein też się przedstawił. Nawet jeśli koledzy byli zdumieni całą sytuacją, nie dali po sobie nic poznać.

– Tak swoją drogą, jeszcze nie mam dla ciebie żadnych informacji – dodał Sorenstein, uprzedzając jej pytanie na temat broni. – Za chwilę znowu wracam do poszukiwań.

– Gdybyś coś znalazł...

– Wiem, wiem. Na pewno od razu cię powiadomię. Obiecuję.

Wsiedli do windy.

– Co teraz? – spytał Joe.

– Zostaniesz w pokoju przesłuchań, a ja pójdę po Sala.

– Będziesz przy przesłuchaniu?

Kitt pokręciła głową.

– I tak jestem za bardzo w to zaangażowana.

– Zostanę sam?

– Niestety. – Dotarli na piętro i wysiedli. Zaprowadziła Joego do jedynki i zapaliła światło.

– To nie powinno długo potrwać.

Skinął dłonią. Podeszła do drzwi i już miała wyjść, ale postanowiła zadać mu pytanie, od którego wiele zależało.

– Tak swoją drogą, Joe, czy wczoraj dzwonił do ciebie Brian?

– Brian? Nie. Dlaczego pytasz?

Chciała krzyknąć mu w twarz, że jest kłamcą, ale w końcu zdołała się nawet do niego uśmiechnąć.

– Po prostu mnie szukał. Zaczekaj chwilę.

ROZDZIAŁ SZEŚĆDZIESIĄTY CZWARTY

Wtorek, 21. marca 2006
godz. 15.00

Kitt z ciężkim sercem zamknęła za sobą drzwi do pokoju przesłuchań. Joe skłamał. Czyżby Brian coś na niego znalazł?

Chciała wejść do Sala, ale Nan poinformowała, że jest u niego sierżant Haas. Mimo to zastukała we framugę uchylonych drzwi.

Poprosił, żeby weszła. Wyglądał na rozdrażnionego.

– To znowu ty, Kitt? No, o co chodzi?

– Chcę ci coś przekazać. Chodzi o bardzo ważną sprawę.

– Dobrze, gadaj.

Przeszła do krzesła i oparła się o nie.

– Być może mamy przełom w śledztwie. – Sal spojrzał na nią z zainteresowaniem. – Wciąż trudno mi w to uwierzyć, ale fakty mówią same za siebie.

Sierżant Haas aż się poruszył na swoim miejscu.

– Dziś rano była u mnie Valerie Martin. Powiedziała, że Joe nie spędził u niej tej nocy, kiedy zamordowano Julie Entzel. W ten sposób jego alibi rozsypało się jak domek z kart.

Sal zmarszczył brwi.

– Czy była z tobą M.C.?

– Nie, zajmowała się morderstwami staruszek.

Szef spojrzał na nią gniewnie, nic jednak nie powiedział. Cóż, miał prawo być na nią zły.

– Nagrałam jej zeznanie na wideo – dodała.

– Cieszę się, że zachowałaś resztki zdrowego rozsądku.

Kitt wątpiła jednak, by był zadowolony z jej kolejnych posunięć.

– Następnie pojechałam do Joego.

– Sama? – spytał oburzony.

– Tak.

W tym momencie do rozmowy włączył się sierżant Haas.

– Przecież miałaś sprawdzić, co wczoraj robił Brian – zauważył.

– Kiedy to właśnie ma związek z Joem – przyznała z ciężkim sercem. – Brian dzwonił do niego wczoraj. Na krótko przed tym, jak próbował skontaktować się ze mną...

W pokoju zapanowała cisza. Kitt dopiero po chwili zdołała wydobyć z siebie głos.

– Joe przyjechał tu ze mną z własnej woli. Jest w jedynce. Ale ta sprawa jeszcze bardziej się komplikuje.

Opowiedziała im o kalendarzach i o tym, czego dowiedziała się o Tami.

– Dzięki temu zrozumiałam, że Valerie może być w to zamieszana. A jeśli znała Buddy'ego Browna? W dodatku pracuje na oddziale, na którym leżała kuzynka Julie Entzel. Miała też dostęp do informacji na temat mojej pracy. Fakty świadczą, że naśladowca jest kobietą. – Zrobiła efektowną przerwę. – Te morderstwa miały stanowić jedynie przykrywkę. Tak naprawdę Valerie pragnie pozbyć się córki!

– Dlaczego miałaby to zrobić?

– Pragnie odzyskać wolność. Nie chce mieć upośledzonego dziecka.

– A ojciec Tami?

– Odszedł, kiedy dowiedział się, że córka jest głuchoniema.

– Dobrze, to brzmi dość wiarygodnie. A skąd według ciebie zna Mordercę Śpiących Aniołków?

– Dużo o tym myślałam. Zastanawiałam się, czy są wspólnikami czy rywalami. A może kochankami. Trzeba odwołać się do logiki... – dodała drżącym głosem.

– To znaczy?

– Joe musiał jej pomagać. Wie o mnie wszystko. Nawet to, dlaczego nie złapałam przed pięciu laty Mordercy Śpiących Aniołków. Szybko uwierzyłam, że to Orzeszek jest mordercą, prawda może wyglądać zupełnie inaczej...

Sal i sierżant Haas wymienili spojrzenia.

– Chcesz powiedzieć, że Morderca Śpiących Aniołków nie jest w to zamieszany? Że oni go tylko wykorzystali?

– Tak.

– A co z włosami, które były przy telefonie? No i z wycinkami Buddy'ego Browna?

– Nie mamy jeszcze wyników badań DNA – zauważyła.

Sal pokręcił głową.

– Ale po co Joe miałby to robić?

Chwyciła jeszcze mocniej oparcie krzesła.

– Sama nie wiem. Żeby mnie ukarać?

– Trudno mi w to uwierzyć – powiedział Sal i ponownie pokręcił głową.

– Mnie też, ale... to brzmi logicznie.

– Jeśli Valerie Martin jest wspólniczką Joego, dlaczego wycofała wcześniejsze zeznanie?

Kitt z trudem przełknęła ślinę.

– Odkryła, że spędziłam noc z Joem. Poza tym Joe zerwał ich zaręczyny.

– To może, ale nie musi być prawdą – wtrącił sierżant Haas.

– Owszem, opieram się jedynie na poszlakach...

– Odsuwam cię od tej sprawy! – zagrzmiał Sal.

– Żałuję, że w ogóle brałam w niej udział.

– Cholera, Kitt! Zgodnie z przepisami powinienem cię zawiesić.

– Tak jest.

To mu nie wystarczyło.

– I po jakie licho rozmawiałaś z Valerie Martin?! Nie wyciągnęłaś wniosków z poprzednich błędów? Kiedy wreszcie zmądrzejesz? Powinnaś była przekazać przesłuchanie M.C. lub innemu śledczemu!

– Tak jest.

– A potem jeszcze pojechałaś do podejrzanego, co było wyjątkowo nieodpowiedzialne, bo mogłaś go spło...

Na jego biurku zaterkotał telefon. Dzwoniła Nan. Sal słuchał jej przez chwilę, a potem spojrzał na Kitt.

– Czy umówiłaś się tutaj z jakimś Dannym?

– Z kim? – zdziwiła się.

– Nan powiedziała, że czeka na ciebie Danny.

– Gdzie?

– Tutaj, w wydziale. Nie było cię w pokoju, więc przyszedł do niej.

Rozmowa z Dannym była ostatnią rzeczą, na jaką miała ochotę.

– Zaraz go spławię.

– Nie, jeszcze nie skończyliśmy. Niech poczeka – rzucił do słuchawki. – A teraz powiedz, co dla ciebie jest ważniejsze: twój były mąż czy praca?

– Przecież go tu przywiozłam.

Sal zastanawiał się przez chwilę.

– Spytam inaczej. Czy wierzysz we wszystko, co nam przed chwilą powiedziałaś?

Kitt zamyśliła się. Tak naprawdę nie wierzyła w winę Joego. Czuła jedynie, że musi dobrze wypełniać obowiązki.

– Nie potrafię zachować obiektywizmu – przyznała w końcu i potrząsnęła głową.

Sal zmrużył oczy, przyglądając się jej przez chwilę, a potem zwrócił się do Haasa:

– Wyślij Allena i White'a po tę Martin, ty będziesz obserwował przesłuchanie.

Sierżant wstał i wyszedł bez słowa z pokoju. Sal podniósł się wolno z miejsca.

– Dobrze, pójdę do Joego.

ROZDZIAŁ SZEŚĆDZIESIĄTY PIĄTY

Wtorek, 21. marca 2006
godz. 15.35

Kitt znalazła Danny'ego na korytarzu. Przecha-
dzał się nerwowo, co jakiś czas spoglądając niespokojnie w stronę drzwi do jej pokoju. Na jej widok
na jego twarzy odmalowała się olbrzymia, niemal
komiczna ulga.

– Co tu robisz, Danny? – spytała.

– Musiałem porozmawiać z tobą w cztery oczy.
– Zniżył głos: – Zanim będzie za późno.

– Na co?

– Daj mi, proszę, jeszcze jedną szansę – powiedział błagalnie. – Wiem, że zawaliłem wtedy sprawę, ale...

– Nie mam teraz na to czasu – przerwała mu.

Jakiś śledczy, który właśnie przechodził, spojrzał
na nich ze zdziwieniem.

– Czy możemy pogadać na osobności?

Zastanawiała się przez chwilę, a potem pokręciła
głową.

– Nie, niestety.

Danny nagle napiął mięśnie.

– Myślałem, że jesteśmy przyjaciółmi.

– Jesteśmy. Ale teraz muszę zająć się pracą.

– Potrzebujesz mnie. – Złapał ją za rękę. – Potrzebujesz wsparcia naszej grupy. Bardzo mnie martwi twój stan...

– Daj spokój! – Wyswobodziła rękę. – Nic mi nie jest. To raczej ty zachowujesz się jak ktoś, kto potrzebuje pomocy.

Dopiero po chwili zrozumiała, że trafiła w dziesiątkę. Danny zawsze sprawiał wrażenie dojrzałego i silnego mężczyzny, ale teraz zachowywał się jak zazdrosny smarkacz.

Zarumienił się.

– Dobra, już pójdę. Ale pamiętaj, ostrzegłem cię.

Patrzyła za nim, a potem zadzwoniła na dyżurkę. Podała jego nazwisko i poprosiła, by upewnili się, że wyszedł z budynku. Następnie ruszyła w stronę pokoju przesłuchań, sprawdzając po drodze wiadomości.

Pierwsza pochodziła od M.C.:

– Chyba go mamy. Rose McGuire była na przyjęciu, na którym występował klaun. Skontaktuję się z innymi rodzinami i sprawdzę, czy też go znają. Na razie.

Klaun? Jeśli to klaun jest wspólnikiem Valerie, można wykluczyć Joego. Zadzwoniła do koleżanki, ale odezwała się jej poczta głosowa.

– Dostałam twoją wiadomość – powiedziała Kitt. – Jestem w pracy. Mamy nowe ważne informacje. Odezwij się, jeśli dowiesz się czegoś o tym klaunie.

Sal był już w jedynce. Kitt przeszła do pokoju obok, gdzie siedział wpatrzony w monitor sierżant Haas. Nawet na nią nie spojrzał. Kitt usiadła obok.

– Jak ci się ostatnio wiedzie? – spytał Sal Joego.
– Dawno cię nie widziałem.

Widocznie zaczęli zaledwie parę minut wcześniej. Rozmawiali chyba o jakichś głupstwach. No tak, Sal próbował uśpić czujność podejrzanego.

– Prawdę mówiąc, tak sobie.
– Rozumiem. – Sal urwał. – Chciałbym zadać ci kilka pytań.
– Tak, Kitt już mnie uprzedziła.
– Więc wiesz już, co zrobiła twoja narzeczona?
– Moja była narzeczona – poprawił go. – Tak, słyszałem, że odwołała wcześniejsze zeznania.

Sal pochylił się w jego stronę.

– Właśnie. Powiedziała Kitt, że nie spędziła z tobą nocy z ósmego na dziewiatego.
– Kłamie – stwierdził bez wahania Joe. – Byłem u niej całą noc.
– Możesz to udowodnić?

Joe zastanawiał się przez chwilę.

– Nie, ale jestem pewny, że w końcu powie prawdę, kiedy złość jej minie. Na razie jest na mnie wściekła.
– Z powodu zerwania zaręczyn?
– Tak.
– Dlaczego to zrobiłeś?
– Bo wciąż kocham Kitt.

Joe mówił jej to wcześniej, ale publiczne wyznanie sprawiło, że zakręciło jej się w głowie.

– Opowiedz mi o Valerie.

– To bardzo cierpliwa, dobra matka. Poza tym świetnie sobie ze wszystkim radzi.

– Nie jest więc osobą, która szukałaby zemsty lub świadomie wprowadzała policję w błąd?

– Nie, nigdy bym jej o nic takiego nie posądził. – Joe spojrzał na swoje dłonie. – Musiała poczuć się bardzo skrzywdzona.

– Kitt mówiła mi, że ma głuchoniemą córkę.

– Tak.

– Jak się z nią porozumiewasz?

– Bez najmniejszego problemu. Tami czyta z ruchu warg, potrafi też pokazać, o co jej chodzi. Ludzie często nie zauważają, że jest głuchoniema. Biorą ją za bardzo nieśmiałą dziewczynkę, co jest zresztą zgodne z prawdą.

– Co możesz mi o niej powiedzieć?

– To bardzo miłe dziecko. Tylko, jak powiedziałem, nieśmiałe.

– Czy sprawia problemy wychowawcze?

– Teraz już nie, ale zanim nauczyła się języka migowego, często wpadała w złość. Potrafiła nawet uderzyć Valerie.

– To dziwne.

– Psycholog wyjaśnił, z czego to wynika. Nie potrafiła przekazać, o co jej chodzi. Ale to było jakiś czas temu.

Sal siedział chwilę w milczeniu, jakby rozważał uzyskane informacje. Kitt wiedziała jednak, że tak naprawdę chciał zdenerwować Joego i sprowokować go do jakichś niekontrolowanych wypowiedzi i zachowań.

– Widzisz, Joe, jest pewien problem. Spotkałeś jedną z ofiar i zatrudniłeś Buddy'ego Browna, a teraz okazuje się jeszcze, że nie masz alibi.

Joe zmarszczył brwi.

– Valerie na pewno za jakiś czas zmieni zdanie i powie prawdę.

– A jeśli tego nie zrobi?

Joe po raz pierwszy wydał się zaniepokojony.

– Powiedz mi, czy to ona wpadła na ten pomysł? – spytał nagle Sal.

– Jaki pomysł?

– Żeby zabić inne dziewczynki, a potem pozbyć się własnej córki.

Joe spojrzał na niego z tak bezbrzeżnym zdumieniem, że Kitt natychmiast mu uwierzyła.

A jeśli był świetnym aktorem?

– Ależ to czyste szaleństwo! Valerie nie potrafiłaby zabić! Jest dobrą matką i kocha córkę! To... to oburzające!

– A może zwabiła cię w pułapkę, Joe? Może od początku planowała, że wrobi cię w te morderstwa?

Joe spojrzał z niedowierzaniem na Sala, a potem wprost do kamery. Wiedziała, co chce jej powiedzieć: „Kitt, jak mogłaś?". Nagle stanęło jej przed oczami całe ich wspólne życie i poczuła, jak przygniata ją ogromny ciężar.

– No i jak, Joe, pozwolisz się wrobić?

Joe przeniósł spojrzenie na Sala.

– Chcę prawnika.

– Oczywiście. – Sal wstał, ale zawahał się. – Tak przy okazji, czy znałeś Briana Spillarego? – Kiedy Joe potwierdził skinieniem głowy, Sal zadał drugie pytanie: – Zastanawiam się, dlaczego wczoraj do ciebie dzwonił.

– Nic podobnego – zaprzeczył Joe.

Sal podsunął mu wydruk z telefonami Briana.

– Jest tu twój numer.

Joe zaczął przeglądać spis telefonów. Kiedy zobaczył swój, lekko pobladł.

– Chcę się skontaktować z moim prawnikiem. Do tego czasu nie odpowiem na żadne pytanie.

Sal podał mu swoją komórkę.

– Przynieść książkę telefoniczną?

– Nie, pamiętam numer.

Kitt patrzyła na wybierane cyfry. Joe dzwonił do Kurta Petroskiego, prawnika jego firmy, który brał udział w poprzednim przesłuchaniu. Miała nadzieję, że Kurt każe mu wynająć specjalistę od prawa karnego. I to jakiegoś naprawdę dobrego.

W pokoju przesłuchań zapanowała cisza.

Znudzona Kitt zaczęła sobie przypominać fragmenty przesłuchania.

Tami czyta z ruchu warg, potrafi też pokazać, o co jej chodzi.

Zanim nauczyła się języka migowego...

Co takiego powiedział jej ostatnio Orzeszek? Że ofiary z nią rozmawiają!

– O Boże! – jęknęła.

Sierżant spojrzał na nią ostro.

– Co takiego?

Kitt wstała i podeszła do drzwi.

– Ręce. Ręce ofiar. Ułożono je w znaki języka migowego!

ROZDZIAŁ SZEŚĆDZIESIĄTY SZÓSTY

Wtorek, 21. marca 2006
godz. 17.05

W policji pracował tylko jeden człowiek, który znał ASL – Amerykański Język Migowy. Jimmy Ye był z obyczajówki, ale obiecał zgłosić się jak najszybciej do wydziału zabójstw i spróbować zinterpretować ułożenie rąk ofiar. Na szczęście obfotografowano je bardzo dokładnie, z każdej możliwej strony.

Kiedy Jimmy wreszcie przyszedł, Kitt zaczęła układać przed nim zdjęcia. Sierżant Haas spojrzał niecierpliwie na kolegę.

– No i jak, Jimmy, czy to może być język migowy?

Mężczyzna przyglądał się przez chwilę fotografiom.

– Owszem – odparł.

– Co znaczą te gesty?

– Z tym jest mały kłopot. – Jimmy wziął jedno ze zdjęć i zaczął mu się uważnie przyglądać. – Widzicie, ASL jest językiem przestrzennym. By go zrozumieć, trzeba zobaczyć kompletny gest, a także wyraz twarzy mówiącego.

– To znaczy?

– Bez tego mogę tylko zgadywać, co chciał nam przekazać morderca.

– Jasne. Więc strzelaj.

Jimmy wskazał zdjęcie Julie Entzel.

– Dziewczynka prawą dłonią wskazuje swoją pierś, a lewą ma wyciągniętą na zewnątrz. Możliwe, że mówi w ten sposób: „ja" lub „mnie" prawą ręką, a...

– Ona nic nie mówi, Jimmy – wtrąciła się Kitt.

– To morderca mówi o sobie.

Zauważyła, że poczuł się urażony jej słowami. Trudno, musiała to zrobić. Była to winna wszystkim ofiarom.

– Tak, rozumiem. Druga ręka jest wyciągnięta na zewnątrz. W ten sposób opisuje się przestrzeń nie dotyczącą mówiącego. Na przykład jakąś nieobecną osobę.

– Ja i ty? – znów wtrąciła Kitt.

– Niekoniecznie. To może być też: „ja i on" albo „ja i to". W ASL nie można stosować obowiązujących zasad składniowych, ten język opiera się na omówieniu tematu.

– Możesz to powiedzieć normalnie? – spytał poirytowany sierżant Haas.

– Komunikacja werbalna polega na użyciu słów, z których tworzy się frazy i zdania, oddające nasze myśli czy uczucia. Tutaj jest zupełnie inaczej... – Spojrzał na nich i uznał zapewne, że nie ma sensu wdawać się w dalsze wyjaśnienia. – Chodzi o to, że morderca może mówić: „ja i ty", „ona i ja" albo „ja to on"...

– Ja to on – znowu przerwała mu Kitt. – Chce nam powiedzieć, że jest mordercą. I to tym pierwszym.

Sierżant skinął głową.

– Możliwe. Przejdźmy do Marianne Vest.

Jimmy zawahał się.

– Sam nie wiem. To bardzo trudne.

– Spróbuj zgadnąć.

Jimmy oglądał uważnie kolejne zdjęcia Marianne Vest. Potem skinął głową i powiedział:

– Wydaje mi się, że mamy tutaj pojedyncze litery: W i E. W prawej ręce wyciągnięte są trzy palce, a kciuk i mały palec zwinięte – to W. Lewa jest ułożona w luźną pięść.

– A czy to nie może znaczyć po prostu „trzy"?
– spytała Kitt.

– W ten sposób mówiłby nam, że będzie trzecia ofiara – włączył się Haas.

– To możliwe, ale nie w ASL. Trzy pokazuje się kciukiem i dwoma kolejnymi palcami.

Pokazał te znaki i Kitt natychmiast zrozumiała, o co mu chodzi.

– Najpierw powiedział: „ja to on", teraz „my". A co z ostatnią ofiarą?

Czuła, że Jimmy'emu idzie coraz lepiej. Natychmiast wybrał kilka potrzebnych mu zdjęć i nie zastanawiał się tak długo nad odpowiedzią. Obie dłonie Catherinne Webber wskazywały, zdaniem Kitt, jedynki. Palec wskazujący wystawał na zewnątrz, a pozostałe były zwinięte w pięści. Jednak ich pozycja była inna – lewa ręka wskazywała na zewnątrz, a prawa znajdowała się koło głowy ofiary, zaś palec wskazywał jej usta.

– Lewa ręka pokazuje jeden, prawda? – zapytał sierżant Haas.

– Tak. Z prawą jest większy problem. Jest w pozycji litery D, ale wydaje mi się, że znaczy: „być".

– Dlaczego?

423

– Popatrzcie. – Jimmy zademonstrował oba znaki języka migowego.

Kitt popatrzyła na sierżanta Haasa.

– Jeśli odczytamy to od lewej do prawej, to będzie znaczyć: „być jednym" albo „jestem jednym". Identyfikuje się... Z kim? Z ofiarą?

Sal wszedł do pokoju sierżanta.

– Joe naradza się z prawnikiem. I co tu macie?

Kitt wyjaśniła pokrótce, czego się dowiedzieli.

– Oczywiście ja tylko zgaduję – powiedział na koniec Jimmy Ye.

– Rozumiem. – Sal spojrzał na zdjęcia. – I wyszło wam: „ja to on", „my[1]" i „jestem jednym"?

– Albo: „my jesteśmy jednym" – dodał Jimmy.

Zadzwonił telefon sierżanta Haasa, który przeprosił ich i wyszedł na korytarz.

– Moim zdaniem to ma sens – powiedziała Kitt.

Jimmy skinął głową.

– Oczywiście nie mogę ręczyć, że...

Kitt uniosła dłoń, chcąc mu przerwać.

– Mam jeszcze jedno pytanie. Skoro morderca używa ASL, to jest głuchoniemy albo ma kogoś głuchoniemego w rodzinie, tak?

– Niekoniecznie. Są przecież podręczniki i specjalne kursy.

Kitt była bardzo rozczarowana. A już myślała, że Valerie Martin stanie się główną podejrzaną.

– A skąd ty znasz ten język? – spytała jeszcze.

Jimmy uśmiechnął się lekko.

– Moja żona jest głuchoniema i musiałem się go nauczyć – wyjaśnił. – A, właśnie. Morderca może

---

[1] We (ang) – my (przyp. tłumacza).

korzystać ze słownika, w którym sprawdza poszczególne słowa i litery. Niektóre są dostępne przez Internet, a jeden zawiera nawet animacje. Jak chcecie, to prześlę wam adres.

– Tak, poprosimy. Dzięki.

Jimmy wyszedł, a po chwili do pokoju wrócił sierżant Haas. Kitt domyśliła się z jego miny, że przynosi złe wieści.

– Valerie nie wróciła do pracy po przerwie na lunch. Jej dom jest zamknięty, a w garażu nie ma samochodu. Ktoś z sąsiadów podał White'owi adres szkoły jej córki. Pojechał tam, ale matka odebrała Tami wcześniej niż zwykle.

Sal spochmurniał.

– Przekażcie wszystkim patrolom, że jej szukamy – powiedział.

– A co z Joem? – spytała Kitt.

– Przetrzymamy go w areszcie tymczasowym, dopóki jego prawnik nie zacznie się stawiać.

– Być może wie, dokąd pojechała Valerie. Martwię się o Tami.

– Chcesz z nim porozmawiać? – spytał Sal.

– Spróbuję, ale nie wiem, jak mnie potraktuje. – Zadzwoniła jej komórka. – Tak, słucham?

– Tu Sorenstein. Znalazłem tę broń.

ROZDZIAŁ SZEŚĆDZIESIĄTY SIÓDMY

Wtorek, 21. marca 2006
godz. 17.40

Pistolet, z którego zastrzelono Briana, był też narzędziem zbrodni przy zabójstwie kobiety z położonej na południowy wschód od Rockford rolniczej miejscowości o nazwie Dekalb. Dekalb miało dwa powody do dumy: stamtąd właśnie pochodziła topmodelka Cindy Crawford, a także mieścił się tam Northern Illinois University. Niektórzy dodawali też do tej krótkiej listy słodką kukurydzę. Lokalne władze sponsorowały nawet Cornfest, wielką uliczną uroczystość, która odbywała się w sierpniu i w czasie której miasteczko gościło około dwustu tysięcy gości zajadających się kukurydzą.

Kitt zajrzała Sorensteinowi przez ramię.

– Doskonale do siebie pasują – powiedział kolega, wskazując monitor. – Niemal idealnie.

I rzeczywiście, cechy kul wyjętych z ciała Briana pokrywały się z cechami tych znalezionych na miejscu zbrodni w 1989 roku.

– Czekając na ciebie, sprawdziłem jeszcze w naszych danych, skąd pochodzi ta kula – dodał Sorenstein.

– No i skąd?

– Niejaki Frank Ballard zabił żonę w 1989 roku. Strzelił jej między oczy. Aresztowano go i skazano, ale nasi ludzie nie zdołali odnaleźć broni. Zdaje się, że miał ją na wyposażeniu.

– Był policjantem?

– Tak. Zastępcą szeryfa w Dekalb.

Kitt myślała intensywnie. Jak to możliwe, że pistolet, którego użyto siedemnaście lat temu, pojawił się właśnie teraz? I jak to połączyć z jej sprawą?

– Coś jeszcze? – spytała.

– Nie, to wszystko. Masz tu wydruki. Ja zrobiłem swoje, teraz twoja kolej. – Uśmiechnął się do niej. – No, chyba zasłużyłem na piwo?

– Jasne. Dzięki.

Nagle spoważniał.

– Brian był moim przyjacielem. Mam nadzieję, że dopadniesz skurwysyna, który go zabił.

Skinęła głową i ruszyła na poszukiwanie Sala. Gdy go znalazła, opowiedziała mu o odkryciu Sorensteina.

– Dobrze, spróbuję porozmawiać z Joem – dodała na koniec. – Może powie, dokąd pojechała Valerie. A potem zadzwonię do szeryfa z Dekalb i dowiem się czegoś więcej o tym morderstwie.

– W porządku. – Ruszył w stronę swego gabinetu, ale jeszcze zatrzymał się i spytał: – Miałaś jakieś wiadomości od Riggio?

– Zostawiła mi informację około godziny temu. Zaraz do niej zadzwonię i dowiem się, jak sobie radzi.

Chwilę później zadzwoniła do M.C. i zacisnęła kciuki, żeby poszukiwania klauna zakończyły się sukcesem. Partnerka odebrała po drugim dzwonku.

– Cześć – rzuciła Kitt. – Dawno cię nie widziałam. Co porabiasz?

– Właśnie przed chwilą odsłuchałam wiadomość od ciebie. Co tam nowego?

Kitt opowiedziała jej pokrótce o Valerie, Joem i wynikach analizy balistycznej.

– A co z klaunem? – spytała na koniec.

– Jak na razie nie mamy nic. Nikt nie potwierdził tej historii...

Kitt nie potrafiła ukryć rozczarowania. Gdyby ten trop okazał się istotny dla śledztwa, mogliby wykluczyć Joego z kręgu podejrzanych.

– Kontaktowałaś się z członkami rodzin tych kobiet? – upewniła się jeszcze.

– Tak, nie pamiętają żadnych występów – odparła M.C. – Szkoda...

Nagle dotarło do niej, dlaczego M.C. tak na tym zależało.

– Niepotrzebnie sprawdzałaś. Od razu mogłam ci powiedzieć, że Joe nie występował jako klaun. I nigdy nie brał pieniędzy za swoje pokazy!

– Daj spokój! Przecież nie robiłam tego z powodu Joego!

– To po co?

– Chyba powinnaś się przespać – powiedziała nagle M.C. – Obie miałyśmy ciężki dzień.

Kitt zdziwiła się. Obie chodziły spać bardzo późno. Dlaczego M.C. próbowała zmienić temat?

– O tej porze? – Spojrzała na zegarek. – Muszę jeszcze zadzwonić do Dekalb w sprawie tego morderstwa sprzed siedemnastu lat. Może dowiem się czegoś ciekawego. Przyjedziesz do pracy?

– Nie, zajrzę do mamy i sama ją przeproszę.

– Za co?

– Mamy dziś rodzinną kolację.

Kitt przypomniała sobie, że M.C. wspomniała kiedyś, jak bardzo nie cierpi tych obowiązkowych rodzinnych spędów.

– Posłuchaj, i tak będę tu siedzieć, więc możesz spokojnie pojechać do matki. – Ponownie spojrzała na zegarek. – Zadzwonię, jeśli będziesz mi potrzebna.

– A jeśli to ja będę potrzebowała ratunku?

Kitt zaśmiała się.

– Dobra, zostawię komórkę włączoną, na wypadek gdyby trzeba cię było wyrwać ze szponów rodziny.

– Przepraszam, Kitt, ktoś do mnie dzwoni. Muszę kończyć.

Rozłączyła się bez słowa pożegnania. Kitt ściągnęła brwi, przypominając sobie przebieg rozmowy. M.C. mówiła inaczej niż zwykle, jakby czuła się skrępowana. I skąd te dziwne reakcje?

Czyżby miała do niej jakiś żal?

Potrząsnęła głową, by opędzić się od tych myśli. Wolała skupić się na Joem. Z coraz większą niechęcią myślała o czekającej ją rozmowie. Wolałaby w ogóle nie zajmować się tą sprawą, jak zresztą chciał Sal.

Nie wiedziała, czy jeśli okaże się, że Joe jest niewinny, zdołają odbudować związek.

Gdy weszła do pokoju przesłuchań, od razu dostrzegła, że Joe jest bardzo zły i rozżalony.

– Przyszłaś, żeby mnie dobić? – spytał.

– Przykro mi, że tak to odbierasz.

– A jak mam odbierać? Wciągnęłaś mnie w zasadzkę!

– Wcale tego nie chciałam.

– Daj spokój, nie jestem aż taki głupi – rzucił z goryczą. – Powiedziałaś, żebym ci zaufał, a ja nawet nie pomyślałem...

– Po prostu zmieniły się okoliczności. Musiałam...

– Musiałaś zrobić, co do ciebie należy? – Spojrzał gdzieś w bok. – Ciągle to powtarzasz. Ale najbardziej boli mnie, że po tym wszystkim, co razem przeżyliśmy, w ogóle mnie nie znasz.

Te słowa dotknęły ją do żywego. Może dlatego, że było w nich trochę racji. Wciąż go kochała, ale uznała go za podejrzanego, bo za tym przemawiały fakty.

Na tym polegała jej praca.

Cóż jeszcze mogła mu powiedzieć?

– Kocham cię – szepnęła.

Popatrzył na nią z urazą.

– Ale i tak praca zawsze była i będzie dla ciebie ważniejsza. Wiem, że to się nie zmieni. Nawet jeśli stąd wyjdę, ty będziesz prowadzić inne sprawy...

– To nieprawda! Pomogę ci z tego wybrnąć, a potem...

– Nie – przerwał jej kategorycznym tonem. – Kocham cię, Kitt, ale chcę więcej, niż możesz mi dać.

Uniosła dłoń.

– Dajmy temu spokój – poprosiła. – Valerie gdzieś zniknęła. Nie pokazała się w pracy i zabrała córkę ze szkoły. Boję się o tę małą.

– No jasne – rzekł z goryczą.

– Wiesz, gdzie mogła pojechać?

– Może do matki. Mieszka w Rockton. Ma też siostrę w Barrington.

– Wiesz, jak się nazywają?

– Matka Rita Martin, a siostra Lori Smith – odparł ze złością.

White zapukał i zajrzał do pokoju.

– Wrócił prawnik pana Lundgrena.

Kitt spojrzała w jego stronę.

– Jeszcze chwila. Joe, chciałabym, żebyś wiedział...

– Daj spokój – przerwał jej. – Lepiej wracaj do pracy. Może przynajmniej uda ci się złapać tego mordercę.

Minęła się z prawnikiem, nawet na niego nie patrząc. Czuła ogromny ciężar, który niemal przygniatał ją do ziemi. Modliła się w duchu, by okazało się, że Joe jest niewinny.

ROZDZIAŁ SZEŚĆDZIESIĄTY ÓSMY

Wtorek, 21. marca 2006
godz. 19.10

Kitt odłożyła słuchawkę i spojrzała na niemal pustą stronę notesu. W biurze szeryfa z Dekalb było o tej porze zaledwie kilka osób, w dodatku odniosła wrażenie, że zastępca, z którym rozmawiała, jest jeszcze chłopaczkiem.

Cholera, to ona się zestarzała.

Jednak młody policjant obiecał popytać, czy ktoś z nocnej zmiany pamięta sprawę z 1989 roku. Miał też przejrzeć akta, a potem przesłać je faksem do Rockford.

Kitt patrzyła poirytowana na kartkę, przekonana, że traci cenny czas. Przecież mogłaby sama wszystko przejrzeć.

Zadzwoniła do M.C., ale partnerka znów miała wyłączoną komórkę, dlatego Kitt nagrała kolejną wiadomość:

– Cześć, tu Kitt. Jadę teraz do Dekalb, żeby sprawdzić sprawę Ballarda. Dzwoń, gdybyś mnie potrzebowała.

Włożyła notes do kieszeni i wyszła z pokoju. Trochę niepokoiło ją, że nie ma kontaktu z M.C. Dlaczego koleżanka rozmawiała z nią tak dziwnie? A może coś przed nią ukrywała?

Klaun! – pomyślała Kitt. Może jednak udało jej się ustalić, kim jest, i pojechała do niego. Może wpakowała się w kłopoty?

Była już przy windzie, ale mimo to wróciła do pokoju i odszukała numer do pani Riggio. Postanowiła sprawdzić, czy M.C. pojechała do matki.

Czekała ponad minutę, ale nikt nie odbierał. W końcu wybrała ten numer raz jeszcze, jednak z podobnym rezultatem. Przeszła wiec szybko na parking i pojechała do pani Riggio. Przed dużym domem stało kilka samochodów, ale nie dostrzegła tam wozu M.C.

I znowu musiała dzwonić parę razy do drzwi, ale tym razem wiedziała przynajmniej, że ktoś jej otworzy. W środku paliło się światło, słychać było gwar rozmów.

Kiedy w drzwiach pojawiła się niebieskooka blondynka, Kitt pomyślała, że trafiła pod zły adres. Uśmiechnęła się jednak i pokazała kobiecie odznakę.

– Jestem porucznik Lundgren. Czy to dom państwa Riggio?

Blondynka skinęła głową.

– Tak, oczywiście. To pani pracuje razem z M.C.?

Kitt odetchnęła z ulgą.

– Tak.

– Jestem jej szwagierką. Nazywam się Melody Riggio.

Uścisnęła jej dłoń.

– Przepraszam, że przeszkadzam w rodzinnej kolacji, ale szukam...

– Kto tam, Mel? – zapytał ktoś ze środka.

Po chwili zobaczyła wysokiego, przystojnego mężczyznę. Tym razem bez trudu domyśliła się, że jest on bratem M.C. Rodzinne podobieństwo było wprost uderzające.

– Porucznik Lundgren – odparła Melody. – Partnerka Mary Catherine.

Mężczyzna również się z nią przywitał.

– Jestem Neil Riggio, brat M.C.

– I mój mąż – dodała kobieta.

– Przepraszam za najście, ale muszę porozmawiać z M.C. Czy ją zastałam?

– O ile mi wiadomo, to nie.

Kitt poczuła mrowienie na karku.

– Ale przecież dzisiaj jest rodzinna kolacja.

– Nie, w środę. Wpadliśmy z niezapowiedzianą wizytą.

– Melody, Neil?

Teraz w drzwiach pojawiła się sama pani Riggio. Była niska, przysadzista i sprawiała wrażenie niezwykle zasadniczej osoby. Synowa i syn natychmiast usunęli jej się z drogi.

– To porucznik Lundgren, mamo – powiedział Neil. – Partnerka Mary Catherine.

Starsza pani spojrzała na nią ostro.

– Chętnie z panią porozmawiam. Melody, nakryj do stołu.

Blondynka chciała spełnić jej polecenie, czy raczej rozkaz, ale Kitt ją powstrzymała.

– Nie, dziękuję. Bardzo się spieszę...

– A ja nalegam – rzekła nieznoszącym sprzeciwu głosem pani Riggio. – Mary Catherine jest ostatnio taka skryta. Nic bym nie wiedziała o jej chłopaku, gdyby nie Michael.

Lance Castrogiovanni. Ten komik, o którym jej wspominała.

– Ależ mamo, pani porucznik na pewno nie interesuje się...

Kobieta uciszyła syna gestem i spojrzała na Kitt, która nagle wpadła w popłoch. Nie miała powodów podejrzewać, że zniknięcie M.C. łączy się jakoś z Lansem Castrogiovannim, jednak tak właśnie przeczuwała.

– Przepraszam, ale muszę już iść – powiedziała Kitt. – Bardzo dziękuję za zaproszenie.

Zaczęła się wycofywać w stronę taurusa, przy którym dogonił ją Neil Riggio.

– Pani porucznik, proszę zaczekać!

Obróciła się w jego stronę.

– Tak, słucham?

– Czy coś się stało?

Zauważyła jego zdenerwowanie i postanowiła zachować spokój.

– Mam nadzieję, że nie. Po prostu nie mogę się z nią skontaktować.

– Proszę zdzwonić na jej komórkę.

Kitt pokręciła głową.

– Jest wyłączona.

W oczach mężczyzny pojawił się strach.

– Co mogę zrobić?

– Proszę powiedzieć, co pan wie o Lansie Castrogiovannim.

– O kim?

– O jej chłopaku.

– Wygląda na to, że mniej niż pani – rzekł, pocierając policzek. – Chyba bardzo go lubi.

– Wie pan, jak się poznali? Albo gdzie mieszka? – Po jego minie domyśliła się, że nie zna odpowiedzi na te pytania.

– Niestety...

– Proszę mi dać znać, gdyby się odezwała. – Podała mu swoją wizytówkę.

– Przecież nie mogę bezczynnie czekać...

– Obawiam się, że nie ma pan wyjścia. Zadzwonię tu, jak tylko czegoś się dowiem.

Wsiadła do samochodu i ruszyła. Po drodze zadzwoniła do pracy, ale M.C. tam się nie pokazała. Połączyła się więc z Salem, który był już w domu. Po krótkim wahaniu obiecał wszcząć poszukiwania M.C. i jej terenówki. Poradził też, żeby zadzwoniła do Allena i White'a i poprosiła ich o pomoc.

Zadzwoniła więc do kolegów. Z początku nie byli zachwyceni perspektywą nocnych poszukiwań, ale kiedy dowiedzieli się, o kogo chodzi, obiecali pomóc.

Ledwie się rozłączyła, jej komórka ponownie zadzwoniła. Kitt zatrzymała się przy krawężniku, żeby móc swobodnie rozmawiać. Miała nadzieję, że to wreszcie M.C., jednak na wyświetlaczu pojawił się nieznany numer.

– Tak, słucham. Porucznik Lundgren.

– Sierżant Roberts z biura szeryfa Dekalb – usłyszała głęboki głos. – Zdaje się, że interesuje panią zabójstwo Mimi Ballard.

– Tak, nieznany sprawca zastrzelił jednego z naszych pracowników z tej samej broni.

– Do licha! Po tylu latach!

– Pamięta pan tę sprawę?

– Tak. Miałem wtedy tylko piętnaście lat, ale mój ojciec pracował w policji. Dużo się wtedy o tym mówiło. Wie pani, takie rzeczy zdarzają się tu bardzo rzadko. – Zamyślił się na chwilę. – Ten facet, Frank Ballard, pracował z moim ojcem. Zbił ofiarę paskiem, na którym zostały jego odciski palców, a potem ją zastrzelił.

– Ale broni nigdy nie znaleziono – stwierdziła.

– Nie, niestety. Ciekawe, skąd się wzięła teraz w Rockford?

– Właśnie próbuję to ustalić. Proszę mi opowiedzieć o tym morderstwie. Może wie pan o rzeczach, których nie znajdę w aktach sprawy.

– Ballard był bardzo cenionym pracownikiem. Z nikim się szczególnie nie przyjaźnił, ale wszyscy uważali go za dobrego policjanta.

– I co jeszcze?

– Wszyscy byli zaszokowani tym, co się stało. Utrzymywał, że jest niewinny, ale i tak go skazano. O ile wiem, wciąż siedzi w więzieniu. Jego żona miała spore gospodarstwo, które Ballard sprzedał dużej firmie. Nazywała się Green Giant, a teraz ConAgra. Do niedawna miał dom nieopodal miasteczka, ale chyba zdecydował się go sprzedać, bo widziałem tam jakieś młode małżeństwo. Mieszkam parę kilometrów od tego miejsca – dodał.

– Czy w tym morderstwie było coś niezwykłego?

Sierżant Roberts zastanawiał się przez chwilę.

– Jego żona była głuchoniema.

– Słucham?!

– No, głuchoniema. To było straszne. Jej ciało znalazło któreś z dzieci.

– Mieli dzieci? Ile?

– Chyba dwoje, ale nie wiem dokładnie. Mieszkałem wtedy z rodzicami w Sycamore. Chodziłem do innej szkoły... Zresztą nie wiem, może mieli tylko jedno dziecko...

Morderca Niewinnych Aniołków i jego naśladowca.

Brat i siostra.

Dlatego się znali! Mogła się założyć, że jedno z nich miało wtedy dziesięć lat.

– Niech pan posłucha, to bardzo ważne – powiedziała, starając się ukryć drżenie głosu. – Podejrzewam, że wasz zabójca jest zamieszany w seryjne morderstwa na naszym terenie. Czy mógłby pan jak najszybciej sprawdzić, jak nazywały się te dzieci i co się z nimi stało?

– Zaraz oddzwonię – obiecał na pożegnanie.

Siedziała chwilę w milczeniu, ale znowu odezwał się telefon. Dzwonili z pracy.

– Nasi ludzie znaleźli samochód M.C. Stoi na rogu North Main i Auburn. Co mają robić?

– Niech czekają. Za chwilę tam będę.

ROZDZIAŁ SZEŚĆDZIESIĄTY DZIEWIĄTY

Wtorek, 21. marca 2006
godz. 20.40

Kitt zatrzymała się za oznakowanym wozem policyjnym i wyłączyła silnik. Na jej widok z wozu wysiadło dwóch policjantów i stanęło koło explorera.

– Mogę prosić o latarkę?

Zajrzała do samochodu M.C. Wyglądało na to, że wszystko jest w nim w porządku.

– Sprawdzaliśmy drzwi, ale są zamknięte – powiedział jeden z policjantów.

– Musimy dostać się do środka.

Drugi mężczyzna skinął głową i pobiegł do wozu policyjnego. Po chwili wrócił z niewielkim łomem. Sprawnie wyłamali zamek i Kitt mogła sprawdzić skrytkę i wnętrze pojazdu. Wszystko wyglądało zupełnie normalnie.

M.C. musiała sama zamknąć explorera. Wzięła ze sobą komórkę i notatnik.

Kitt wyłączyła latarkę i zwróciła ją policjantowi, a potem rozejrzała się po sąsiedztwie. Zauważyła niewielki bar z informacją, że jest otwarty przez całą dobę.

M.C. pokazywała go wcześniej partnerce. To właśnie tutaj zaprosił ją jej komik.

Kitt poprosiła policjantów, żeby na nią zaczekali, i przeszła na drugą stronę ulicy. W barze było sporo osób jak na wtorkowy wieczór. Stojąca za kontuarem kobieta uśmiechnęła się do niej. Na plakietce miała wypisane imię „Betty".

– Czym mogę służyć? – spytała.

– Szukam znajomego. Często tu przychodzi. Ma na imię Lance.

– A, Lance Castrogiovanni. Prawie stąd nie wychodzi.

– Był tu dzisiaj?

– Nie, niestety.

– Mieszka gdzieś w pobliżu?

Kobieta popatrzyła na nią podejrzliwie.

– Dlaczego pani pyta?

– Mam do niego pilną sprawę. – Pokazała jej odznakę.

Betty zrobiła zatroskaną minę.

– Chyba nie wpadł w tarapaty?

Kitt zastanawiała się, co powiedzieć. W końcu Lance Castrogiovanni mógł być zupełnie niewinny.

– Nie, nie. Prawdę mówiąc, szukam koleżanki. Nazywa się Mary Catherine Riggio, ale mówimy na nią M.C.

– Ach, tej miłej policjantki. – Betty znowu się uśmiechnęła. – Przedstawił nam ją kiedyś. I chyba rzeczywiście widziałam ją dzisiaj w pobliżu.

Już bez przeszkód podała jej adres i Kitt wyszła, starając się nie okazywać pośpiechu. Dopiero po chwili puściła się pędem w stronę domu Lance'a. Po drodze zawołała jeszcze policjantów. Jeden miał zostać na ulicy, a drugi wejść wraz z nią do środka.

Zapukała do wnętrza, ale nikt jej nie odpowiedział. Zawołała jeszcze, ale z tym samym rezultatem. Drzwi były zamknięte. Uznała, że musi dostać się do domu Lance'a. Miała wystarczające powody.

Liczyła na to, że sędzia zinterpretuje to tak samo.

– Musimy wyważyć drzwi – powiedziała do policjanta.

Zamek nie był mocny. Po chwili wpadli do środka z wyciągniętymi pistoletami. Wyglądało na to, że mieszkanie jest puste. Panował w nim względny porządek.

Nie miała nakazu rewizji, ale mieszkanie mogło być miejscem zbrodni i należało je przeszukać. No i musiała odnaleźć partnerkę...

Zaglądali ostrożnie do kolejnych pomieszczeń. Nie znaleźli niczego w salonie i łazience. W kuchni dostrzegła na stole niedojedzoną kanapkę z indykiem. Łóżko w sypialni było przykryte kołdrą, wyglądało na nieużywane. Kitt podeszła do szafy.

W środku nie dostrzegła niczego szczególnego. Dopiero po chwili zauważyła jakąś rzecz w jaskrawym, pomarańczowym kolorze, leżącą w kartonowym pudle pod ubraniami.

W tym momencie zadzwonił jej telefon. Znowu praca.

– Tak, słucham?

– Cześć, Kitt, mam coś dla ciebie – usłyszała głos White'a. – Ustaliliśmy nazwisko tego klauna z domu opieki Waltona B. Johnsona. Nazywa się Lance...

– Castrogiovanni – dokończyła za niego.

– Tak. Skąd wiesz?

Podała telefon zaskoczonemu policjantowi i pochyliwszy się, wyciągnęła z pudła w szafie pomarańczową perukę.

ROZDZIAŁ SIEDEMDZIESIĄTY

Wtorek, 21. marca 2006
godz. 22.10

M.C. powoli dochodziła do siebie. Wszystko ją bolało. Kiedy otworzyła oczy, zorientowała się, że otaczają ją ciemności.

Ręce miała związane mocną taśmą klejącą. Nogi również. Leżała na chłodnej betonowej podłodze. Jestem pewnie w suterenie, pomyślała. To wyjaśniało, dlaczego było tu tak ciemno i wilgotno.

Przekręciła się na bok i podwinęła kolana. Po chwili udało jej się usiąść. Poczuła krew na języku i natychmiast powróciły do niej wspomnienia. Dojechała do Lance'a, który przywitał ją dość dziwnie – objął mocno i powiedział, że ją kocha. W ogóle nie chciał jej puścić.

Był bardzo poważny. Zachowywał się tak, jakby zamierzał z nią zerwać.

Teraz M.C. czuła się poniżona i zdradzona. Jednak te uczucia nie miały w tej chwili znaczenia. Wiedziała, że musi jak najszybciej się uwolnić i spróbować stąd uciec. Pamiętała jeszcze, jak Lance poszedł do kuchni po kanapkę, a ona odebrała telefon od byłej dyrektorki domu opieki. Wanda Watkins przypomniała sobie nazwisko klauna, który występował wtedy na urodzinowym przyjęciu i była z tego bardzo dumna.

Lance Castrogiovanni.

Aż zabrakło jej powietrza, kiedy to usłyszała. Popatrzyła przerażona na Lance'a, który zmierzał do niej z kanapką, i sięgnęła po broń.

Nie miała pojęcia, co stało się później. Pamiętała tylko ostry ból, który przeszył jej ciało. Wszystko wokół zaczęło wirować...

Znaczyło to, że ktoś jeszcze musiał być w mieszkaniu.

Jego wspólnik. A więc nie byli wrogami, ale współpracowali przy tych morderstwach. Morderca Śpiących Aniołków i jego naśladowca. M.C. próbowała przypomnieć sobie coś, co pozwoliłoby go zidentyfikować, ale w głowie miała kompletną pustkę.

Kiedy oprzytomniała, była tylko z Lance'em. Tak jej się przynajmniej wydawało. Ręce i nogi miała związane, a Lance trzymał w dłoni rewolwer.

To był Smith & Wesson, kaliber 45.

Czyżby ten sam, z którego zastrzelono Briana?

Lance chyba płakał. Ręka mu drżała, gdy przystawił jej broń do głowy. Pomyślała, że za chwilę pociągnie przez pomyłkę za spust, ale nic takiego nie nastąpiło. Kazał jej zadzwonić do Kitt i powiedzieć, że wszystko jest w porządku. I że poszukiwania klauna spełzły na niczym.

Zrobiła to, żeby zyskać na czasie. Wiedziała, że partnerka wszystko sprawdzi. Jednocześnie próbowała dać znać, że ma kłopoty. Mówiła od rzeczy, wspomniała też o kolacji rodzinnej z nadzieją, że wywoła zdziwienie Kitt. Na koniec niby żartobliwie poprosiła o pomoc. Właśnie wtedy Lance wpadł w złość i kazał jej zakończyć rozmowę.

Kitt chyba uznała, że koleżanka jest przepracowana. M.C. poznała to po jej głosie. Jednak na pewno w końcu zorientuje się, co się stało. Zwłaszcza jeśli nie będzie się mogła do niej dodzwonić.

Kto wie, czy nie będzie już za późno...

Próbowała rozmawiać z Lance'em. Przekonać go, żeby ją uwolnił i oddał się w ręce policji. Pytała, czy ją kocha, czy potrafi jej zaufać.

Zachowanie Lance'a uległo zmianie. Przestał płakać i wpadł we wściekłość. A potem uderzył ją kolbą rewolweru.

To była ostatnia rzecz, którą pamiętała.

Nagle dotarł do niej odgłos otwieranych drzwi, a potem kroki na drewnianych, skrzypiących schodach. Patrzyła w ciemność, czekając. Po chwili dostrzegła zarysy sylwetki Lance'a.

– Mary Catherine? – zapytał cicho.

Kiedy nie odpowiedziała, podszedł do niej. Poczuła jego palce na twarzy.

– Nic ci nie jest? – spytał drżącym głosem.

Wciąż milczała. Bała się, że zacznie przeklinać albo plunie mu w twarz. Nie wiedziała, co go tak rozjuszyło poprzednio, ale wolała nie ryzykować.

Poza tym wątpiła, aby udało jej się przetrzymać kolejne tak mocne uderzenie.

– Zdaje się, że wciąż cię boli – powiedział, dotykając delikatnie jej skroni. – Przepraszam, naprawdę nie chciałem.

– Więc to napraw.

Pocałował ją. Poczuła na twarzy jego łzy. Zbierało jej się na mdłości. Postanowiła jednak wykorzystać nastrój Lance'a.

– Bolą mnie ręce – poskarżyła się. – Możesz je uwolnić?

– Przykro mi, ale nie.

– Obiecuję, że nie spróbuję uciec.

– Chciałbym w to wierzyć – powiedział smutno.

Kiedy zapalił lampę, którą miał ze sobą, zauważyła, że rzeczywiście wygląda na zgnębionego.

– Kocham cię, Lance. Dlaczego miałabym od ciebie uciekać?

Omal nie udławiła się własnymi słowami. Czy kiedyś rzeczywiście mogło jej się wydawać, że go kocha? Tego potwora?

– Chciałbym, żeby to była prawda... Tak bardzo chciałbym, żeby wszystko było inaczej...

Znowu ją pocałował. Poczuła od niego miętę, jakby miał w ustach cukierek.

– On będzie zły. Jeszcze bardziej niż zwykle.

– Kto, Lance?

– Bestia – szepnął, jakby bał się, że tamten może go usłyszeć.

Serce zabiło jej mocniej. Miał na myśli wspólnika.

– Przepraszam, że cię uderzyłem – dodał po chwili.

– Dlaczego to zrobiłeś, Lance?

– On tego chciał.

– Bestia?

– Ta... – powiedział prawie niedosłyszalnie. – Nie chcę o nim rozmawiać.

– A o czym chcesz?

– O mojej rodzinie. Obiecałem ci. Chcę, żebyś zrozumiała...

– Dobrze, mów. Spróbuję zrozumieć.

– Nie teraz, później.

Wstał. Widziała dokładnie, że drży.

– Czego się boisz? – spytała. – Przecież wiesz, że ci pomogę. Będę cię chronić.

Lance pokręcił głową.

– To on mnie chroni. Zawsze to robił. Jesteśmy jednym.

– Kochasz go bardziej niż mnie.

– Nic nie rozumiesz.

– To powiedz mi wszystko, Lance. Chcę zrozumieć.

– Nie mogę bez niego żyć. Już próbowałem... – Urwał gwałtownie i wytarł łzy z policzków. – Przepraszam, muszę iść.

Ruszył w stronę schodów, ale jeszcze go zawołała.

– Czy to ty zabiłeś te dziewczynki?

Spojrzał smutno w jej stronę.

– Wcale tego nie chciałem.

– Więc czemu to zrobiłeś?

– On mi kazał.

– A ty spełniasz wszystkie jego polecenia?

– Zaraz wrócę.

– Nie, zaczekaj! – Próbowała uwolnić ręce, ale nie dała rady. – Czy mnie też zabijesz? Bo on tego chce?

Odszedł bez słowa. M.C. starała się zapanować nad paraliżującym strachem.

– Nie musisz tego robić. Sam jesteś panem swojego losu.

Kroki na schodach ucichły i usłyszała skrzypnięcie drzwi.

– Lance, proszę...

Zamknął za sobą drzwi, a ona znowu została sama w ciemności.

ROZDZIAŁ SIEDEMDZIESIĄTY PIERWSZY

Wtorek, 21. marca 2006
godz. 22.50

Od momentu, w którym Kitt zameldowała w wydziale zabójstw o swoim odkryciu, wszystko potoczyło się bardzo szybko. Do mieszkania Castrogiovanniego dotarła cała policyjna ekipa, na czele z Salem. Nikt nie dbał o to, że poszukiwania mogą trwać całą noc. Wszyscy chcieli pomóc M.C. i złapać w końcu tego potwora.

Czekali na to całe pięć lat.

Odnaleziono też Valerie wraz z córką u jej siostry w Barrington. Początkowo utrzymywała, że pojechała tam „leczyć złamane serce", ale po serii pytań przyznała się do kłamstwa i potwierdziła alibi Joego. Pragnęła odpłacić mu pięknym za nadobne.

Policja z Barrington miała ją przywieźć do wydziału na dalsze przesłuchanie.

Ponieważ nie było powodów, żeby nadal przetrzymywać Joego, zaraz go wypuszczono. Sal sam powiedział o tym Kitt i chociaż się ucieszyła, to była pewna, że Joe nigdy jej nie wybaczy.

W tym czasie Allen i White dokonali nowego odkrycia. Parę tygodni przed śmiercią Marianne Vest była na przyjęciu urodzinowym koleżanki, na którym występował klaun. W dodatku w dniu, w którym odbywały się urodziny Julie Entzel w „Fun Zone", rozchorował się chłopak, który zwykle przebierał się za Sammy'ego. Trzeba było wynająć zastępcę, którym okazał się Lance Castrogiovanni.

Nikt nie wątpił, że wkrótce odkryją nowe dowody jego winy. Tak działo się w przypadku wielu spraw. Po dłuższym okresie całkowitego zastoju, dowody zaczynały się pojawiać niczym grzyby po deszczu.

Tylko czy nie było już za późno?

Gdzie podziała się M.C.?

Kitt krążyła po mieszkaniu Lance'a niczym tygrys w klatce. Próbowała poukładać w głowie wszystkie fakty i myśleć precyzyjnie, nie ulegając panice. Nie wątpiła już w to, że znaleźli właściwego człowieka. Poszukiwania komputerowe wykazały, że Lance był adoptowany. Sal wysłał wozy patrolowe do jego przybranych rodziców. Nie uzyskali jeszcze potwierdzenia, czy był naturalnym synem Ballardów, ale Kitt nie miała wątpliwości, że tak i że to właśnie on znalazł zabitą głuchoniemą Mimi Ballard.

W Dekalb. W domu, w którym się wychowywał.

Kitt pobiegła do Sala.

– Wiem, dokąd ją zabrał! Do Dekalb!

Sal wskazał telefon.

– Chwileczkę, Kitt. Rozmawiam z szefem.

Zwykle wystarczyło tylko wspomnieć o szefie, by wszyscy milkli, jednak teraz było jej wszystko jedno.

– Nie mamy czasu. Wiem, dokąd ją zabrał.

– Zaraz zadzwonię – rzucił Sal i się rozłączył. A potem spojrzał na nią wściekły, jakby go ugryzła osa. – Dobrze, chodźmy na zewnątrz.

– Wiem, gdzie są – powtórzyła po raz kolejny, kiedy wyszli przed dom.

– Skąd przypuszczenie, że właśnie do Dekalb?

– Bo rozmawiałam z policjantem stamtąd, który wspomniał, że jakieś młode małżeństwo kupiło niedawno rodzinny dom Ballardów.

– Zaraz tam zadzwonię, żeby to sprawdzili.

– Chciałabym tam pojechać...

– Wykluczone. Potrzebuję cię tutaj.

– Wiem, że ją tam trzyma. Chcę sama...

– Już powiedziałem. Koniec dyskusji.

– Cholera, Sal. – Chwyciła go za ramię. – To moje śledztwo. Nie mogę siedzieć bezczynnie, kiedy ten drań więzi M.C.!

– Mylisz się, Kitt. To jest moje śledztwo, a M.C. jest moim pracownikiem.

– Tak jest. – Obróciła się na pięcie i podeszła do swego wozu.

– Gdzie się, do diabła, wybierasz?!

– Chcę trochę ochłonąć – powiedziała. – To nie zajmie dużo czasu.

– Masz na to pięć minut. A potem wracaj do Castrogiovanniego – polecił jej.

Pięć minut później skręciła na główną drogę, prowadzącą do Dekalb. Oczywiście Salvador Minelli będzie naprawdę wkurzony, kiedy okaże się, że nie wróciła, ale wcale jej to nie obchodziło. Co tam, najwyżej odbierze jej odznakę.

Bardziej zależało jej na życiu M.C. Poza tym ta sprawa należała do niej. Od początku się nią zajmowała.

Zadzwoniła do sierżanta Robertsa. Odebrał natychmiast, ale powiedział, że jest bardzo zajęty.

– Zaraz! Niech pan mi powie, gdzie jest dom Ballardów.

– Przepraszam, ale później.

Po tych słowach się rozłączył. Kitt zaklęła i spojrzała na zegarek. Minęło piętnaście minut. Sal już pewnie się zorientował, że nie wróciła. A może jeszcze nie? Przecież był bardzo zajęty...

Zadzwoniła bezpośrednio na posterunek w Dekalb.

– Tu porucznik Lundgren z policji w Rockford. Mój szef polecił wysłanie patrolu do jednego z domów w Dekalb.

Kobieta milczała i Kitt pomyślała, że ten numer chyba jednak nie przejdzie.

– Tak, pani porucznik. O co chodzi?

– Mam wziąć udział w poszukiwaniach.

– Przykro mi, ale patrol przed chwilą wyjechał.

– Wobec tego do niego dołączę.

– Ma pani adres?

Kitt odetchnęła z ulgą i powiedziała, że nie, a wówczas kobieta podała jej dokładny adres domu Ballardów.

– Czy mam powiadomić o tym naszych ludzi? – spytała na koniec.

– Tak, proszę.

Jak tylko zakończyła rozmowę, rozdzwonił się jej telefon. Spojrzała na wyświetlacz. Oczywiście, Sal.

– Przykro mi, ale mam dziś problemy ze słuchem – wymamrotała pod nosem. – Nawet nie usłyszałam dzwonka.

Wskazówki okazały się jasne i proste. Bez przeszkód dotarła na miejsce. Przejechała kawałek drogą gruntową i zatrzymała się obok oznakowanego policyjnego wozu. Dom stał praktycznie w szczerym polu.

Wysiadła z auta i przyjrzała się dokładniej budynkowi. W środku było ciemno.

Po chwili stanął przy niej jeden z policjantów.

– Porucznik Lundgren z policji w Rockford – przedstawiła się.

– Shanks, jestem tu zastępcą szeryfa. Dzwoniłem do domu, ale nikt nie otworzył. Rozejrzeliśmy się też trochę dokoła. Drzwi i okna są zabezpieczone. Wygląda na to, że nic się tu nie dzieje.

– Sprawdziliście stodołę?

– Tak, ale niczego w niej nie ma.

– Jakieś pojazdy?

– Tylko zdezelowany traktor.

– Mogę sama wszystko sprawdzić?

– Proszę bardzo.

Obejrzała dokładnie okna i zamki, niczego jednak nie udało jej się znaleźć. I pewnie doszłaby do tego samego wniosku, co zastępca szeryfa, gdyby nie mrowienie, które czuła na karku.

Oni muszą tu być! Morderca Śpiących Aniołków, jego naśladowca i M.C.

Koniecznie chciała wejść do środka. Wiedziała jednak, że zastępca szeryfa jej na to nie pozwoli.

– Wygląda na to, że to fałszywy trop – powiedziała do niego.

– Bardzo mi przykro, pani porucznik. Dziękuję, że tu pani przyjechała.

– Nie ma sprawy.

Podeszli do swoich samochodów, ale zastępca szeryfa spojrzał na nią jeszcze z ciekawością.

– Tak swoją drogą, kogo pani szuka?

– Mordercy dzieci, który porwał moją partnerkę.

– O cholera!

– Zamordował też policjanta.

Mężczyzna pokręcił głową.

– Chodzi o tego naśladowcę? – spytał.

– Tak, chyba tak.

Popatrzył jeszcze w stronę domu.

– Jaka szkoda.

Jeśli zaproponuje, że wejdą do domu bez nakazu, natychmiast z tego skorzysta.

Jednak zastępca szeryfa wsiadł do oznakowanego wozu i po chwili ruszył za swoimi ludźmi. Dwa samochody przejechały drogą gruntową i skręciły w przeciwną stronę niż ta, z której przyjechała Kitt.

Kitt poczuła, że ułatwił jej w ten sposób zadanie. Po chwili również wsiadła do samochodu. Przejechała kilka kilometrów, a następnie zawróciła. Kiedy wjechała na drogę gruntową, zgasiła światła. Jechała wolno i zaparkowała za stodołą. Nie sądziła, żeby zastępca szeryfa wrócił, ale mimo to wolała nie ryzykować.

Zanim wysiadła, wzięła latarkę ze schowka i sprawdziła broń. Włożyła też komórkę do futerału i kluczyki do kieszeni.

Zamek od tylnych drzwi był chyba bardzo stary i nie potrzebowała dużo siły, żeby je wyważyć. Starała się to zrobić jak najciszej, a następnie przekradła się do kuchni. Było to duże, staroświecko urządzone pomieszczenie. Nikt od lat niczego tu nie zmieniał. Obejrzała je przy świetle latarki, a następnie ruszyła dalej. W salonie stały meble przykryte pokrowcami. Czuć tu było stęchlizną.

Jadalnia była zupełnie pusta, podobnie jak duża sypialnia, która znajdowała się na parterze. Kitt poszła więc na górę, starając się stąpać jak najciszej po skrzypiących schodach. Co jakiś czas przystawała, nasłuchując. Nic jednak się nie działo.

Jeśli ktoś był w domu, starał się zachowywać równie cicho jak ona.

Dotarła na piętro. Łazienka znajdowała się dokładnie naprzeciwko schodów. Zajrzała do środka, delikatnie popychając drzwi palcami.

Ktoś z niej ostatnio korzystał. Obok sedesu spoczywała rolka papieru toaletowego. To znaczyło, że w budynku jest bieżąca woda.

Dotknęła końca kranu, który okazał się być wilgotny. Miała rację. Poczuła, jak serce zaczyna bić jej mocniej.

Zajrzała do sąsiadującej z łazienką sypialni i zauważyła, że ktoś w niej spał. Na podłodze przy oknie leżał zmięty śpiwór. Obok znajdowało się kilka puszek po coli i opakowania od cukierków.

Ruszyła w stronę śpiwora i nagle zamarła, słysząc głosy. Natychmiast wyłączyła latarkę. Stała w ciszy, zastanawiając się, skąd mogą dobiegać.

Zaraz, chyba z kratki wentylacyjnej?

Przyklęknęła przy ciemnym otworze, żeby lepiej słyszeć. Nie potrafiła jednak nawet powiedzieć, czy głosy należą do kobiety czy do mężczyzny i ile osób rozmawia. Wiedziała tylko, że dobiegają z dołu.

Ale skąd? Przecież przeszukała już cały dom. I nagle zrozumiała – suterena! Oczywiście takie stare domy mają sutereny albo piwnice. Nie widziała jednak drzwi, które mogłyby tam prowadzić.

Kitt zeszła na parter. Ponieważ wiedziała, że nie jest tu sama, nie zapaliła latarki i trzymała broń w pogotowiu. Starała się też poruszać najciszej, jak to tylko było możliwe.

W końcu udało jej się znaleźć drzwi pod schodami. Prawie nie było ich widać. Przystawiła do nich ucho, ale niczego nie usłyszała.

Poczuła, że ma gęsią skórkę. Gdyby coś usłyszała, znaczyłoby to, że obie osoby żyją. Chwyciła gałkę i lekko ją przekręciła.

Drzwi były zamknięte.

Znowu przystawiła ucho do desek i tym razem usłyszała dobiegające z dołu pomruki. Niewątpliwie był to mężczyzna, który coś nucił. Dźwięk powoli narastał.

Ten człowiek wchodził po schodach.

Rozejrzała się niepewnie dookoła, szukając jakiejś kryjówki. Przypomniała sobie o meblach w pokrowcach i schowała się za wielki fotel. Usłyszała, jak mężczyzna przekręca klucz w zamku i wycelowała broń w stronę drzwi.

Mężczyzna wyszedł, zostawiając drzwi otwarte, i ruszył w stronę kuchni. Zrobiło jej się słabo. Po co uchyliła drzwi? Jeśli zorientuje się, że coś jest nie tak, może dojść do nieszczęścia. On jednak chyba niczego nie zauważył. Po prostu zaczął coś robić w kuchni. Oby nie dostrzegł jej samochodu... Zaparkowała w taki sposób, żeby nie było go widać od strony drogi, ale nie domu.

Kolejny głupi błąd.

Mogła teraz pójść za mężczyzną, ale uznała, że bezpieczeństwo M.C. jest ważniejsze. Przemknęła przez korytarz i ruszyła w dół. Po chwili była już w suterenie. Zapaliła latarkę i rozejrzała się po wnętrzu. Nie było tu niczego szczególnego, trochę metalowych półek z różnymi rzeczami.

Nie zauważyła koleżanki. Jeszcze raz oświetliła wnętrze, żałując, że nie ma mocniejszej latarki.

– M.C. – szepnęła. – Jesteś tu?

– Tak – usłyszała głos koleżanki. – Tutaj.

Bogu dzięki! Kitt pospieszyła w kierunku, z którego dobiegał głos. Nagle stanęła przed ścianą. Schowała glocka do kabury i zaczęła ją dokładnie oświetlać skrawek po skrawku.

– Gdzie jesteś? – spytała.

– Nie mam pojęcia.

Głos M.C. dobiegał zza ściany. Musiało tam być jakieś ukryte pomieszczenie.

Ale gdzie są drzwi?

Nagle usłyszała, że mężczyzna zbliża się do schodów. Po chwili dotarło do niej ich skrzypienie. A więc wracał! Szybko wyłączyła latarkę i schowała się za jakimiś skrzyniami. Po paru sekundach znowu dostrzegła jego sylwetkę. Szedł, nucąc piosenkę z ,,Oklahomy''.

W mdłym świetle księżyca zauważyła, że trzymał w ręku puszkę coli, chyba ze słomką.

Mężczyzna był wysoki i chudy. Przełożył colę do lewej ręki, wziął coś, co wyglądało na pilota i nacisnął guzik.

Ściana, którą przed chwilą oglądała, otworzyła się, ukazując jeszcze jedno wnętrze.

Cholera, coś w rodzaju skarbca. Wiedziała z doświadczenia, że tego typu pokoiki wyłożone są kuloodporną stalą. Jeśli on zamknie się w środku z M.C., zabierając ze sobą pilota...

Nie mogła na to pozwolić!

Na szczęście stał odwrócony do niej plecami. Kitt wyprostowała się wolno i skierowała na niego broń.

Wciąż nucąc, odłożył pilota na półkę i wszedł do środka.

Kitt odetchnęła z ulgą. Teraz miała nad nim przewagę. Musiała tylko czekać na odpowiedni moment.

ROZDZIAŁ SIEDEMDZIESIĄTY DRUGI

Środa, 22. marca 2006
godz. 12.35

M.C. usłyszała odgłos otwieranych drzwi. Domyśliła się, że to nie Kitt. Było na to jeszcze za wcześnie. Lance nucił coś pod nosem, jak wtedy, kiedy od niej wychodził. Kitt chciała się chyba upewnić, że wszystko z nią w porządku. Że może spokojnie zająć się Lance'em.

– Przyniosłem ci coś do picia – powiedział Lance.

Przyklęknął koło niej i przystawił jej słomkę do warg. Zaczęła pić chłodny napój, dzięki czemu spłukała z języka smak krwi. Od razu poczuła się lepiej.

– Byłam bardzo spragniona – rzekła z cichym westchnieniem.

– Chcesz więcej?

Skinęła głową i napiła się jeszcze trochę.

– Dziękuję.

Usiadł przy niej na betonie. Zauważyła, że rewolwer ma zatknięty za pasek spodni.

– Czy jest zabezpieczony? – Wskazała głową broń. – Inaczej będziesz miał kolejny temat do żartów.

– Właśnie to w tobie uwielbiałem, M.C. Nigdy nie traciłaś ducha.

Czas przeszły. Czy to znaczy, że już zadecydował o jej losie?

– Szkoda, że tak wyszło – dodał.

Nawet nie wiesz, jak bardzo szkoda, Lance. Prędzej skończysz w więzieniu, niż ja umrę! – pomyślała.

– Przecież możemy to jeszcze zmienić. Być szczęśliwi.

– Szczęśliwi? – powtórzył z żalem. – Kiedyś w to wierzyłem.

– Więc powinieneś znowu uwierzyć. Nigdy nie jest za późno.

– Ty... ty nic nie rozumiesz.

– Ciągle to powtarzasz. Wytłumacz mi, co było nie tak z twoją rodziną.

Milczał przez chwilę, a potem zaczął:

– Moja matka była inna.

– Głuchoniema?

– Tak. Nie mogła usłyszeć naszych próśb. Nie potrafiła nas przed nim obronić.

– Przed kim?

– Przed ojcem.

– Bił was?

– Tak.

– Bardzo mi przykro. Nie wolno bić dzieci.

– Nie, nigdy.

– Ale ty też krzywdziłeś dzieci, Lance. Zabiłeś te dziewczynki.

– Nie, one śpią.

– Nie żyją – poprawiła go.

– Śpią pięknie. Nie czują już bólu.

– A co z Marianne Vest?

Skrzywił się.

– Nie chcę o niej mówić.

– Kim jesteś, Lance? Mordercą Śpiących Aniołków czy jego naśladowcą?

– Jesteśmy jednym. Tyle że jest nas dwóch.

– Ty i bestia?

– Tak. On mnie chronił. Najlepiej, jak umiał.

On, a więc jednak brat! – pomyślała Kitt.

– To on wpadł na to, jak nas uwolnić – ciągnął Lance. – Zastrzelił ją, po tym, jak on znów ją pobił.

– Więc twój ojciec bił też matkę?

Skinął głową.

– Zastrzeliliśmy ją z jego pistoletu. Ojciec uwielbiał swoją broń. Potem dobrze ją schowaliśmy. Nikt nas nie podejrzewał.

– Policja już o tym wie – szepnęła M.C. – Przecież zabiłeś z niego Briana, prawda?

– Zabiłem go, bo się do ciebie przystawiał. Najpierw próbowałem z nim porozmawiać, wyjaśnić, że jestem twoim chłopakiem, ale mnie wyśmiał, więc pojechałem za nim do tego hotelu.

– Czy twój brat był zły z tego powodu?

– On nic nie wie.

– Ale teraz się dowie. – Popatrzył na nią tak, jakby nie rozumiał, o czym mówi. – Mamy już analizę porównawczą pocisków. Poza tym kobieta z domu opieki, u której byłam, przypomniała sobie twoje nazwisko. Występowałeś tam.

– Więc to koniec? – spytał zdziwiony i przerażony.

Przypominał teraz małego chłopca, który nie wie, co się wokół dzieje. W tej chwili nawet zrobiło jej się go żal.

– Niekoniecznie. Uwolnij mnie i pojedziemy razem na policję. Spróbujemy ci pomóc.

Lance skulił się i zaczął kołysać.

– To moja wina! To moja wina! Jestem głupi. I nieostrożny. Tak, jak mówił.

– Nie jesteś głupi, Lance.

– On jeden mi został. A teraz będzie bardzo zły, taki zły...

– Obronię cię.

– Nie możesz. – Popatrzył na nią ze smutkiem. – Tylko on umie to robić.

Poczuła, jak przenika ją zimny dreszcz. Lance chciał ją zabić. Gdzie, do diabła, jest Kitt?!

O dziwo, Lance Castrogiovanni nie lubił zabijać. Uważał to raczej za swój obowiązek.

– Nie rób tego, Lance! – krzyknęła, chcąc dać sygnał Kitt. – Poradzimy sobie. Pójdę do mojego szefa i...

Wytarł łzy z twarzy. Wstał i drżącą ręką sięgnął po broń.

W tym momencie Kitt wyszła z cienia.

– Połóż broń na podłodze, Lance – rozkazała. – A potem podnieś ręce do góry i obróć się wolno w moją stronę.

ROZDZIAŁ SIEDEMDZIESIĄTY TRZECI

Środa, 22. marca 2006
godz. 00.45

Lance zrobił, co mu kazała. Kiedy zobaczyła jego twarz, była zaskoczona. Patrzył na nią z ulgą, nawet z wdzięcznością.

Lance Castrogiovanni nie chciał już zabijać.

– Bardzo dobrze – powiedziała. – Trzymaj ręce w górze i odsuń się od M.C.

Posłuchał jej bez wahania, a ona kazała mu stanąć przy ścianie. Sprawdziła, czy nie ma innej broni, a następnie zakuła go w kajdanki.

– Masz prawo milczeć, ty sukinsynu. Masz prawo... – Poczuła wibracje telefonu, ale najpierw skończyła mówić. Dopiero wtedy otworzyła komórkę. – Porucznik Lundgren.

– Cześć, Kiciu.

Spodziewała się raczej usłyszeć gniewny głos Sala. Miała nadzieję, że kiedy przekaże mu dobre wieści, nie będzie już na nią zły.

Uśmiechnęła się jednak z ponurą satysfakcją.

– Bardzo mi miło, że właśnie teraz mogę z tobą porozmawiać – rzuciła do aparatu.

– A to dlaczego?

– Bo wygrałam! Wiem, kim jesteś i mam tu twego wspólnika. Czy może raczej powinnam powiedzieć: brata?

Zaśmiał się, jakby zupełnie się tym nie przejął.

– Może myślisz, że żartuję, ale zapewniam...

– Masz broń, Kiciu?

– Tak. Wymierzoną dokładnie w głowę twego brata!

– Co za przypadek! Zaraz wyjaśnię dlaczego. Teraz proszę, żebyś położyła broń na podłodze i odwróciła się z rękami do góry.

Tym razem to ona się roześmiała.

– Niby czemu?

– Bo jak zwykle jestem od ciebie lepszy!

Nagle zapaliło się światło. Kitt krzyknęła ze zdziwienia. A potem aż zakręciło jej się w głowie.

Pokój przypominał małą galerię. Na ścianach znajdowały się bardzo profesjonalnie wykonane i specjalnie matowane zdjęcia wszystkich zamordowanych dziewczynek. Wychodziły ze szkoły albo ze sklepu, biegały albo o czymś myślały. Niektóre były smutne. Inne uśmiechnięte.

Sześć ślicznych dziewczynek, które miały całe życie przed sobą.

Poczuła, jak do oczu napływają jej łzy. To nie było wszystko. Jedną ze ścian zajmowały zdjęcia martwych dziewczynek. Rozpoznała je wszystkie. Wciąż miała je pod powiekami.

Popatrzyła dalej. Były tu również staruszki, zarówno za życia, jak i po śmierci.

To przypomniało jej zdjęcia robione przez ekipę techniczną.

– Cześć, Kitt.

Mężczyzna wszedł do pomieszczenia. Zobaczyła wyraz niedowierzania w oczach M.C. Sama nie mogła uwierzyć...

Obróciła się wolno, żeby na niego popatrzeć.

Snowe z wydziału gromadzenia danych!

Jednak bardziej przeraziło ją to, że kogoś ze sobą prowadził. To był Joe!

Teraz przystawił mu pistolet do głowy.

Zakleił mu usta taśmą klejącą i związał ręce z tyłu. Sądząc z jego wyglądu, Joe nie poddał się bez walki.

– Jak widzisz, jednak ja tutaj rządzę – powiedział cicho. – Nie powinnaś mi była mówić, na kim ci zależy.

Tak, wygadała się przed nim. Powiedziała mu, jak bardzo kocha męża.

– Połóż pistolet na podłodze i kopnij w moją stronę.

Zrobiła, jak kazał, wciąż patrząc na Joego. Jednak Snowe nie schylił się po broń. I tak miał nad nią przewagę.

– Podoba ci się moja galeria? – spytał, najwyraźniej z siebie zadowolony. – Są piękne, prawda?

– To okropne.

– Chcę po prostu zachować wspomnienia.

– Jesteś psycholem!

– Zdejmij bratu kajdanki – polecił jej.

– Sam to zrób.

Pokręcił głową.

– Jeśli tak, to najpierw będę musiał zastrzelić ciebie i Joego.

Posłuchała więc go, zastanawiając się, co robić. Nic jej nie przychodziło do głowy.

– A teraz się cofnij. Chcę cię mieć cały czas na widoku.

– Lance, weź jej pistolet i podaj mi.

Lance skrzywił się z niesmakiem, ale wykonał polecenie.

– A teraz weź rewolwer i włóż go za pasek. Porozmawiamy o tym później – dodał z groźbą w głosie.

– Dlaczego do niego tak mówisz? – odezwała się M.C. – Lance nie jest dzieckiem.

– Zamknij się, bo cię zastrzelę! – warknął Snowe.

Kitt natychmiast się wtrąciła, bo wiedziała, że Snowe nie żartuje. Znała go dobrze. Wiedziała, że nie zna litości i zrobi wszystko, żeby wygrać.

– Puść Joego – poprosiła. – On nie ma nic wspólnego z tą sprawą.

– Jasne, że ma. Stanowi mój ostatni ruch. Jest tylko pionkiem w moich rękach, ale dzięki niemu wygram całą rozgrywkę.

M.C. skrzywiła się z niesmakiem.

– Przecież jesteś policjantem. Składałeś przysięgę. Jak mogłeś zrobić coś takiego? – spytała.

Kitt widziała, że jednocześnie próbuje się wyswobodzić.

– Policjantem?! Mam to w dupie, rozumiesz?

Pchnął Joego, a ten poleciał twarzą prosto na beton. Kitt skoczyła do niego z okrzykiem. Snowe strzelił i tym razem krzyknęła M.C.

Kitt dopiero po chwili zrozumiała, że Snowe strzelił do niej. Ot tak, po prostu. Dotknęła dłonią koszuli w okolicach żeber i poczuła, że jest mokra i lepka od krwi.

Opadła na kolana i spojrzała na Joego. Krew sączyła mu się z nosa. Jednocześnie pokój ze zdjęciami zaczął nagle wirować wokół niej.

Boże, żeby tylko nie umarł! – pomyślała.

Zawsze chciała znaleźć Mordercę Śpiących Aniołków, nawet gdyby to miała być jej ostatnia sprawa. Nie spodziewała się jednak, że jej życzenie stanie się rzeczywistością.

– Rana nie jest śmiertelna – powiedział Snowe lekkim tonem. – Ale oczywiście możesz się wykrwawić na śmierć...

Kitt poczuła, że robi jej się niedobrze. Usiadła na podłodze i oddychała ciężko, trzymając rękę przy żebrach. Wiedziała, że nie powinna się ruszać.

– Nasz stary też był w policji. I miał broń. Wydawało mu się, że jest lepszy i mądrzejszy od wszystkich, a zwłaszcza ode mnie i Lance'a. Prawda, Lance? – Spojrzał na brata. – A my byliśmy słabi i głupi. Zawsze nam to mówił, kiedy nas bił.

Lance nie odpowiedział. Kitt zauważyła, że patrzy z przerażeniem na jej ranę.

Snowe nie zwrócił na to uwagi.

– No i kto okazał się głupi? Przechytrzyliśmy go, nie, Lance?

– Nie – szepnął Lance. – Już o nas wiedzą.

– A czyja to wina?

– Moja.

– Właśnie, ty pętaku! Jaka była pierwsza zasada?

– Nigdy nie korzystać z tego rewolweru.

– Właśnie! A ty to zrobiłeś, głupku. I teraz jesteśmy skończeni.

Lance zwiesił głowę. Kitt włączyła się do rozmowy. Jeśli miała umrzeć, chciała się przynajmniej dowiedzieć wszystkiego o tych morderstwach. Poznać motywy Snowe'a.

– Więc zabiłeś te dziewczynki i... i staruszki tylko po to, żeby udowodnić, że możesz to zrobić? Chciałeś po prostu przechytrzyć policję?

– Cieszę się, że pamiętasz nasze rozmowy, Kiciu.

– Ale dlaczego zabijałeś dziewczynki? I to właśnie dziesięcioletnie?

Snowe wzruszył ramionami.

– A czemu nie?

– Po prostu wybrałeś na chybił trafił?

– Jasne. Przypadkowość to najlepszy sposób na to, żeby zmylić policję.

Popatrzyła na niego bezradnie.

– A ja?

– Tutaj sprawa bardziej się komplikuje. Po pierwsze, prowadziłaś sprawę moich zbrodni doskonałych i nic do ciebie nie miałem. – Popatrzył z naganą na brata. – A potem Lance wpadł na wspaniały pomysł, że chce mieć więcej aniołków i akurat nawinęłaś się pod rękę. Byłaś doskonałą osobą do prowadzenia tego śledztwa... dla mnie. Jak widzisz, wcale cię nie oszukałem. Rzeczywiście był pierwszy morderca i jego naśladowca. Wspólnik i brat.

Miały z M.C. podobną teorię.

– Nie wiem, dlaczego Lance zdecydował się to zrobić. Być może chciał mi udowodnić, że sam sobie świetnie poradzi. Że jest dorosły – powiedział to z wyraźnym obrzydzeniem. Nie krył tego, że gardzi młodszym bratem. – W dodatku zmienił trochę to, co ja robiłem.

– A konkretnie, ułożenie rąk.

– Tak – prychnął. – Uznał, że musi siebie jakoś wyrazić. To najlepszy sposób zwrócenia na siebie uwagi. Droga, która zaprowadzi cię wprost w łapy policji.

– Może Lance właśnie tego chciał? – zauważyła Kitt. – Może pragnął się od ciebie uwolnić?

Snowe nie zwrócił uwagi na jej słowa.

– Dlatego musiałem go trochę nastraszyć.

– Kierując mnie na jego trop?

– Tak. Chciałem, żeby się zaniepokoił...

– Rozumiem. Te rzeczy z boksu należały do waszej matki, prawda?

– Tak.

– A Buddy Brown?

– Och, to była pomyłka. Aresztowałem go, kiedy pracowałem w obyczajówce. Wiedziałem, że wyszedł, więc złożyłem mu wizytę. Oczywiście w trosce o jego dobro. – Uśmiechnął się szeroko. – Powiedziałem, że Joe Lundgren zatrudnia byłych przestępców. A kalectwo córki Valerie Martin to cudowny zbieg okoliczności, który zadziałał na moją korzyść.

Kitt zrozumiała, że się nią bawił. Tak, cały czas miał nad nią przewagę.

– A telefon Briana do Joego?

– Nigdy do niego nie dzwonił. Przecież sam przygotowałem ci te dane i po prostu wpisałem numer Joego.

Popatrzyła na byłego męża z olbrzymim poczuciem winy. Wiedziała, że powinna była mu zaufać.

– Nie miej wyrzutów sumienia. – Snowe prawidłowo odczytał jej minę. – Po pierwsze zgadłaś, że rzeczy w magazynie należały do głuchoniemej kobiety. Po drugie zrozumiałaś, że morderca jest policjantem. Zresztą właśnie dlatego musiałem przyspieszyć rozgrywkę.

Snowe urwał na chwilę.

– Starałem się być szczery, kiedy z tobą rozmawiałem. Na początku myślałem, że trafiłem na ciebie przez przypadek, Kiciu. Dopiero później zrozumiałem, że jesteś wyjątkowa. Ty nigdy się nie poddajesz, walczysz do końca...

– Byłeś w moim domu?

– Parę razy.

– Czytałeś mój pamiętnik.

To nie było pytanie, ale Snowe skinął głową.

– Tak, to bardzo ciekawa i pouczająca lektura. Pamiętaj, że mogłaś przegrać dużo wcześniej – rzekł niemal czule.

– Ale wygrałam. Wygrałam z alkoholem i wygram z tobą – oświadczyła z mocą.

– Podziwiam twoją odwagę, ale mylisz się. Zginiesz i ty, i Riggio, i twój ukochany Joe. Zginiecie wszyscy.

Lance spojrzał z wyrzutem na brata.

– Nie chcę, żeby zginęli, Scott – powiedział.

– Taa, bo jesteś mięczakiem. Zajmę się tym, a potem znowu będziemy razem. Tak jak zawsze.

– Ale Mary Catherine...

– Nie kochasz jej. Wykorzystała cię tylko...

– To nieprawda! – wybuchła M.C. – Nie słuchaj go, Lance!

– Stul pysk!

– Powiedziała, że nam pomoże...

– Kłamała! – Snowe wyrzucał z siebie kolejne słowa: – Czy matka ci kiedyś pomogła? Czy nas obroniła?

Lance potrząsnął głową.

– Właśnie! A kto ci pomógł?

– Ty, Scott, ale... – Wziął głęboki oddech. – Ale ich nie zabijemy.

– Nie?

– Wypuścimy ich?

Snowe zmrużył oczy.

– Dlaczego mamy to zrobić? Nie bądź babą, Lance. Rzygać mi się chce, jak na ciebie patrzę.

– Nie pozwól, żeby tak do ciebie mówił! – krzyknęła M.C. – Nie jesteś głupi! On nie ma prawa! Naprawdę cię kochałam.

– Koniec, Scott. Zaraz ich uwolnię. – Ruszył w stronę M.C. – Możesz uciekać, jeśli chcesz.

Snowe pokręcił głową, a potem strzelił mu prosto w plecy. Lance zdołał się jeszcze obrócić.

– Scott! – jęknął, patrząc na brata, a potem opadł bezwładnie na beton.

Snowe patrzył na niego przez chwilę, powstrzymując łzy.

– Zawsze mnie potrzebowałeś, a ja mogłem się tobą zająć. Ale jeśli już tego nie chcesz... Szkoda, bracie.

Kitt domyśliła się, że teraz kolej na nich. Popatrzyła na M.C., która wciąż próbowała się uwolnić. Sama też nie mogła nic zrobić. Joe leżał nieprzytomny. Sytuacja była beznadziejna.

Może jednak zastępca szeryfa domyśli się, że powinien tu wrócić?

Liczyła się każda chwila. Musiała rozmawiać ze Snowe'em, żeby zyskać na czasie. M.C. była tak zła, że natychmiast sprowokowałaby go do działania. Trzeba zdenerwować Snowe'a tylko trochę, tak, żeby chciał się wygadać. Na pewno nie czuł się dobrze po tym, jak zabił brata.

– Wydajesz się bardzo pewny siebie. A przecież zaraz cię zaaresztują – zauważyła.

Uśmiechnął się smętnie.

– Nie wygłupiaj się. Nikt poza nami nie wie, że mam z tym coś wspólnego. Wszystkie tropy prowadzą do Lance'a, nie do mnie.

– Ten rewolwer i dom – zauważyła. – To was łączy.

Snowe machnął ręką.

– Rozdzielono nas, kiedy miałem czternaście lat. Byłem za duży na adopcję, więc trafiłem do domu dziecka. Bardzo mi przykro, że mój brat tak skończył, ale nie miałem z nim żadnego kontaktu przez wiele lat – mówił, jakby zeznawał w sądzie. Musiała przyznać, że brzmiało to przekonująco.

Czy Sal mu uwierzy?

– Jeszcze jedno – zauważyła Kitt, czując, jak słabnie. – W jaki sposób dostałeś się do policji? Przecież twój ojciec...

– Zabił moją matkę? Cóż, byłem chłopcem z domu dziecka...

– Co chcesz teraz zrobić? – spytała M.C., zapewne pragnąc zyskać na czasie.

– To proste, zabiję was, a cała odpowiedzialność spadnie na Lance'a.

– A zdjęcia? – spytała słabnąca Kitt. Bała się, że za chwilę straci przytomność.

– Nie rozumiem?

– Przecież od razu widać, kto je zrobił – włączyła się M.C.

Snowe wzruszył ramionami.

– Oczywiście zabiorę je stąd. Nie zostawiłbym ich. To prawdziwe arcydzieła.

Tak, jego trofea.

A czy ten lok pochodził od jednego z aniołków?
– spytała Kitt.

Snowe nie odpowiedział. Dopiero po chwili zrozumiała, że zadała to pytanie tylko w myśli. Nie mogła otworzyć ust.

– No, szykujcie się na śmierć – mruknął Snowe.
– O czym teraz myślicie?

– Wiem, dlaczego Lance to zrobił. Dlaczego podszywał się pod mordercę – powiedziała M.C.

– No, słucham, spryciaro?

– Bo chciał się od ciebie uwolnić. Chciał, żebyśmy go złapali. Byłeś dla niego gorszy od ojca, bo znęcałeś się nad nim psychicznie.

Obrócił się w jej stronę. Aż drżał ze złości.

– Milcz, suko!

– Jesteś taki jak wasz ojciec! Nie rozumiesz?!

– Nie jestem! – wrzasnął, mierząc do niej. – Najwyższy czas, żebyś zam...

Przerwał mu odgłos wystrzału. Nie był to jednak pistolet Snowe'a, tylko rewolwer Lance'a, który zdołał się trochę wyprostować i strzelić do brata. Za pierwszym razem trafił go w pierś, a potem strzelił niżej, prosto w brzuch.

Snowe spojrzał na niego jak zaszczute zwierzę. Potem na jego twarzy pojawiło się niedowierzanie. Trwało to zaledwie moment, gdyż zaraz zwinął się z bólu i upadł z jękiem na beton.

Chciała prosić Lance'a, żeby uwolnił M.C. Z przerażeniem zauważyła, że celuje teraz do Joego. Po twarzy spływały mu łzy. Zamierzał zabić ich wszystkich.

Zamknęła oczy, czując, że odpływa. Usłyszała jakieś głosy, strzały, a potem... pochłonęła ją głęboka ciemność.

ROZDZIAŁ SIEDEMDZIESIĄTY CZWARTY

Wtorek, 23. marca 2006
godz. 10.50

– Cześć – przywitała się M.C., pukając cicho w otwarte szpitalne drzwi. – Mogę wejść?

Kitt uśmiechnęła się do niej i zaprosiła ją gestem do środka. Obudziła się dziś rano w szpitalu, podłączona do jakiejś skomplikowanej aparatury.

Nie wiedziała, jak mogła dostać się z farmy w Dekalb do St. Anthony Medical Center w Rockford. Jeden z kolegów, który przyszedł wcześniej, powiedział jej, że Lance uwolnił M.C., a potem się zastrzelił. To wyjaśniało zagadkę.

– Nieźle wyglądasz – zauważyła koleżanka. – Przynajmniej jak na to, co przeszłaś.

– Jakoś się trzymam – rzekła z westchnieniem.

Straciła bardzo dużo krwi. Na szczęście M.C. zachowała przytomność umysłu i najpierw zadzwoniła po karetkę, a dopiero potem na policję. Być może w ten sposób uratowała partnerce życie.

– Jakie masz wieści? – spytała Kitt.

M.C. przystawiła sobie krzesło do jej łóżka.

– Sal jest na ciebie wściekły.

– Pewnie mnie wyleje – mruknęła Kitt.

M.C. uśmiechnęła się do niej.

– Nie będzie tak źle. Wspominał, że działałaś pod wpływem wyższej konieczności i tak dalej. Chyba skończy się na naganie. Ostatecznie nie posłuchałaś rozkazu. Sam nieźle oberwał od szefa.

– No jasne! – Kitt uśmiechnęła się radośnie. – Prawdę mówiąc, wszystko mi jedno. Cieszę się, że ten potwór nie zabije już ani jednego dziecka.

M.C. zagryzła wargi. Czyżby myślała w tej chwili o Lansie?

– Dziękuję za to, co dla mnie zrobiłaś. Cieszę się, że udało mi się przeżyć.

– Przecież obiecałam...

M.C. pociągnęła nosem i spojrzała gdzieś w bok.

– A, coś ci przyniosłam. – Ożywiła się po chwili.

Podała jej szarą torbę ze sklepu. Kitt zajrzała do środka.

– Krakersy? – Ucieszyła się. – Moje ulubione!

– Tak, mam też colę. Nie wiedziałam, którą lubisz najbardziej, więc kupiłam kilka rodzajów.

– Dzięki, ale mówiłaś chyba, że nie powinnam jeść fast-foodów.

– To wyjątkowa sytuacja. Musisz szybko odzyskać siły...

– Czy ty próbujesz mi się podlizać?

– To też – przyznała ze śmiechem M.C.

Przez chwilę milczały, aż w końcu M.C. spytała:

– Rozmawiałaś z Joem?

Kitt pokręciła głową.

– Nie, ale wiem od pielęgniarki, że opatrzono mu rany i wypuszczono go do domu. Nie jest tak źle – zakończyła, chociaż myślała zupełnie inaczej.

Straciła go. Straciła go na zawsze.

M.C. ścisnęła jej dłoń.

– Bardzo mi przykro – powiedziała, jakby czytała w jej myślach.

– Podejrzewałam, że jest mordercą. To niewybaczalne. Nie zdziwię się, jeśli już nigdy nie odezwie się do mnie... – rzekła z żalem.

– Joe nie jest taki. – M.C. zamyśliła się na chwilę. – I pomyśleć, że zakochałam się w seryjnym mordercy. Chyba powinnam sprzedać tę historię do brukowców, co? Zarobiłabym przynajmniej trochę forsy.

Kitt uśmiechnęła się smutno. Doskonale wiedziała, co musiała teraz czuć Mary Catherine.

– Przykro mi.

M.C. wzruszyła ramionami.

– Jakoś to przeboleję, ale mama nie może się z tym pogodzić.

– Skąd się dowiedziała?

– Mój niewydarzony brat Neil całą noc siedział na policji.

Kitt przypomniała sobie przystojnego, wysokiego mężczyznę. I pomyślała, że musiał bardzo się martwić o siostrę.

– Znajdziesz sobie nowego narzeczonego – próbowała ją pocieszyć. – Twoja matka będzie zadowolona.

– Podobno po tej historii uznała, że lepiej będzie, jeśli zostanę lesbijką.

Kitt zaśmiała się tak, że aż poczuła ból w żebrach.

– Zawsze masz mnie – powiedziała.

– Myślisz, że wytrzymałabyś z taką jędzą jak ja?

– Cóż, sprawdziłaś się w pracy, więc może jakoś się dogadamy... Musisz tylko pamiętać, że mam wyższy stopień.

– Nigdy!

– To wobec tego leć do pracy. Ktoś musi dbać o bezpieczeństwo w naszym mieście. Jak dostaniesz awans, staniemy się prawdziwymi partnerkami.

– Naprawdę chcesz ze mną pracować? – spytała M.C. już poważnie.

– Przecież powiedziałam, że sprawdziłaś się w pracy – zauważyła Kitt. – Ja naprawdę tak myślę. Postaram się niedługo do ciebie dołączyć.

– Już cię ponosi? Lepiej trochę odpocznij.

M.C. wstała i odstawiła krzesło. Kiedy wychodziła, pielęgniarka wniosła do pokoju Kitt dużą wiązankę róż. Te kwiaty mógł jej przysłać któryś z kolegów albo cały wydział zabójstw.

Miała jednak nadzieję, że dostała je od Joego.

Pielęgniarka uśmiechnęła się do niej i wstawiła kwiaty do wazonu. Po chwili Kitt sięgnęła po bilecik. Nie otworzyła go jednak, tylko z bijącym sercem trzymała w dłoni.

Jeszcze nie, pomyślała.

Jeśli to nie Joe je przysłał, nie chciała o tym wiedzieć. Miała teraz dużo czasu, by to sprawdzić. Bardzo dużo czasu.

ILONA FELICJAŃSKA

Cała prawda o...

Modelka, gwiazda pokazów prêt-à-porter
i haute couture w Polsce i na świecie.
Założycielka fundacji, matka, żona, celebrytka.

W niezwykle szczerej rozmowie z Anetą Pondo
Ilona Felicjańska dokonuje podsumowań
w przededniu swoich 40 urodzin, zdradzając
całą prawdę o życiu pełnym sukcesów
i błędzie, który zmienił wszystko.

W sprzedaży od czerwca 2013

MIRA® wydawana przez
www.Harlequin.pl

Sklep internetowy na stronie **www.harlequin.pl**
**Pełna oferta, atrakcyjne promocje
oraz niespodzianki dla Klientów!**

ERICA SPINDLER

UKARAĆ ZBRODNIĘ

W na pozór spokojnym miasteczku w Karolinie Północnej dochodzi do serii dziwnych wypadków. Tylko policjantka Melanie May dostrzega pewną prawidłowość – wszyscy zmarli mężczyźni znęcali się nad kobietami i dziećmi, lecz uniknęli kary. Melanie, ryzykując karierę, rozpoczyna prywatne śledztwo.

Już w sprzedaży w księgarniach

MIRA® wydawana przez
H HARLEQUIN®
™
www.Harlequin.pl

Sklep internetowy na stronie **www.harlequin.pl**
**Pełna oferta, atrakcyjne promocje
oraz niespodzianki dla Klientów!**